アコースティック/クラシック・ギター
アメリカン・フォーク・ソング

Mel Bay Presents

Cowboy Songs for Acoustic Guitar

by Steve Eckels

Printed in Japan

ATN, inc.

もくじ

はじめに

本書のような、伝統的なカウボーイ・ソングのギター編曲集を出版できることを大変うれしく思います。端的にいえば、カウボーイ・ソングはギターと非常に相性がよいのです。本書に収録した曲は、音楽的ですばらしいメロディーと歴史的な重要性から選びました。もしあなたがソロ・ギターを始めたばかりならば、本書のアレンジが、まずシンプルなイントロダクションから始まり、徐々に難しいヴァリエーションに変化していくことに気がつくでしょう。上級者向けの部分も、イントロダクションと同じような左手のフィンガリングに対して、右手のピッキング・パターンを変化させている場合がほとんどです。

付属のCDで実際に演奏している**装飾音符**は、学習過程をシンプルにするために、すべてを記譜しているわけではありません。あなた自身のアイディアを採り入れたり、私のやり方をまねしてみるとよいでしょう。

著者について

*Steve Eckels*は、1955年、アメリカのニューメキシコ州で生まれる。チェコ人の祖父はアマチュア・ヴァイオリン奏者、スウェーデン人の祖母は音楽の先生という音楽的に恵まれた環境の中で、幼少より*Andres Segovia*のレコードを子守歌代わりに育つ。10歳の時、初めてギターを手にする。

Steve Eckels

1966年、一家はヴァージニア州Denvilleに移る。ガレージ・セールで、エピフォン社コルテスのアコースティック/クラシック・ギターを購入し、フォーク・ソングを弾き始める。その頃より、兄とともにバンドを結成。1967年、12歳になった*Eckels*は、ナッシュビルの音楽シーンで活躍する*Johnny Westbrook*より、初めてギターのレッスンを受ける。

その後、教師の勧めにより、プロのダンス・バンド*The Tommy Dameron Swing Orchestra*に入団。1973年からはアコースティック・デュオとして、兄とともにボストンで音楽活動を始める。1981年、ウィスコンシン州に移り、その頃よりMel Bay Publications, Inc.にて執筆活動を始め、その著書は11冊にものぼる。

*Gene Burtoncini, Robert Paul Sullivan, Chuck Wayne, Barry Gailbreth, William Leavitt, Gary Burton, Pat Metheney*にギターを師事。ギターの学士をバークリー音楽大学で取得し、ニュー・イングランド・コンサバトリーでは、アフロ・アメリカン・スタディ(Jazz)の修士を取得する。ウィスコンシン州アッシュランドにあるノースランド・カレッジでは、音楽教育免許とネイティヴ・アメリカンの文化学を習得。現在、バークリー音楽大学とウィスコンシン大学で教鞭を執る。

現在、モンタナ州Kalispell在住。2003年には初のCD、 Sparks from the 7 Worlds - Classical Guitar Masterpiecesをリリース。執筆活動、レコーディング、個人レッスンなど、幅広い活動を行う一方で、ニュー・メキシコ州立大学ではギターのインストラクターを務める活動的なパフォーマーである。

楽譜について

音部記号

５つの平行**線**と４つの**間**からなる５線譜には、**音部記号**と呼ばれる記号を記します。音部記号が示された５線譜を**譜表**といいます。音部記号は５線譜をどのピッチにするかを指示します。ギターの楽譜には**高音部記号**（ト音記号）を使います。

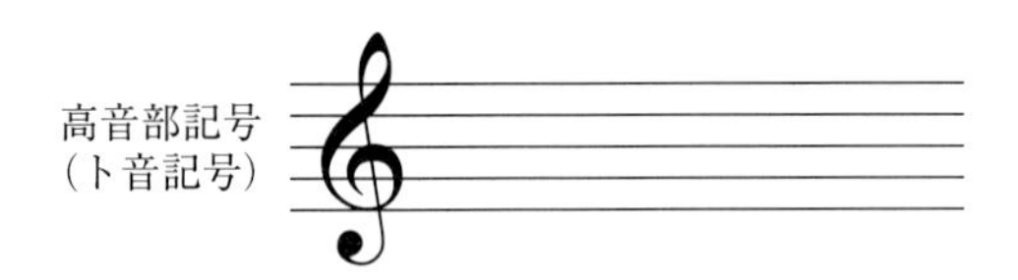

ピッチ（音高）

すべての音符は、音部記号を記した５線譜の所定の位置に記譜します。各線と間は、それぞれ異なるピッチを表します。

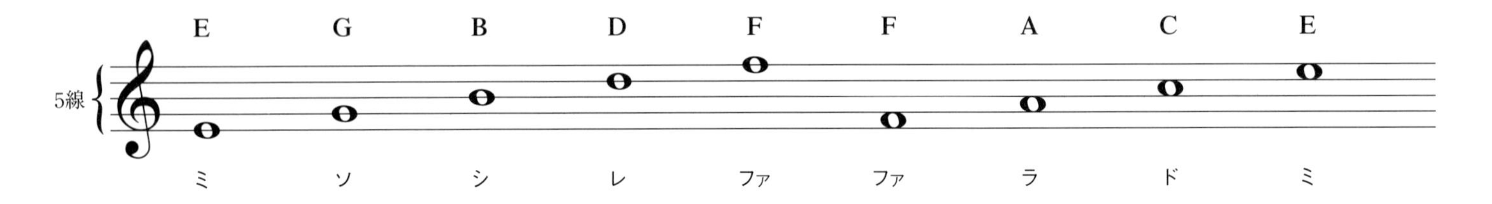

５本線内と４つの間で表せない高い音、または低い音は、**加線**と呼ばれる短い線を書き加えて、その線の上や間に記譜します。

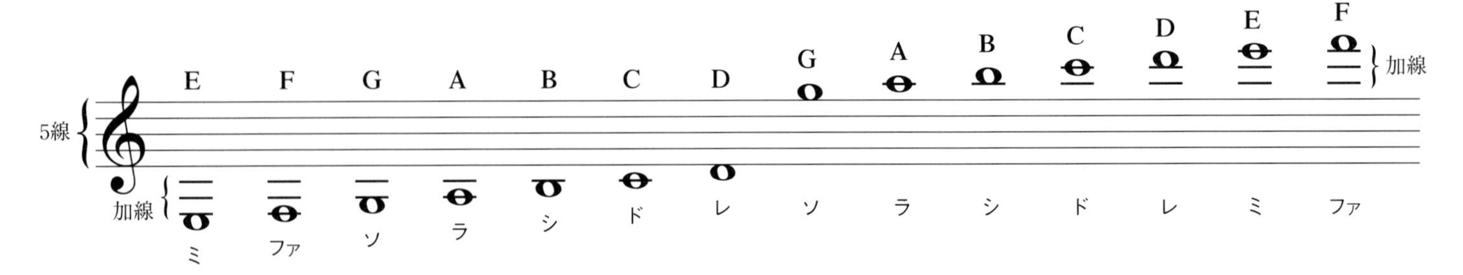

音は、アルファベットでＣＤＥＦＧＡＢＣ と表します。Ｃから次のＣ（ドからド）、Ｄから次のＤ（レからレ）までの*インターヴァル（音程）をオクターヴと呼びます。１オクターヴには、８つの音が含まれます。

１オクターヴ：ＣＤＥＦＧＡＢＣ

調　号

曲がどの調（キー）に属すかを決めるために**調号**が用いられます。調号にはシャープ（♯）やフラット（♭）の変化記号が用いられ、譜表の各段の音部記号のすぐ後の所定の音の位置に記されます。調号は曲をとおしてそれがつけられた音と、すべての同名の音に有効です。

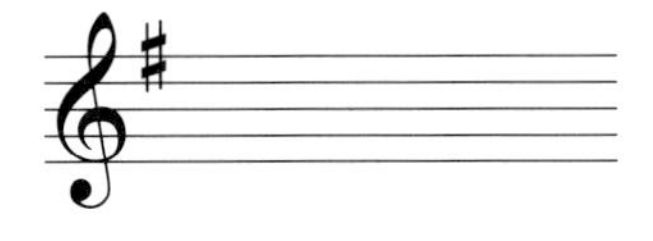

* インターヴァル（音程）は、音と音の間の隔たりを表す用語だが、これ以外にも、イントネーション（相対的な音の高さ）やピッチ（絶対的な音の高さ）の意味で使われることが多い。例えば、ピッチが合っていない場合に、「音程が悪い」と使われることが多々ある。本書では、音高をピッチ、音程をインターヴァルという用語を使用している

拍子記号

譜表は、小節線(縦線)によって小節に区切られます。拍子記号は、譜表の最初の調号のすぐ後に１つだけ記される分数のような数字によって示されます。上の数字(分子)は１小節に含まれる拍の数を表し、下の数字(分母)は１拍となる音符の種類を表します。途中で拍子が変わらない限り、最後まで有効です。

拍子記号　$\frac{2}{4}$　$\frac{3}{4}$　$\frac{4}{4}$　$\frac{3}{8}$　$\frac{6}{8}$

$\frac{3}{4}$ ＝１小節に３拍
＝１拍の音価＝４分音符
＝８分音符２つ
＝16分音符４つ

最もよく使われる拍子記号は、$\frac{4}{4}$ で **C** と書かれることもあります。

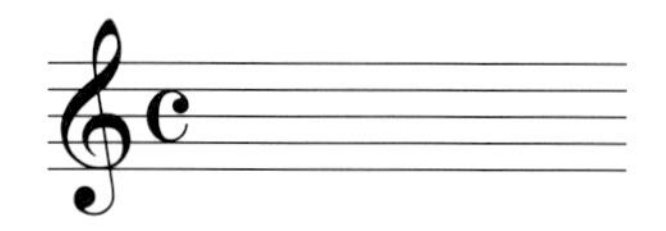

音符と休符の長さ（音価）

音符の形はその音の音価(長さ)を表します。

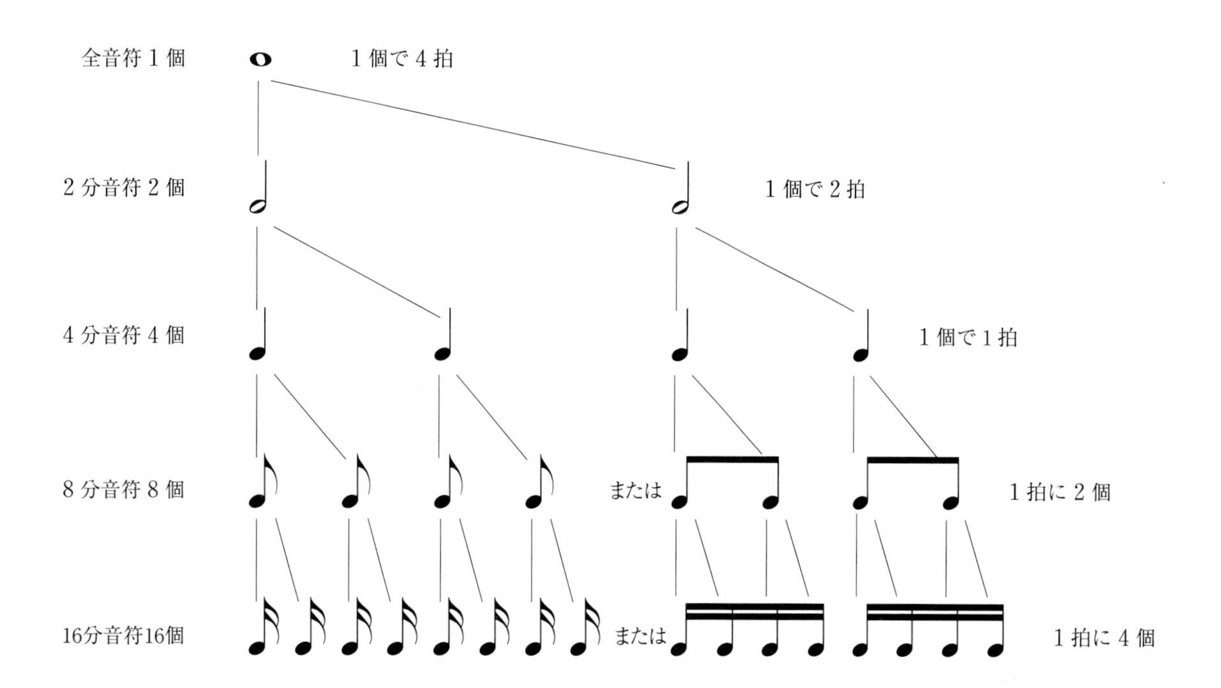

休　符

それぞれの音符と同じ音価の休符があります(休符は音を鳴らしません)。

付点音符と付点休符

音符の右側に点がつけられた音符を**付点音符**といいます。
付点音符の音価は、それがつけられた音符の1.5倍になります。

♩. ＝ ♩ ＋ ♪ ＝ ♪♪♪

休符の右側に点がつけられた休符を**付点休符**といいます。
付点休符の音価は、それがつけられた休符の1.5倍になります。

𝄽. ＝ 𝄽 ＋ 𝄾 ＝ 𝄾𝄾𝄾

臨時記号

音符につけられた変化記号(♯、♭、♮)は、調号としてではなく、臨時記号として用いられます。そのフレットから１フレット分音を上げたり下げたりします。ギターの１フレットは、半音を意味します。

♯　シャープ　　１フレット(半音)上げる
♭　フラット　　１フレット(半音)下げる
♮　ナチュラル　シャープやフラットで変化した音を、元の音に戻す

ダブル・シャープ(𝄪)がついた音符は、１音(２フレット分)上がります。
例えば、G(ソ)にダブル・シャープをつけるとA(ラ)になります。

ダブル・フラット(𝄫)がついた音符は、１音(２フレット分)下がります。
例えば、E(ミ)にダブル・フラットをつけるとD(レ)になります。

臨時記号の効力は、その小節内の同じ高さの音だけに有効です。そのため同じ小節内で、同名の高さが異なる音を変化させる場合は、その音ごとに臨時記号をつける必要があります。

反復記号（リピート記号）

最初に戻ってくり返します。

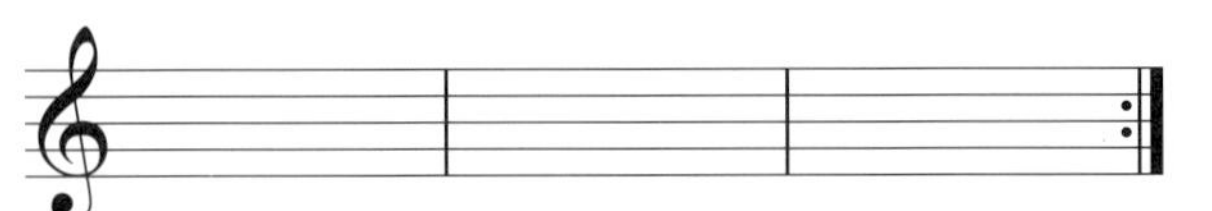

記号の部分だけくり返す。

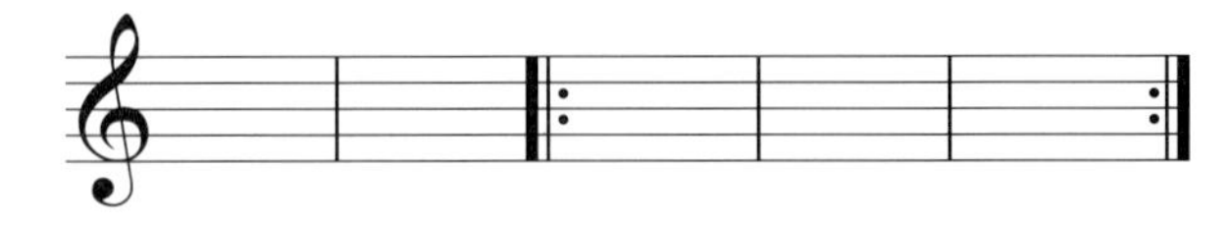

[1.] まで演奏したら最初に戻ってくり返し、２回めは [1.] を跳ばして [2.] へ進みます。

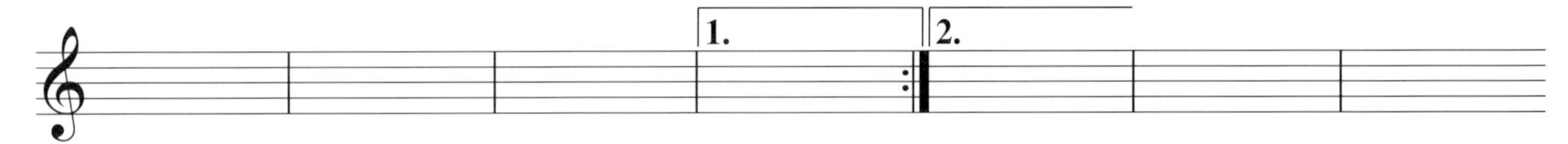

ダ・カーポ(*D.C.*)は、曲の初めに戻り、*Fine*で終わります。

ダル・セーニョ(*D.S.*)は、𝄋記号まで戻り、くり返します。

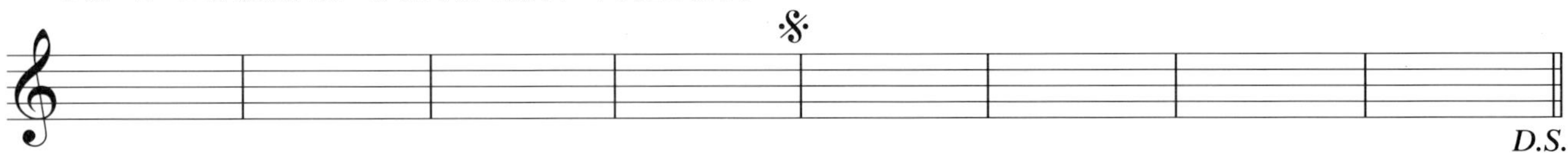

右手の指記号

日本語	英語	スペイン語	記号
親指	thumb	pulgar	*p*
人差し指	index	indice	*i*
中指	middle	medio	*m*
薬指	ring	anular	*a*

右手のポジション

正しい右手のポジションを覚える最良の方法は、３弦上に人差し指(*i*)、中指(*m*)、薬指(*a*)を置くことです。そして人差し指の左側に、同様に親指も３弦上に位置させます(下図を参照)。

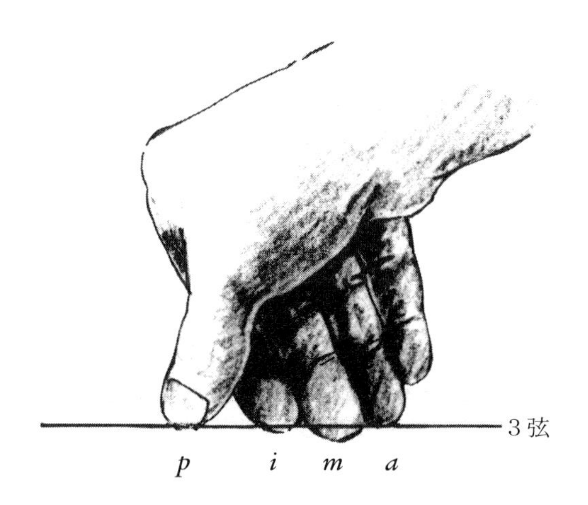

ストローク(奏法)

親指を使うアポヤンド(レスト・ストローク)　薬指(*a*)を１弦、中指(*m*)を２弦、人差し指(*i*)を３弦に置き、親指(*p*)で６弦をゆっくりと滑らかに弾き、５弦で止めます。これを、４弦、５弦でも練習しましょう。

人差し指、中指、薬指を使うアポヤンド(レスト・ストローク)　親指を６弦に置き、人差し指で３弦をゆっくりと滑らかに弾き、４弦で止めます。同じように、中指を２弦を、薬指を１弦で練習しましょう。また、人差し指と中指、人差し指と薬指、中指と薬指の組み合わせで連続したアポヤンド奏法の練習を高い方の弦(１、２、３弦)でもやりましょう。私の場合は、人差し指と薬指が同じ長さなので、人差し指と薬指の組み合わせをよく使います。これを行う場合、指の第１関節を隣の弦へ倒すようにします。

アライレ(フリー・ストローク)　アライレでは、弦を弾いた指は隣の弦で止まりません。指の第１関節は隣の弦へ倒しません。弦の下に指を入れて引っ張り上げないように注意しましょう。試しに、弦をまっすぐ上に引き上げ、それを離してみます。これはフィンガーボードを弦で叩く原因となるため、避けなければなりません。しかし、ロック・ベース・プレイヤーたちは、良いサウンドを得るための効果としてこのテクニック(スラップ)を使っています。

どちらのストロークを使う場合でも、弾く直前に指先の皮膚と爪が同時に弦に触れるようにします。このテクニックが最も美しい音色を創ります。

左手の指番号

人差し指	1
中指	2
薬指	3
小指	4

左手のポジション

音楽はピッチや方向を変化させるものであり、左手もまた、その動きに合わせて動かします。このことが左手のポジションを説明することを困難にしています。なぜなら、左手のポジションとは、その時に要求されるテクニックによって決まるものだからです。しかし、覚えておくべきいくつかの基本原理と一般的な概念があります。

1. 爪はギターのフィンガーボードに触れないように、いつも短くしておく
2. 親指は、ネックの裏側の中心に置き、弦を押さえている人差し指(1)と中指(2)の真ん中あたりに位置する(下図参照)
3. 常に指はフレットのすぐ後ろに置いて弦を押さえる。これによって最高の音色を得ることができると同時に、各音がどこにあるのかを腕と指に正確に教えることができる。正しい筋肉の記憶はここから始まる(確実に身体に覚えさせる、ということ)
4. スケールを弾く時は、指の関節がフィンガーボードと平行になるようにする

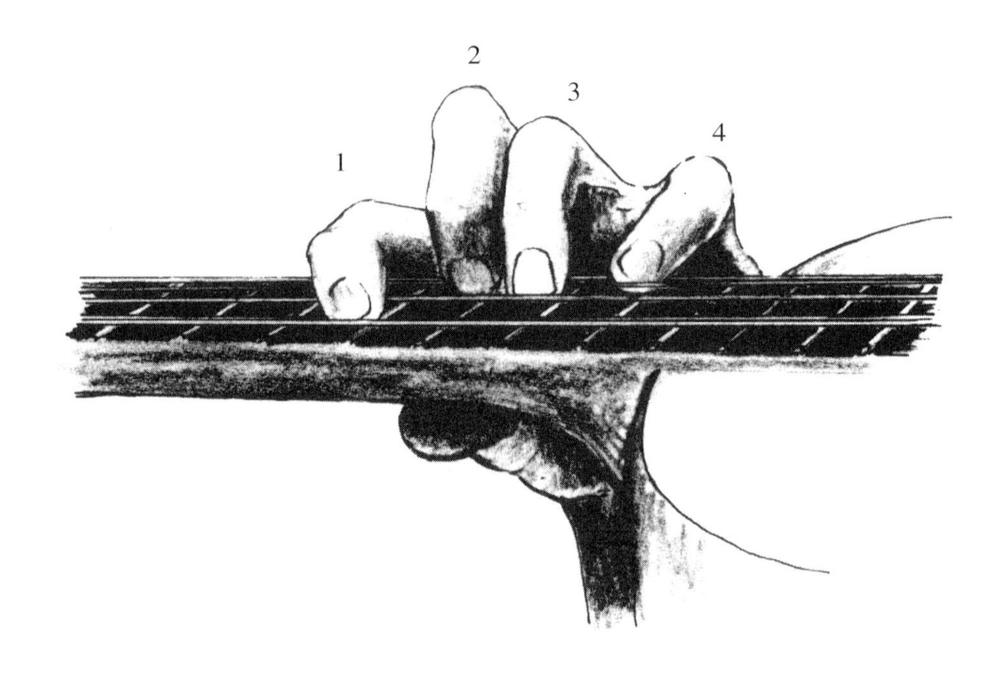

タブ譜について(Tablature)

タブ譜(タブラチュア)は、古くから使われている記譜法の一種です。タブ譜はフィンガリングを視覚的捉えられるので、今日でも多くのギター譜として使われています。

タブ譜は６本の線を使って書かれます。この線は、ギターの６本の弦を表しています。

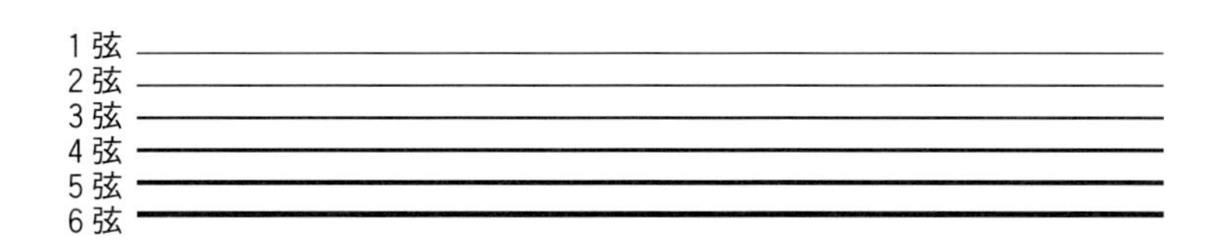

数字は、演奏するスペースまたはフレット番号を表します。右の例は、左から右へ、１弦の１フレット、３フレット、５フレットという順に演奏することを意味します。

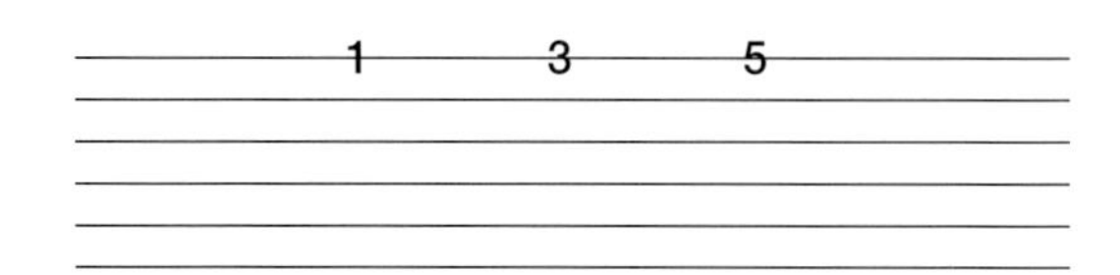

縦に垂直に書かれている場合は、**同時**に弾くことを意味します。右はEコードです。

0
0
1
2
2
0

チューニング

基本的なギターのチューニング(調弦)は、開放弦を低い弦からＥＡＤＧＢＥ音にします。

コード・シンボルについて

コード・ネームの表記は、統一されたものはありません。一般的に、ＡマイナーはAm、ＤマイナーはDmを使いますが、本書では、ＡマイナーをAmin、ＤマイナーをDminと表記しています。

日本では、**コード・シンボル**を**コード・ネーム**と呼んでいる場合がほとんどですが、正確にはコード・ネームは文字どおり**コードの名前(呼び方)**であり、**コードを表記したもの**、つまりコード・シンボルとは異なります。

奏法について

本書の楽譜は、できるだけ読譜しやすいように作りました。楽譜はシンプルに表記してあるので、演奏する時には以下のことに注意しましょう。

1. ロール・コード

下のように記されたコードを、自由に解釈して演奏してもよいでしょう。

このように演奏するかもしれません

2. フレーズ・マーキング

一般的に、特に指定されていない限り、それぞれの音はできるだけ延ばしておくのがよいでしょう。特に注意すべき場所については、フレーズ・マーキング（ピアノのサステイン・ペダル・マークのような＊印）を付けてあります。

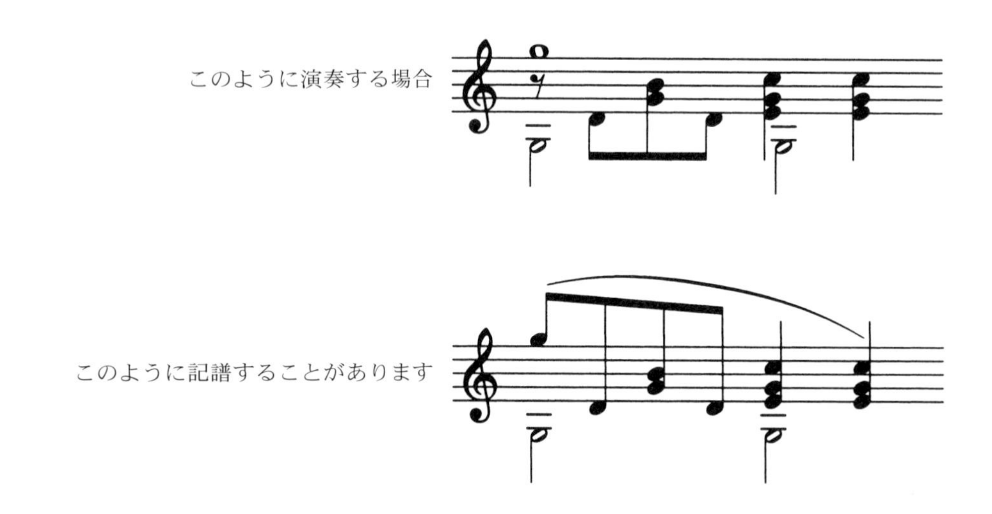

3. コード・シンボル

伴奏者のために、コード・シンボルを記しておきました。すべてのハーモニーに名前をつけるのではなく、主要な音にのみコード・シンボルを記してあります。

4. ストラムの表記

くり返しストラムする場合は、下記のように表記してあります。

ダウン・ストローク　⊓

アップ・ストローク　V

5. カッコ内の音について

ある音、もしくはコードの一部を演奏する場合は、フィンガリングの都合や倍音を響かせるために、実際には演奏しない音（コードの構成音）を押弦することがあります。また、ピッキングする音にカッコがつけられている場合は、ごく静かに演奏します。

6. ウォーター･フォール（滝）

下の記譜法は、私が得意とするテクニックの１つであるウォーター･フォールを示したものです。以下の理由から、このテクニックにウォーター･フォール（滝）という名前をつけました。

- 通常は親指で（*P*指）でストラムする
- 最も高い弦を、*a*、*m*、*i*指のトレモロを使って演奏する
- トレモロを続けながら右手を低音弦に移動していく
- 最後に *i* 指でベース･ノートを演奏する

7. タブ譜を読んで演奏する場合は、フレーズ･マーキングやストラムのアップ、ダウンなどの表記に注意しましょう。これらの情報は、タブ譜の上の、通常の５線にのみ表記されています。

8. スライドとグリッサンド

a. ノン・アーティキュレート・スライド（グリッサンド）

ピッキングしないで２つめの音を出します。シンプルに表記するために、短い斜線のみで記す場合もあります。

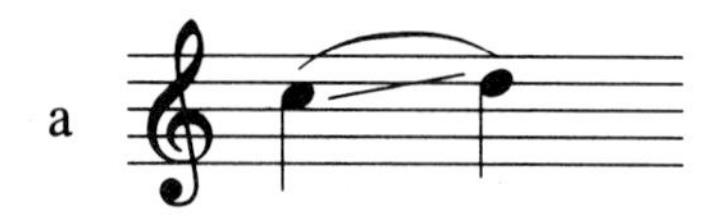

b. アーティキュレート・スライド

１つめの音から２つめの音までをノン・アーティキュレートと同じようにスライドしますが、２つめの音もピッキングします。

c. １つめの音よりも低い音からのスライドで、**ノン・アーティキュレート**の場合です。

9. ベンドの表記

１つめの音をピッキングし、２つめの音はそのままベンドします。本書では、音符の上に矢印で表記してあります。

テクニック

3rd、6th、10th、トライアド

本書の曲に含まれている音符は、すべてギター的な押弦のしやすさを基に考えられています。難しく見える多くの音符も、実際に思っているより簡単です。例えば、トライアドや、あるインターヴァルの動きをよく見てみると、音はすべてバラバラでフィンガー・ピッキングも独立していますが、それらの音の要素は、3rd、6th、10th、トライアドから構成されています。

コードのプル・オフ

私は、右手を使ったパーカッシヴなスラップの後に、左手で押さえたコードをプル・オフするというテクニックをよく使います。複雑に見えますが、実際はとても簡単で楽しいテクニックです(The Colorado Trail、The Hills of Mexicoを参照)。

右手と左手によるタッピング

アレンジを興味深くするために、タッピングのテクニックを使っています(Get Along Little Dogies、The Railroad Corral、The Hills of Mexicoを参照)。演奏のコツは、まず右手の親指をネックの上部に添えて安定させ、人差し指でタッピング(ハンマー・オン)します。この時、人差し指の後ろに中指を添え、その重みによって力強さを増すこともあります。

左手のタッピングも右手のハンマー・オンと同様ですが、こちらは2音以上同時に演奏することが多いでしょう。TRとは、右手(Right Hand)のタッピング(Tap)、TLとは、左手の(Left Hand)のタッピング(Tap)という意味です。

ピッキング・パターン

本書の曲のほとんどで使われている右手のピッキング・パターンは、実際には数種類しかありません。演奏してみれば、すぐにそれに気がつくでしょう。これらのピッキング・パターンをいち早く認識することが、曲を覚える近道といえます。

Track 1

Get Along Little Dogies

ゲット・アロング・リトル・ドギーズ

TR：右手（Right Hand）のタッピング（Tap）、TL：左手の（Left Hand）のタッピング（Tap）

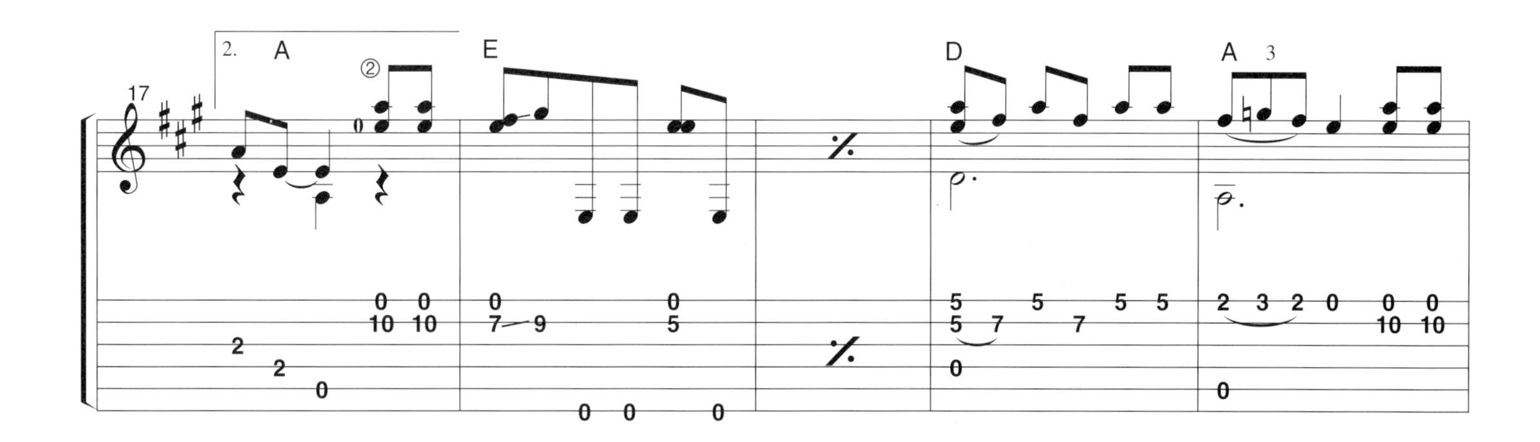

2.
A
E
D
A

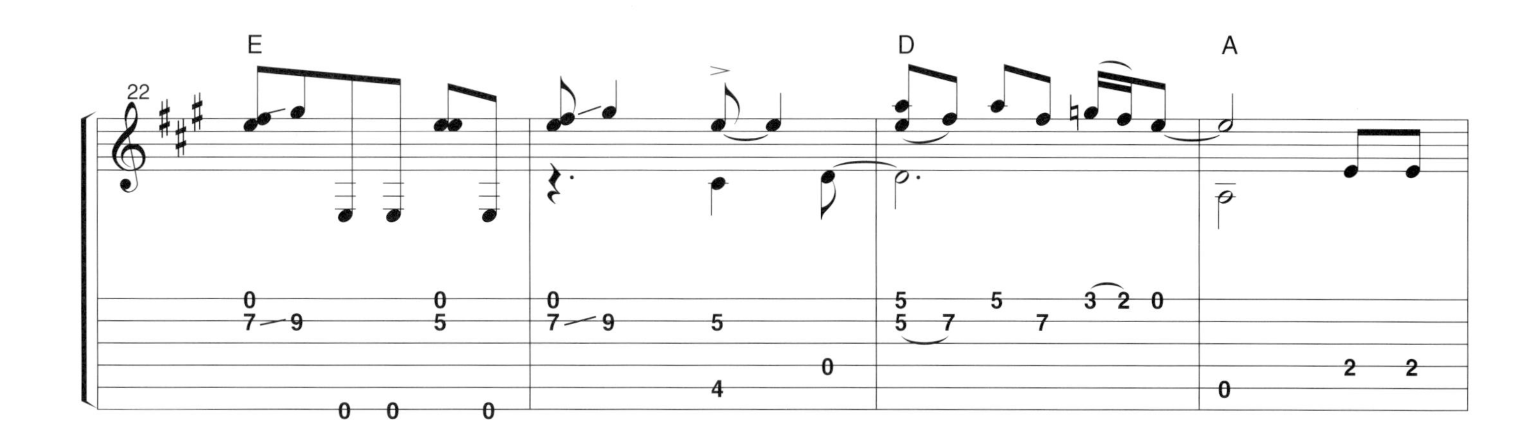

E
D
A

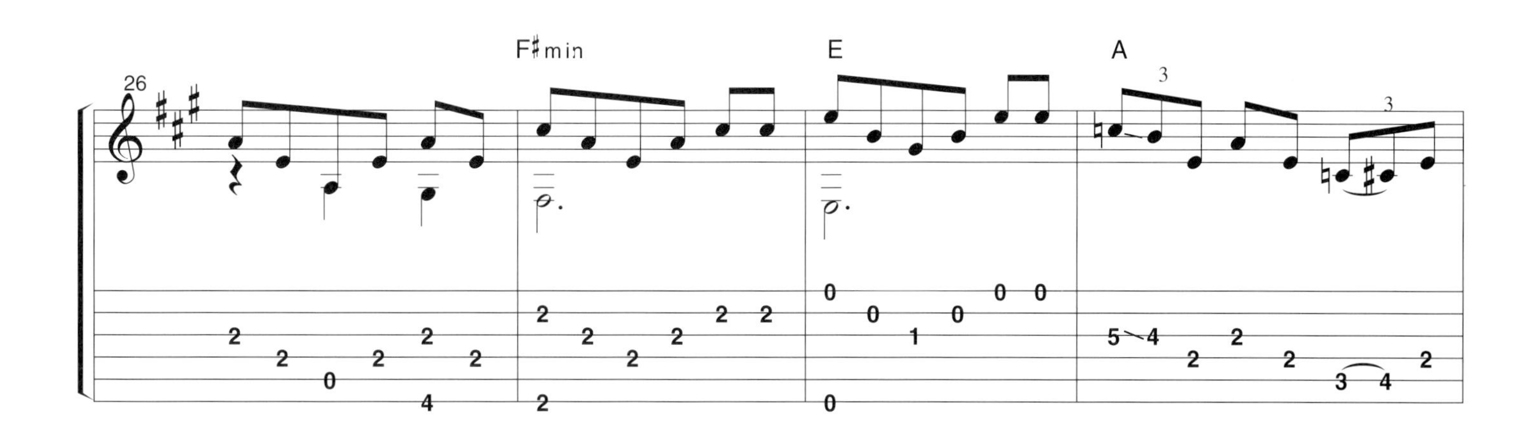

F♯min
E
A

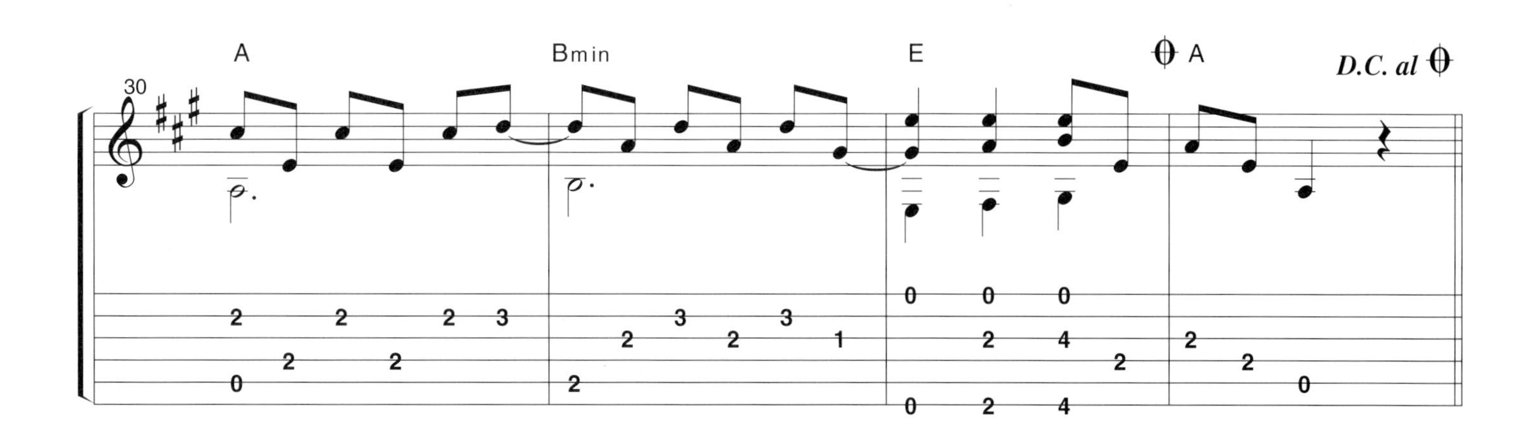

A
Bmin
E
A
D.C. al

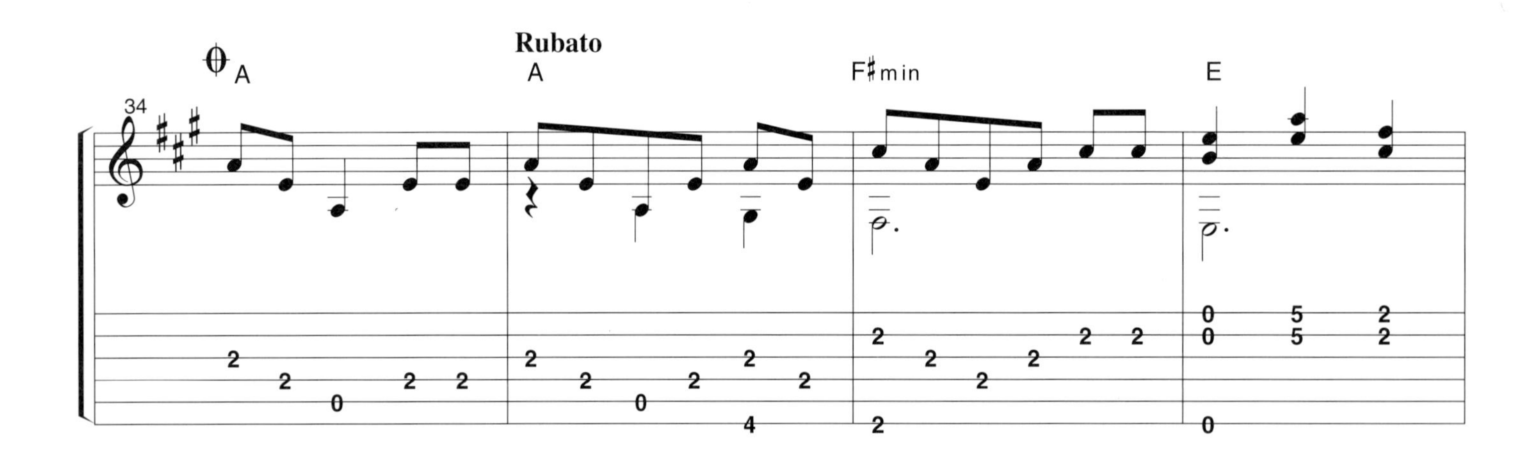
Rubato
A
A
F♯min
E

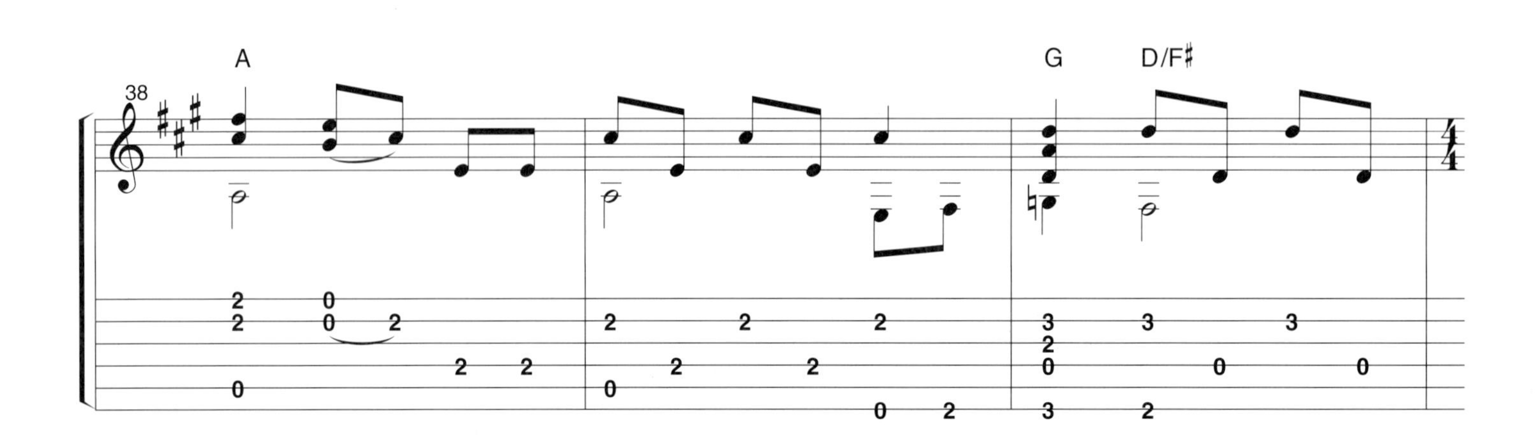
A
G
D/F♯

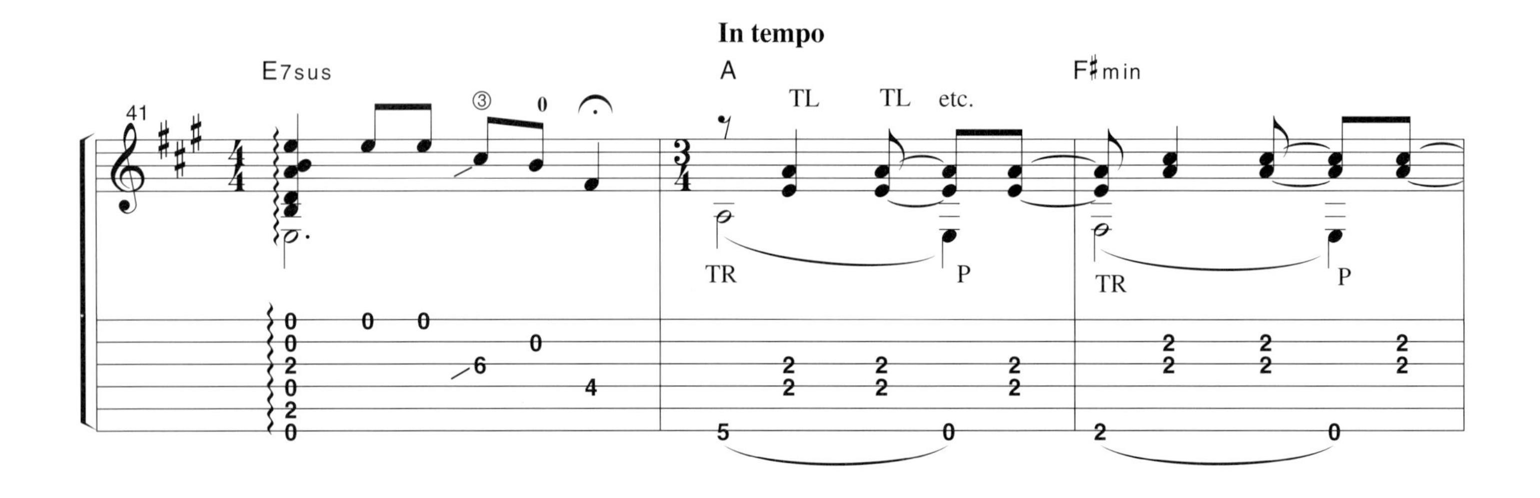
In tempo
E7sus
A
F♯min
TL
TL
etc.
TR
P
TR
P

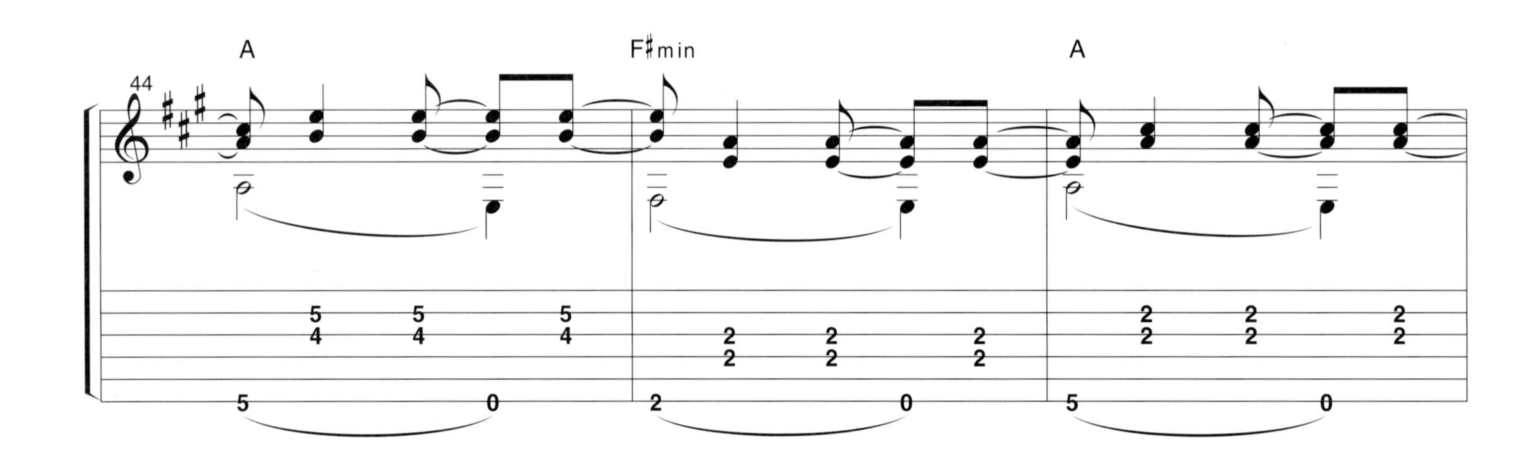
A
F♯min
A

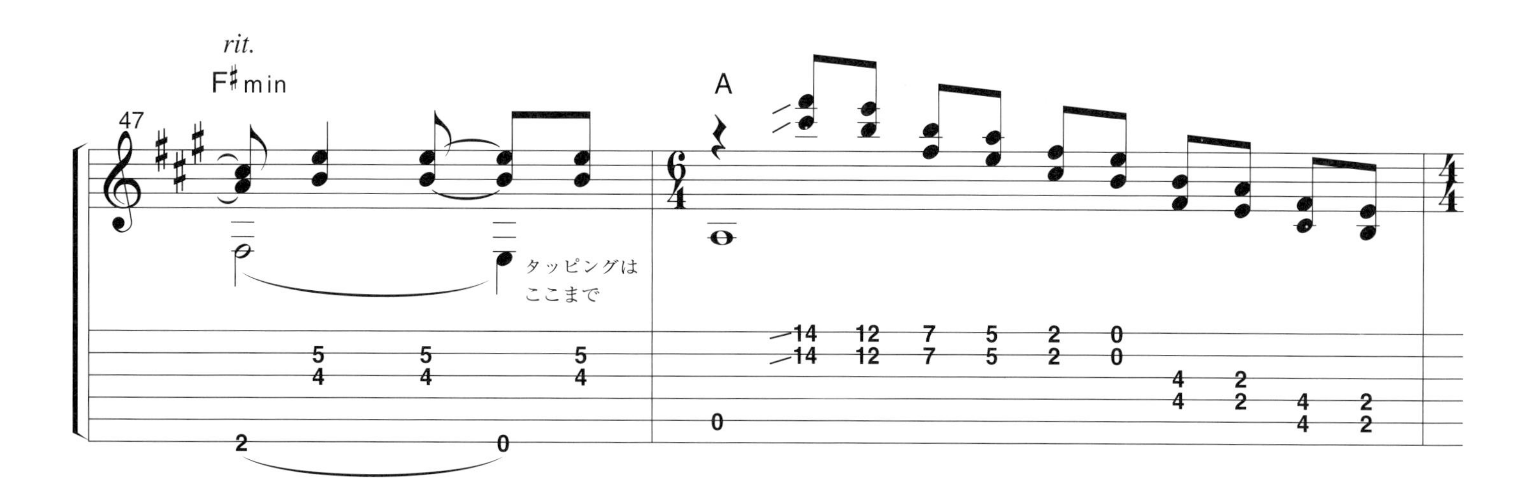
rit.
F♯min
47
A
タッピングは
ここまで

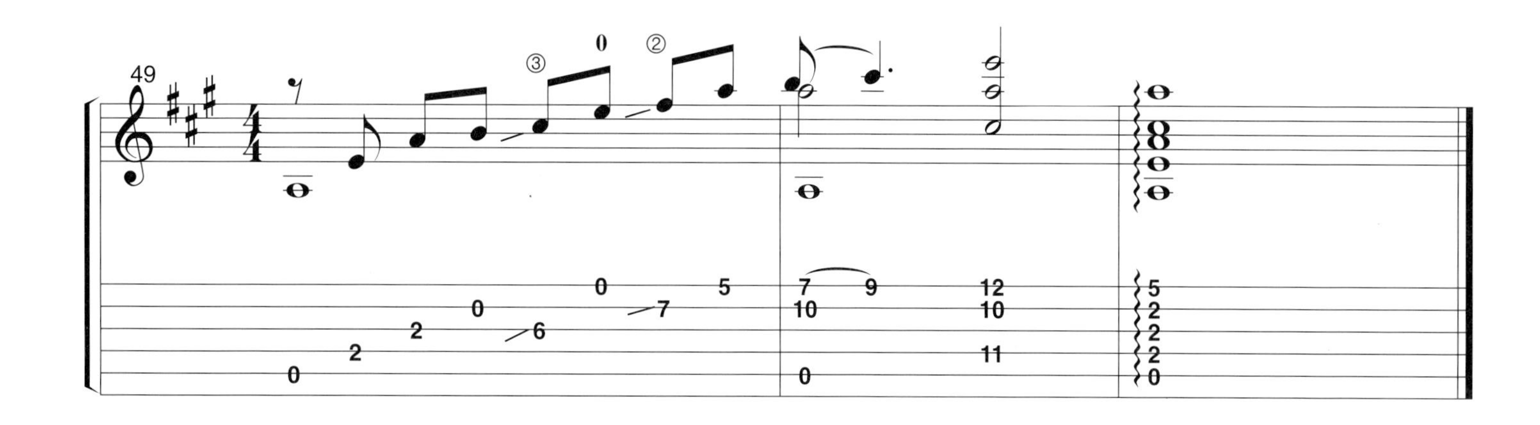
49

Track 2

The Yellow Rose of Texas

テキサスの黄色いバラ

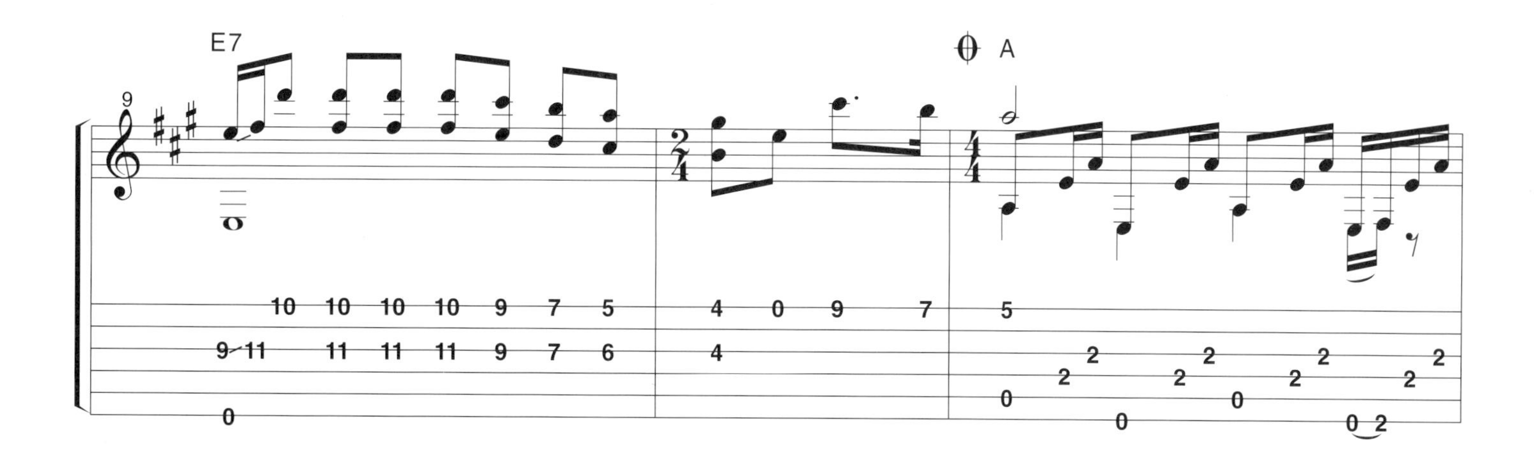
E7
9
A

12
1.
2.

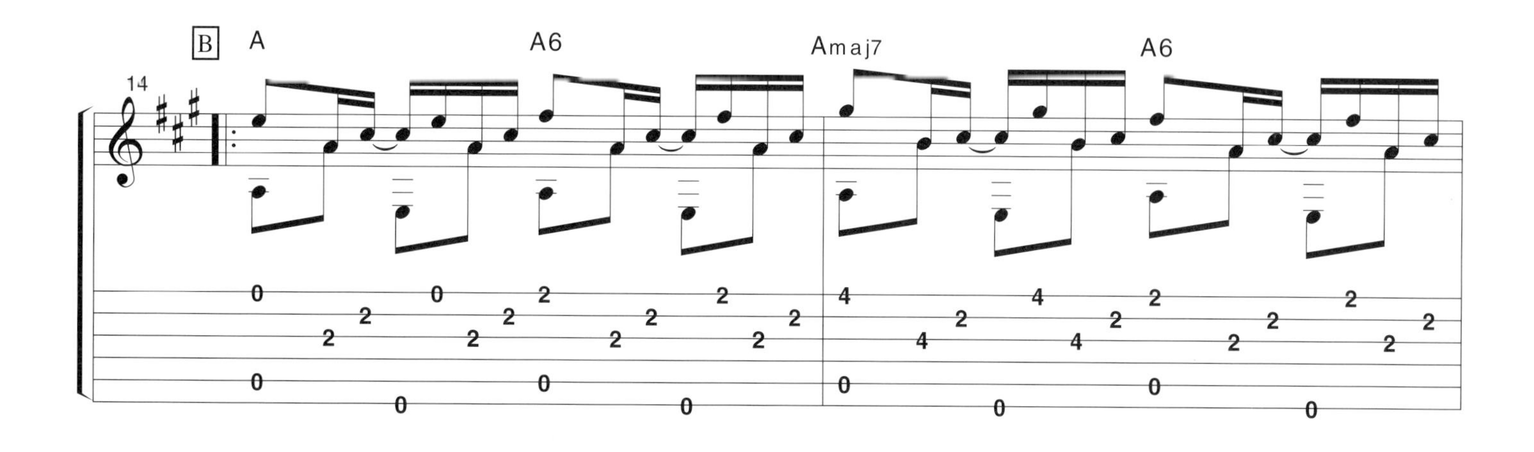
B
A
A6
Amaj7
A6
14

E
16
1.

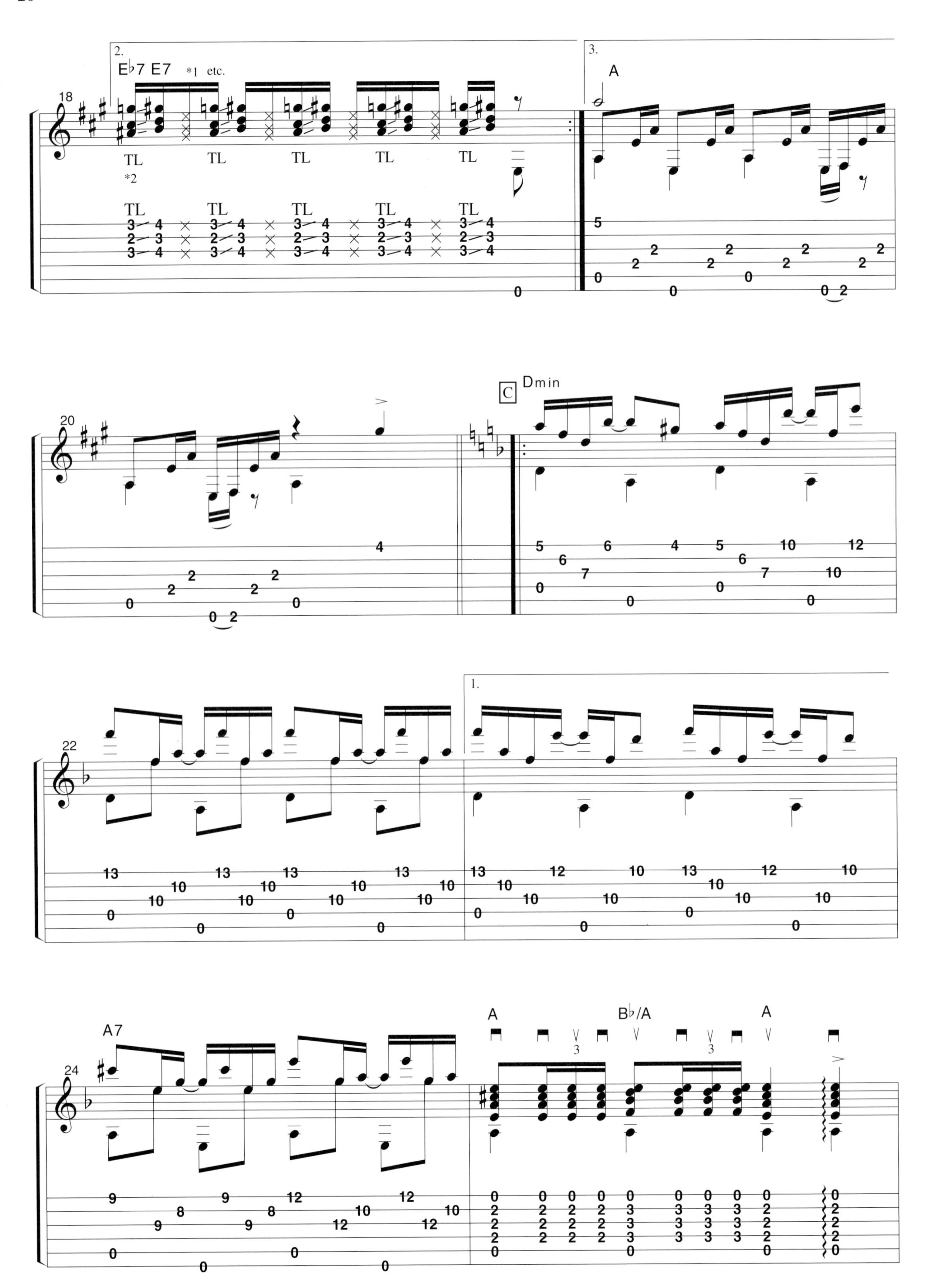

*1：右手で15フレット付近をたたく　*2：左手でタッピングし、すぐにスライドする

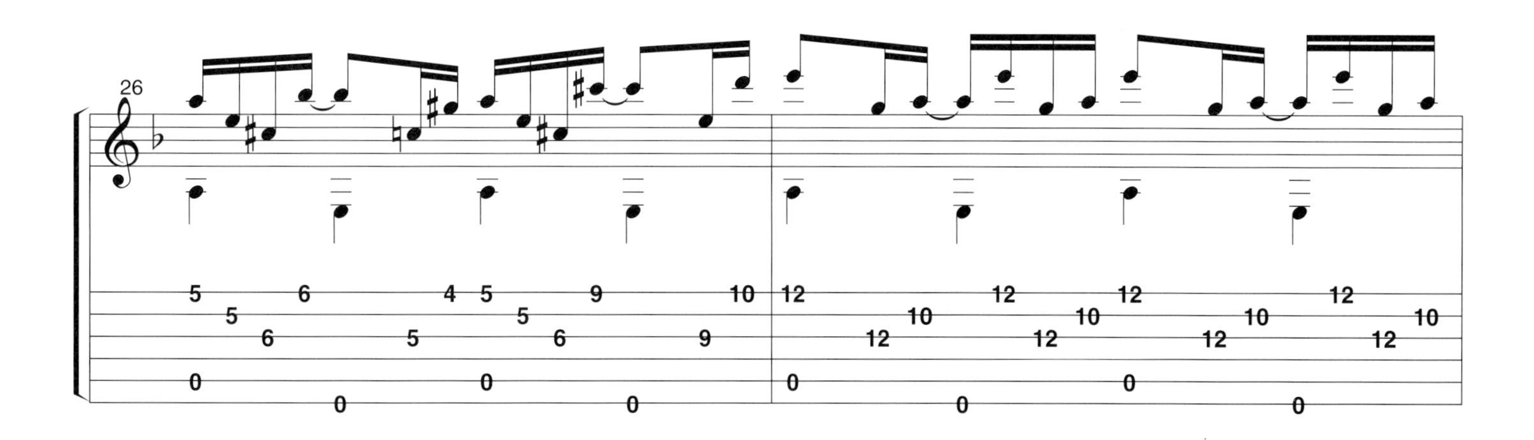
26

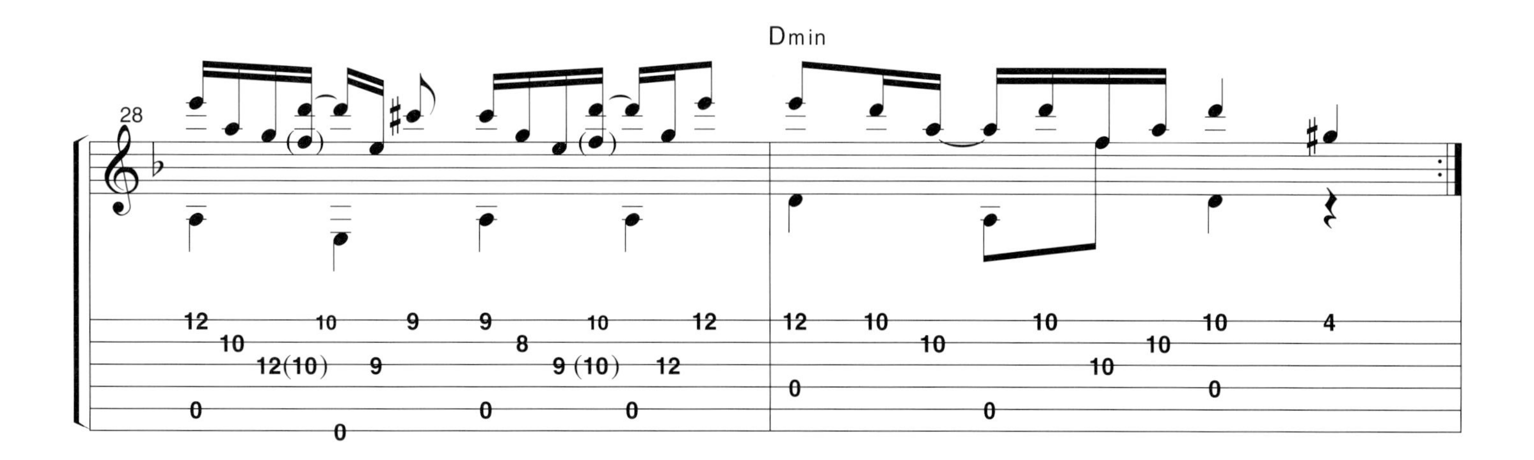
28
Dmin

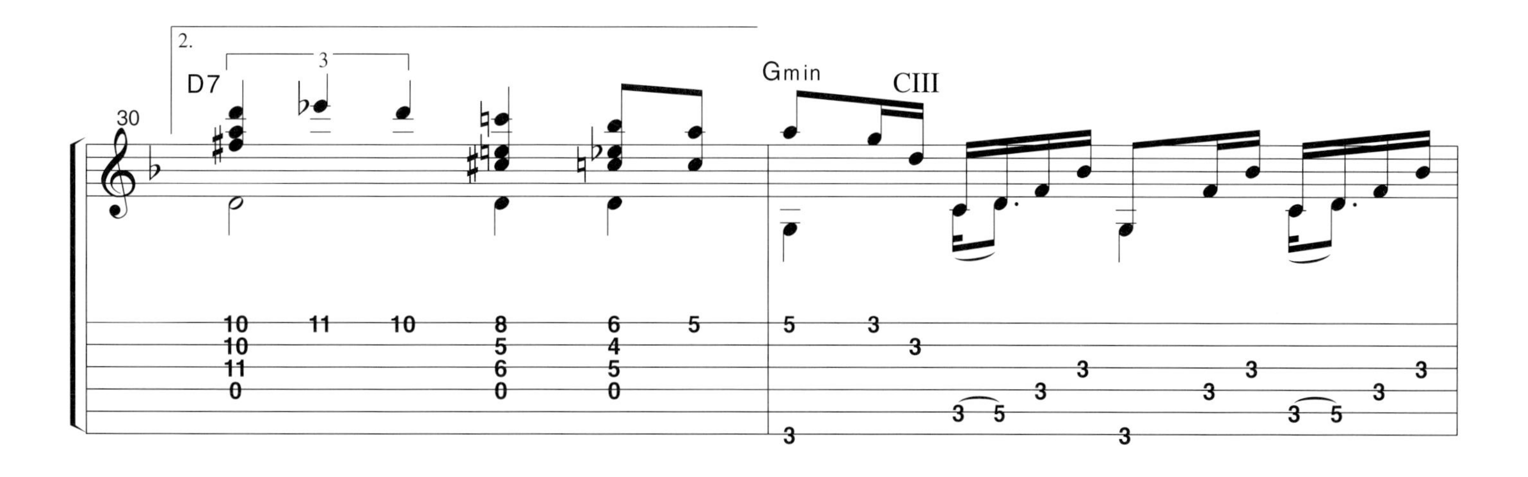
2.
D7
3
30
Gmin
CIII

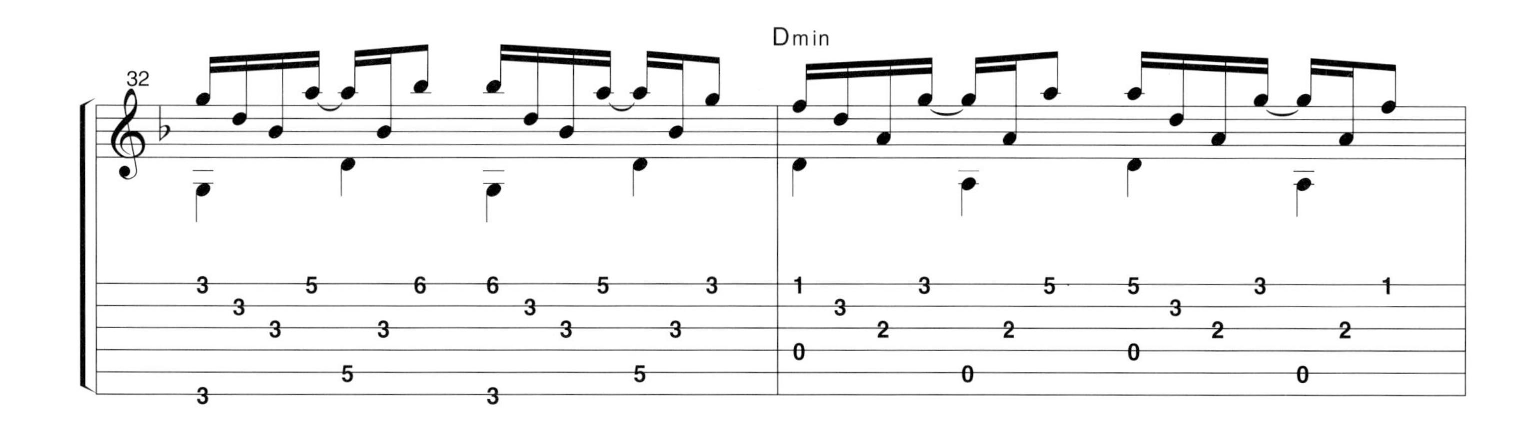
32
Dmin

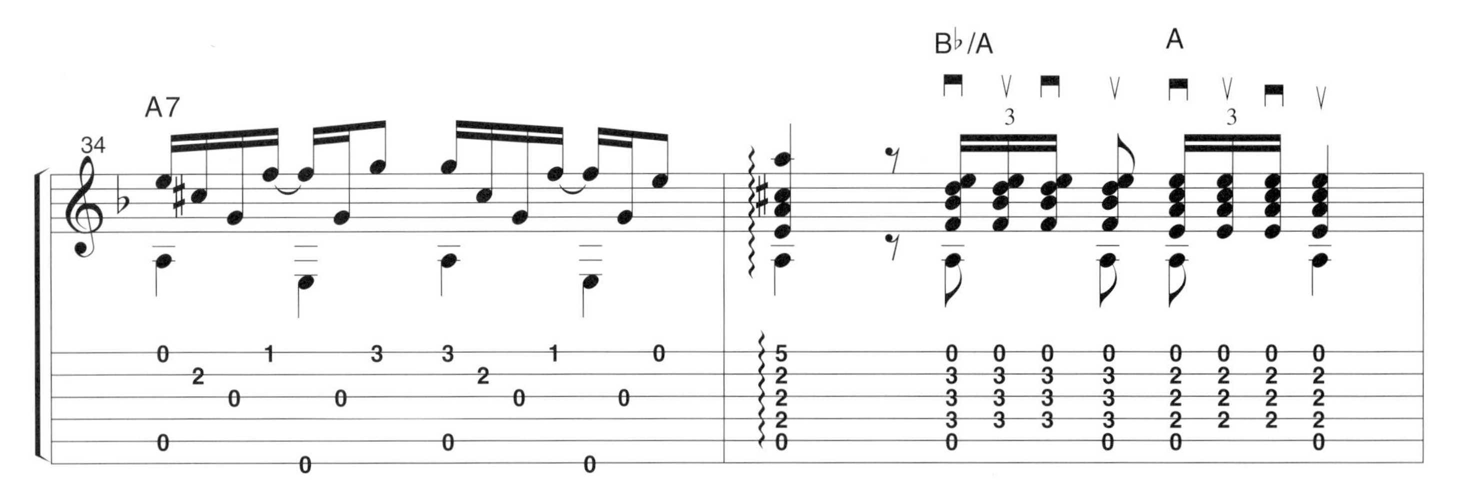
A7
B♭/A
A
34

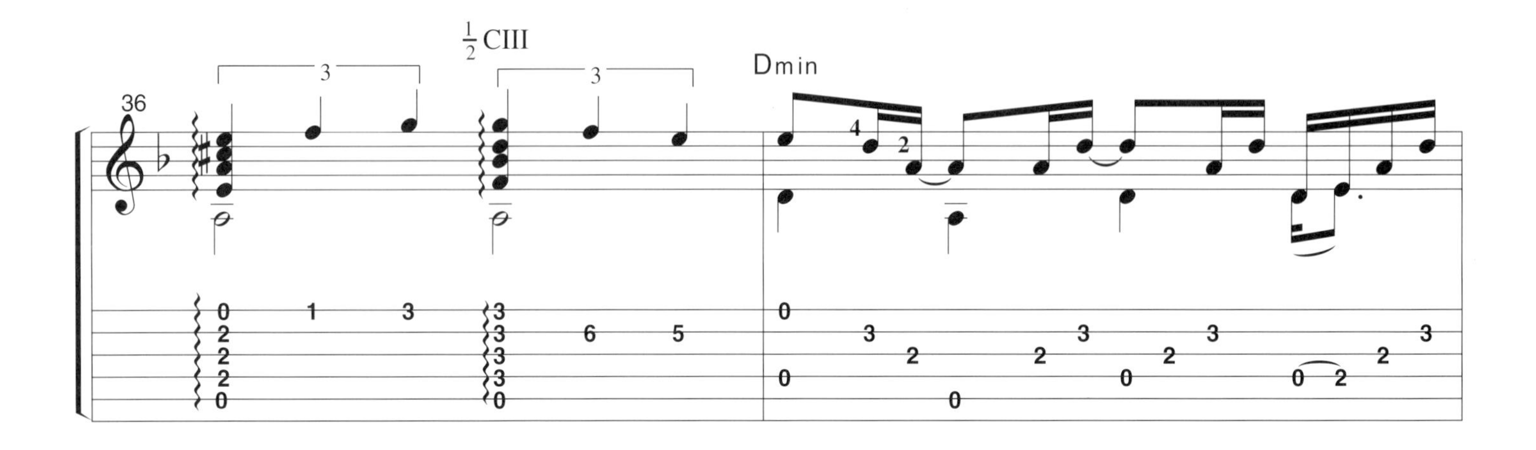
½ CIII
Dmin
36

D.C. al
38

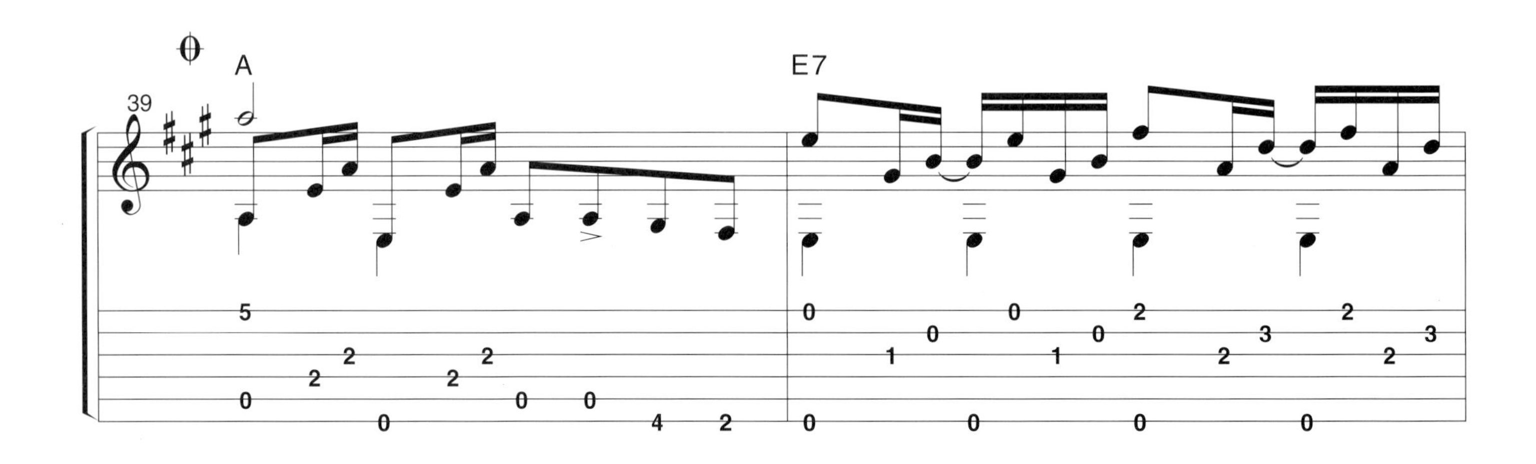
A
E7
39

41

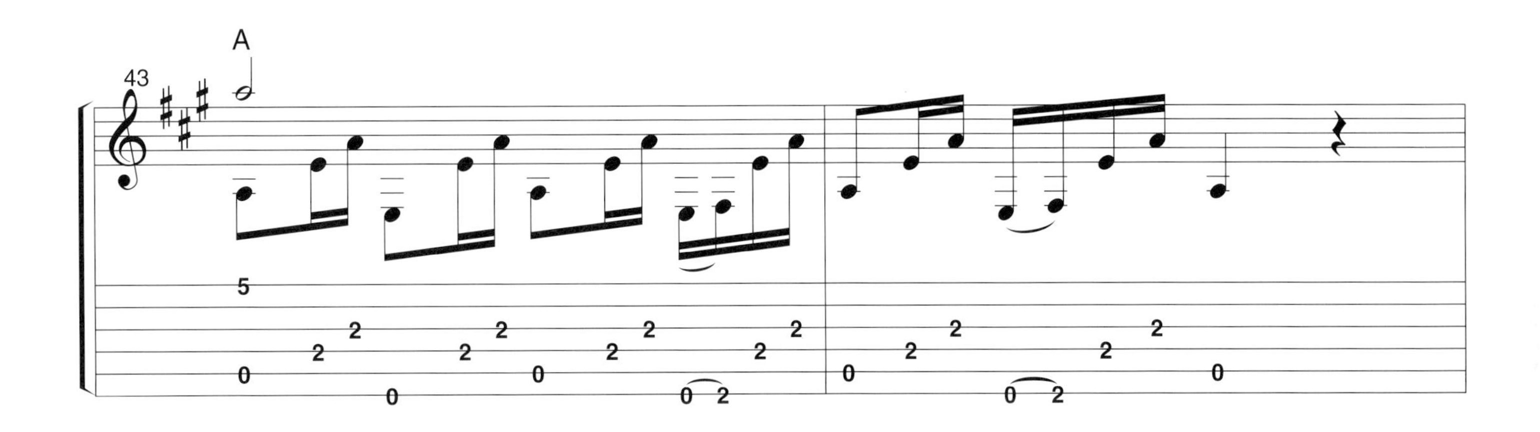
A
43

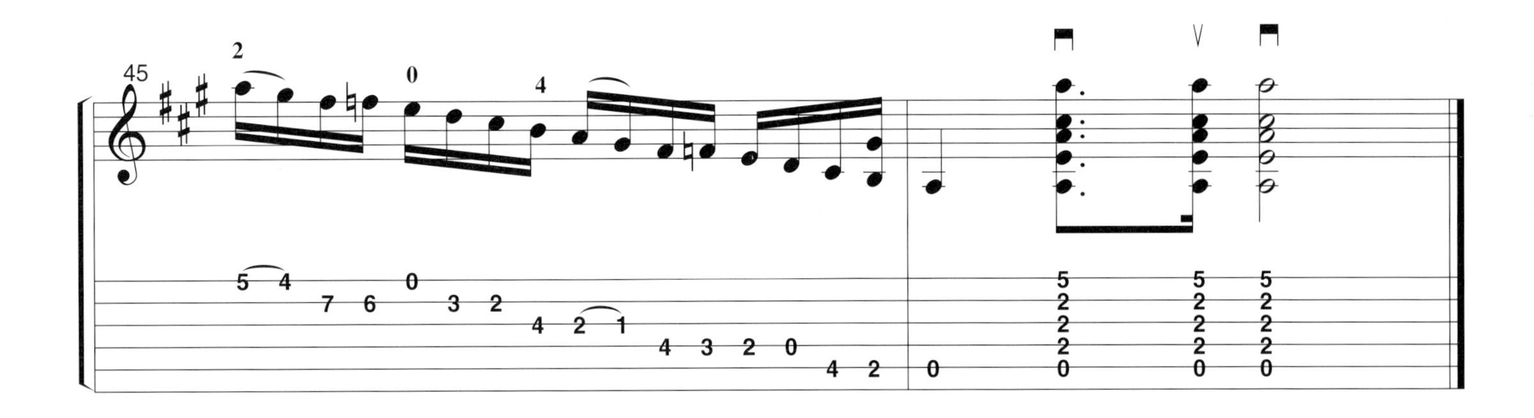
45

Track 3

Home on the Range

峠のわが家

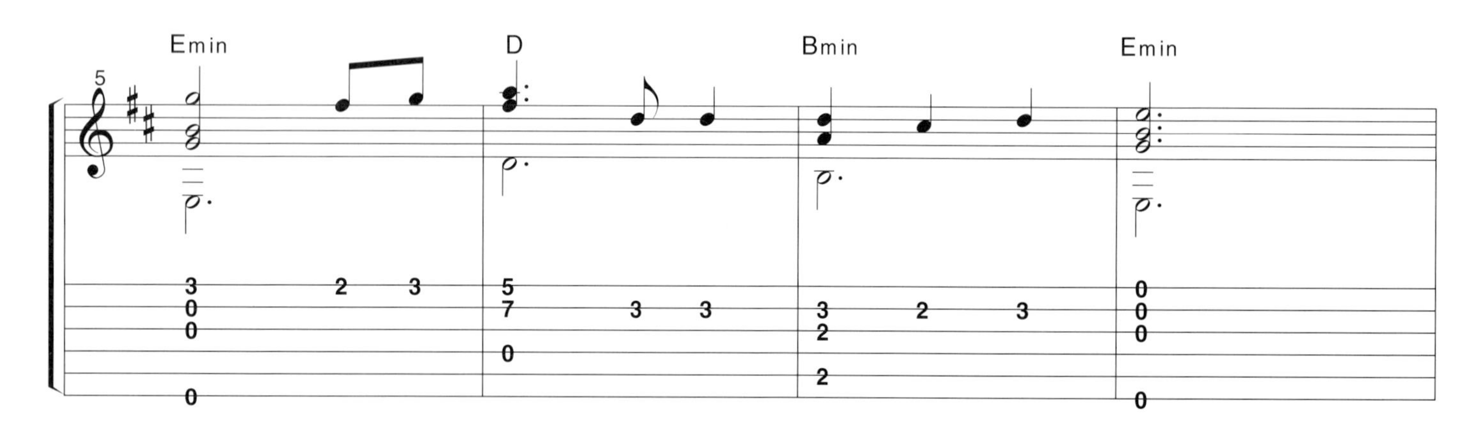

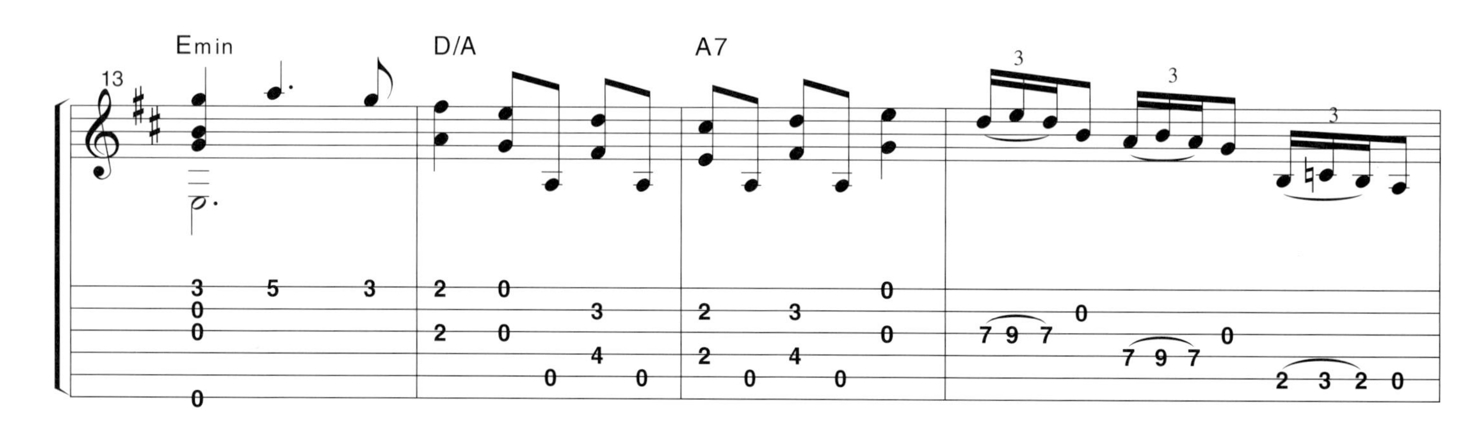

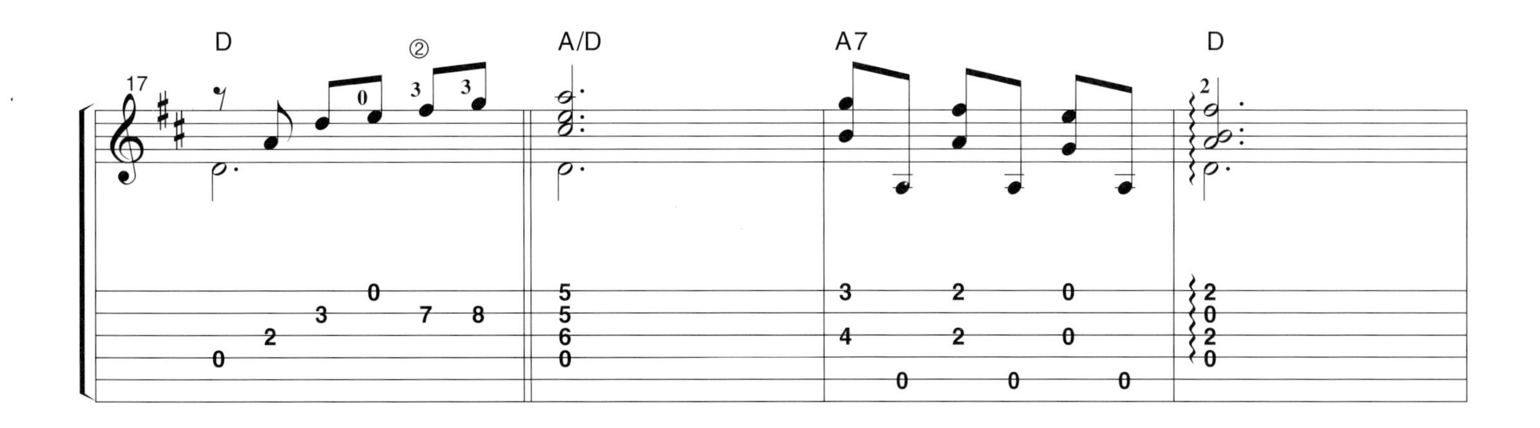
17
D
A/D
A7
D

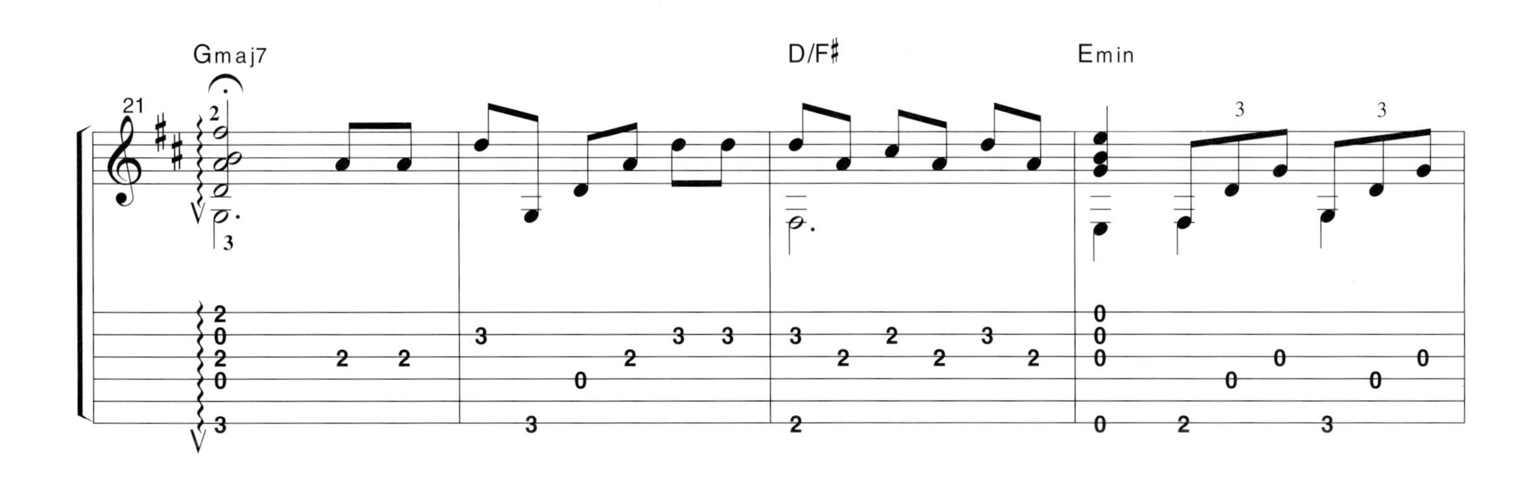
21
Gmaj7
D/F♯
Emin

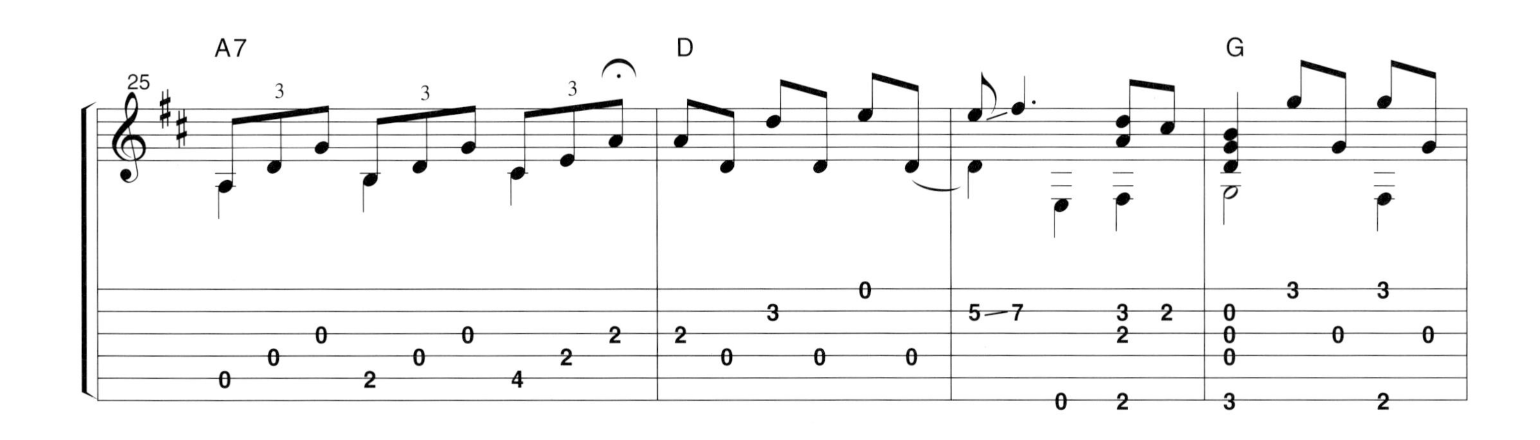
25
A7
D
G

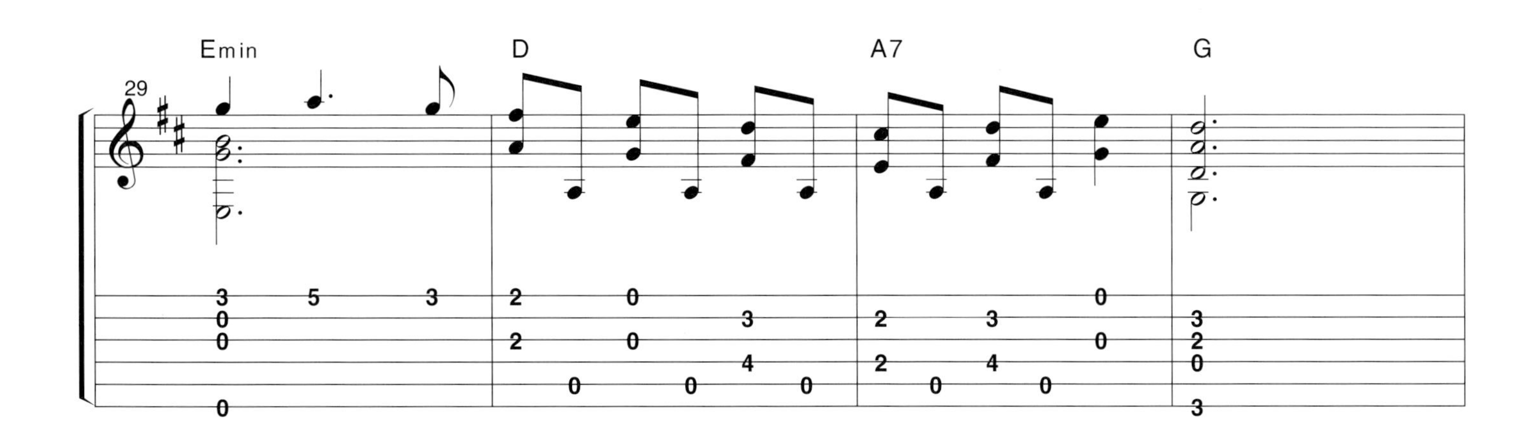
29
Emin
D
A7
G

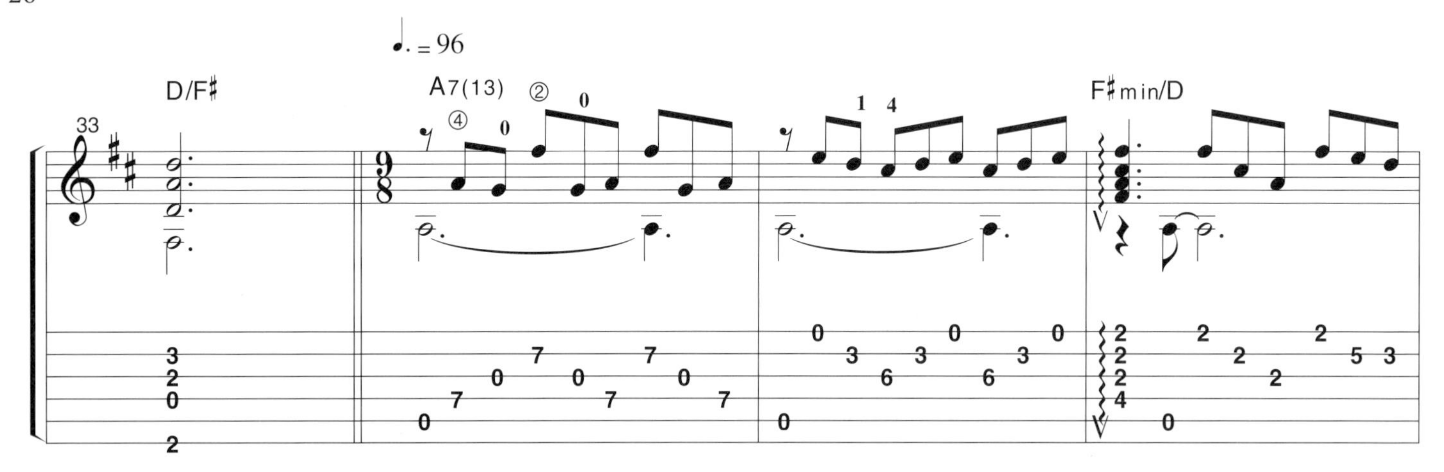
= 96
D/F♯
A7(13)
F♯min/D

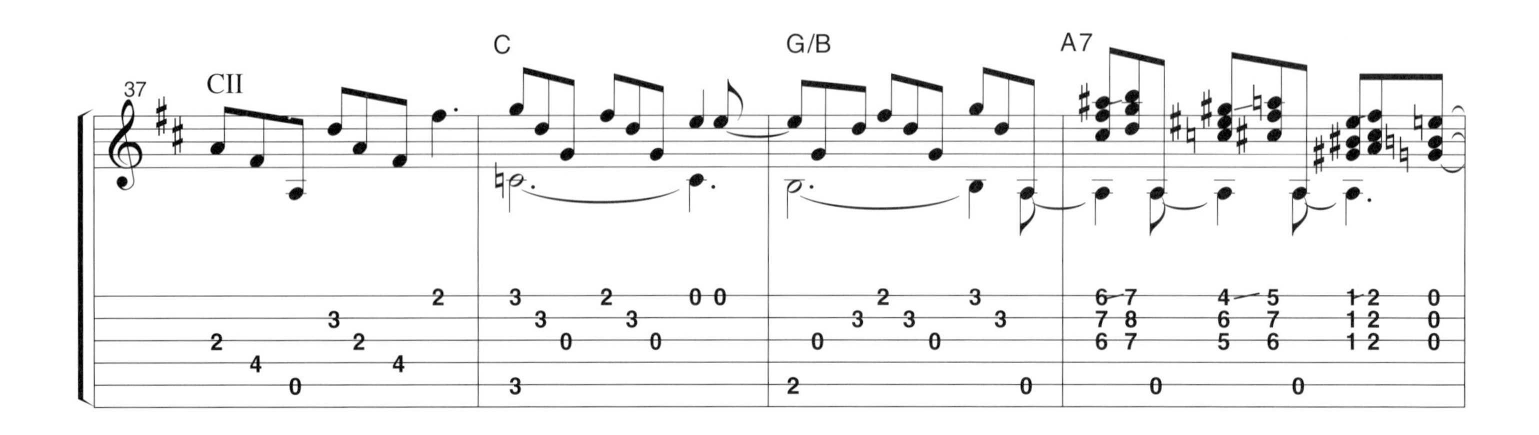
CII
C
G/B
A7

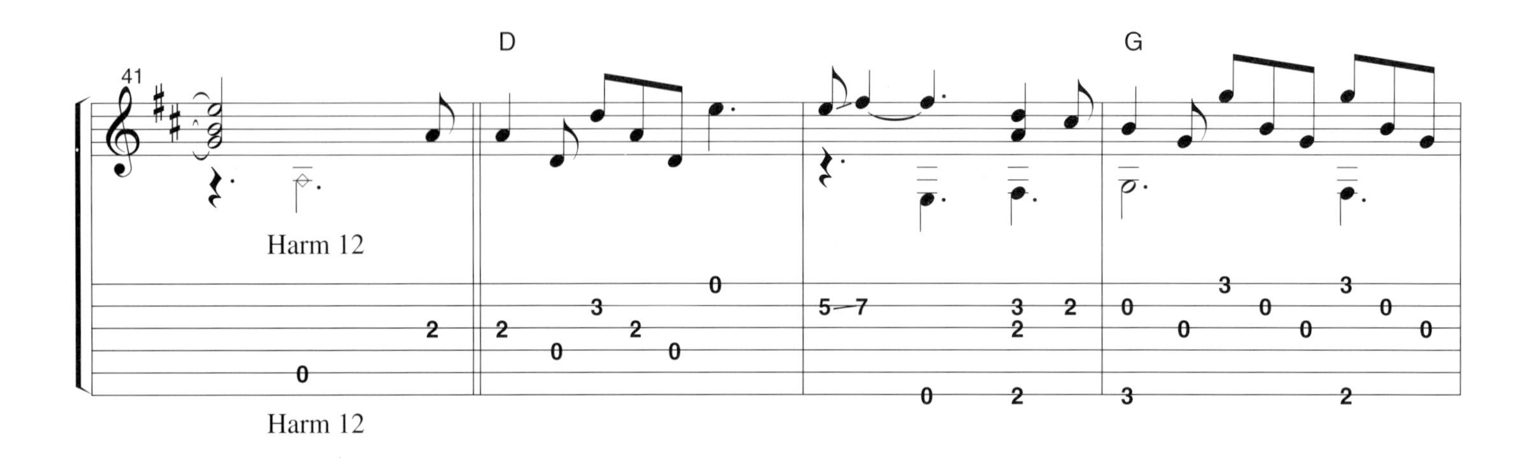
D
G
Harm 12
Harm 12

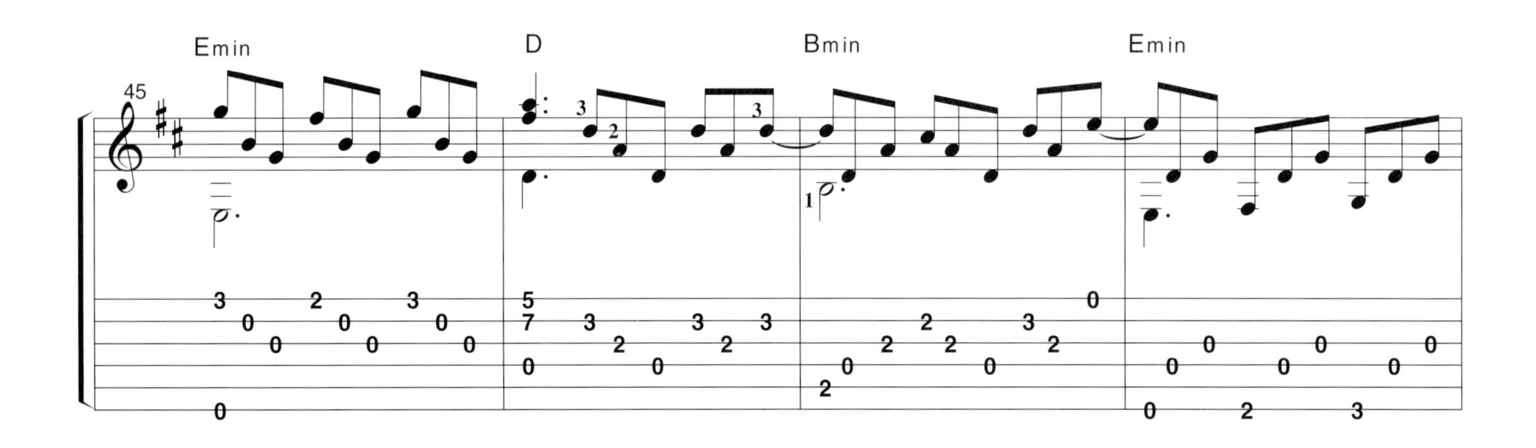
Emin
D
Bmin
Emin

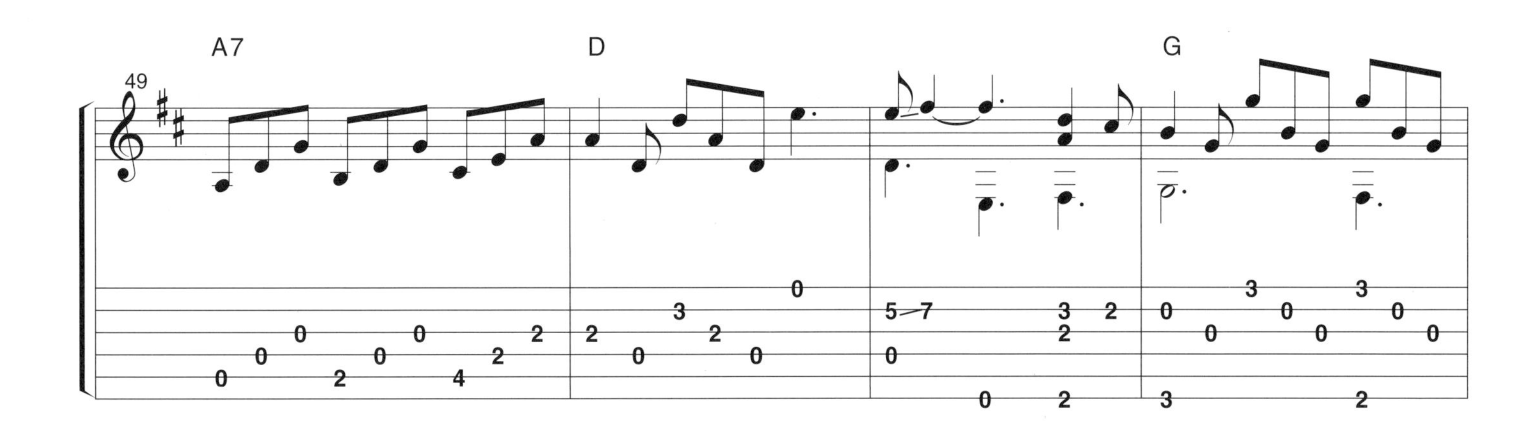

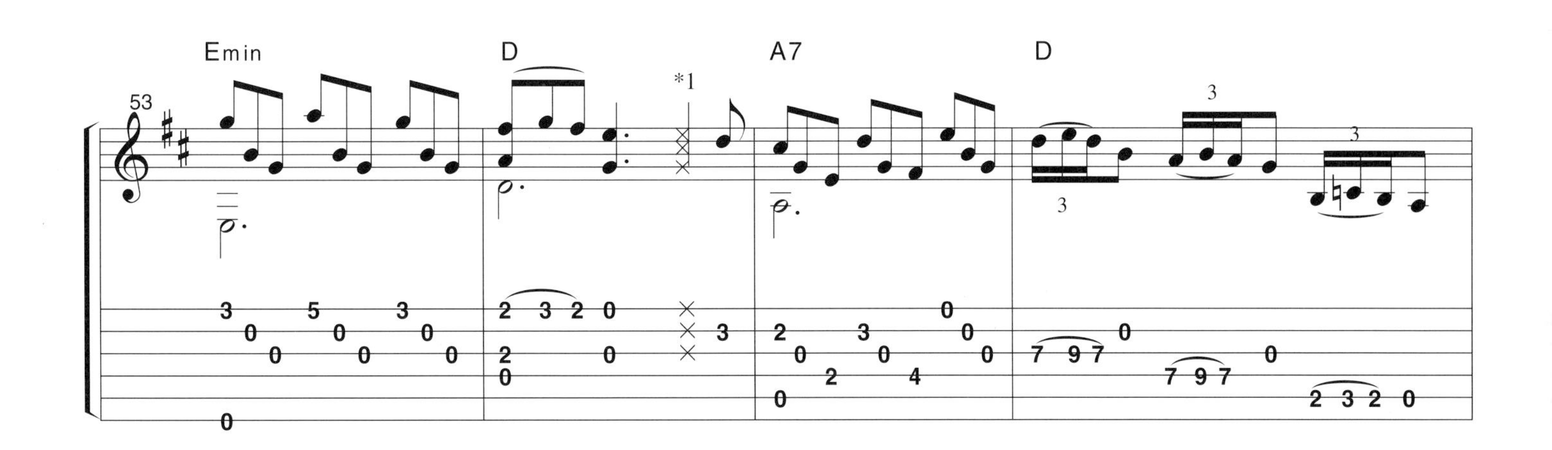

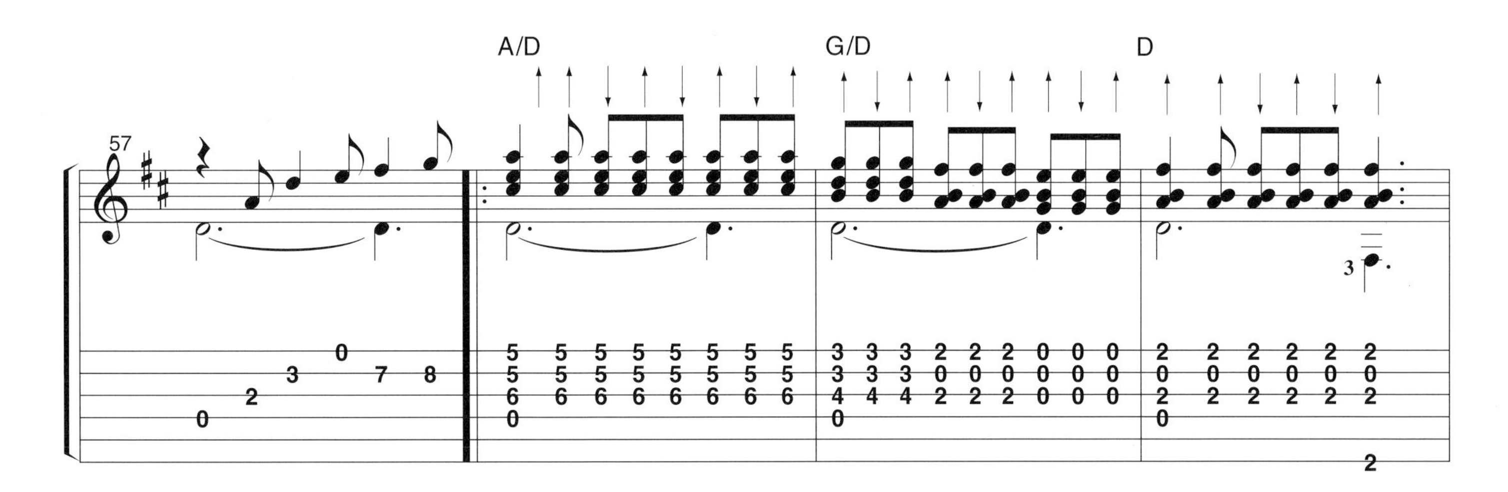

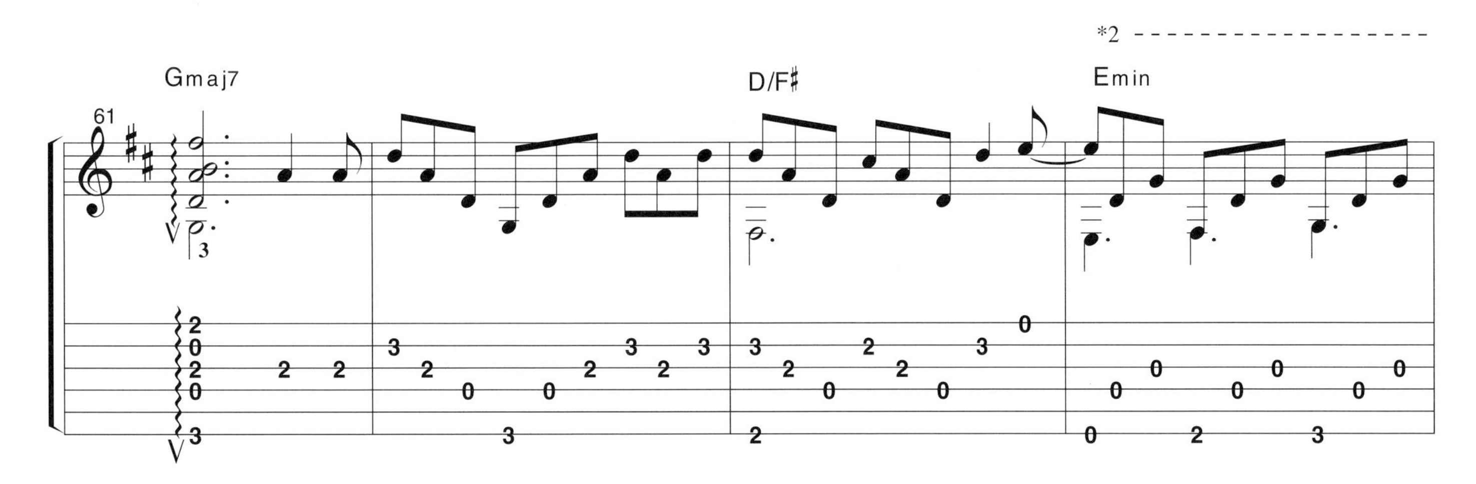

*1：右手の指を弦間にすばやく差し込み、パーカッシヴな音を出す

*2：くり返し後の２回めは、p.29の**オプション**を演奏してもよい。付属CDの模範演奏ではp.29の**オプション**を演奏している

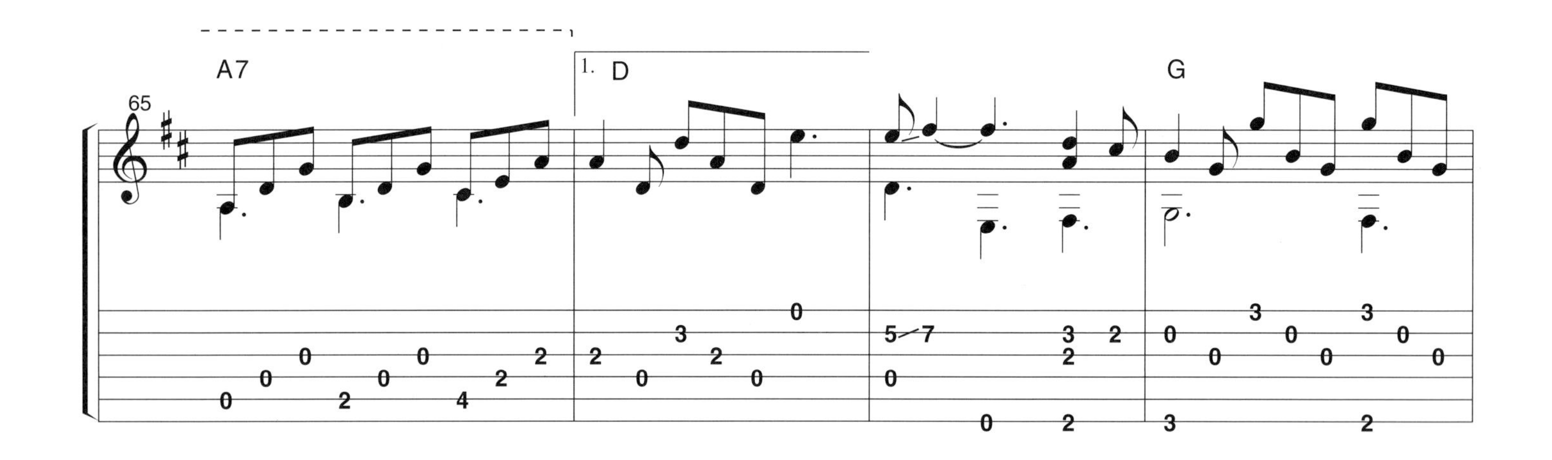
A7
1. D
G
65

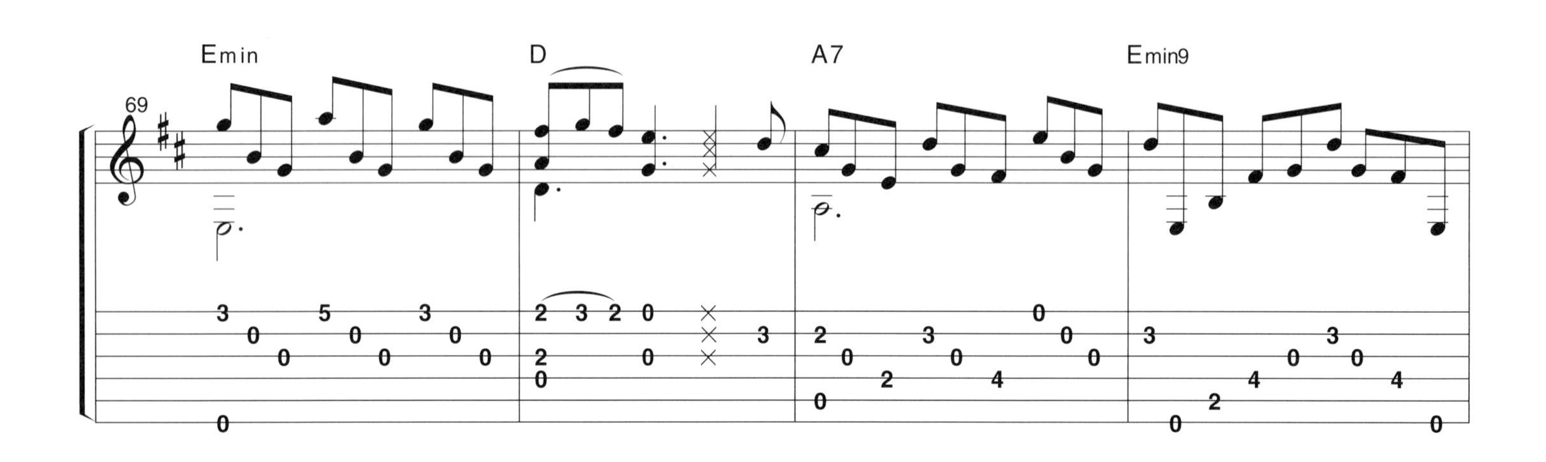
Emin
D
A7
Emin9
69

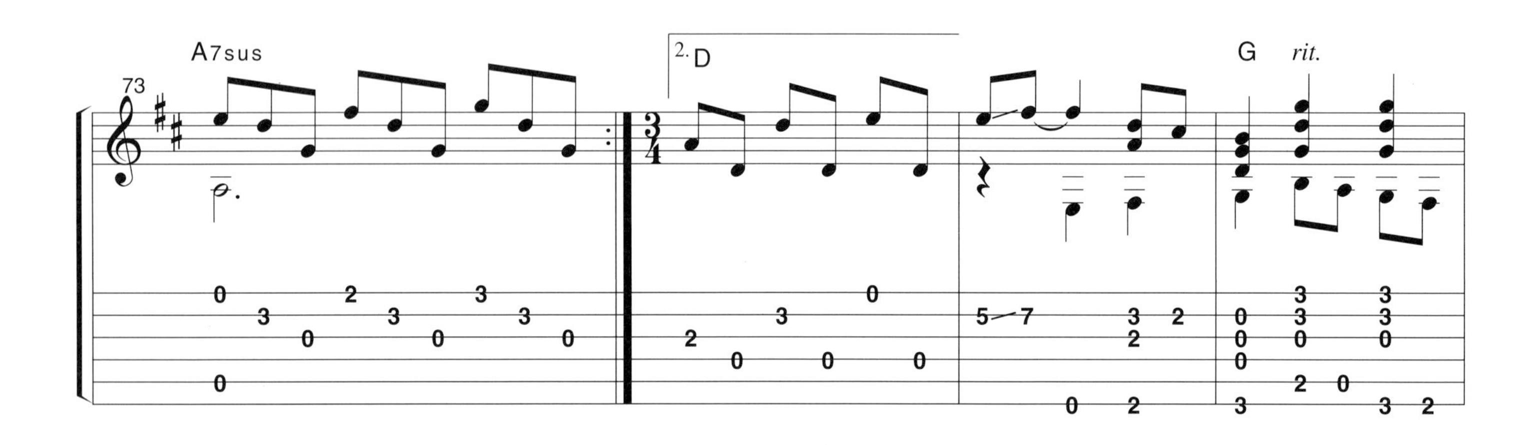
A7sus
2. D
G
rit.
73

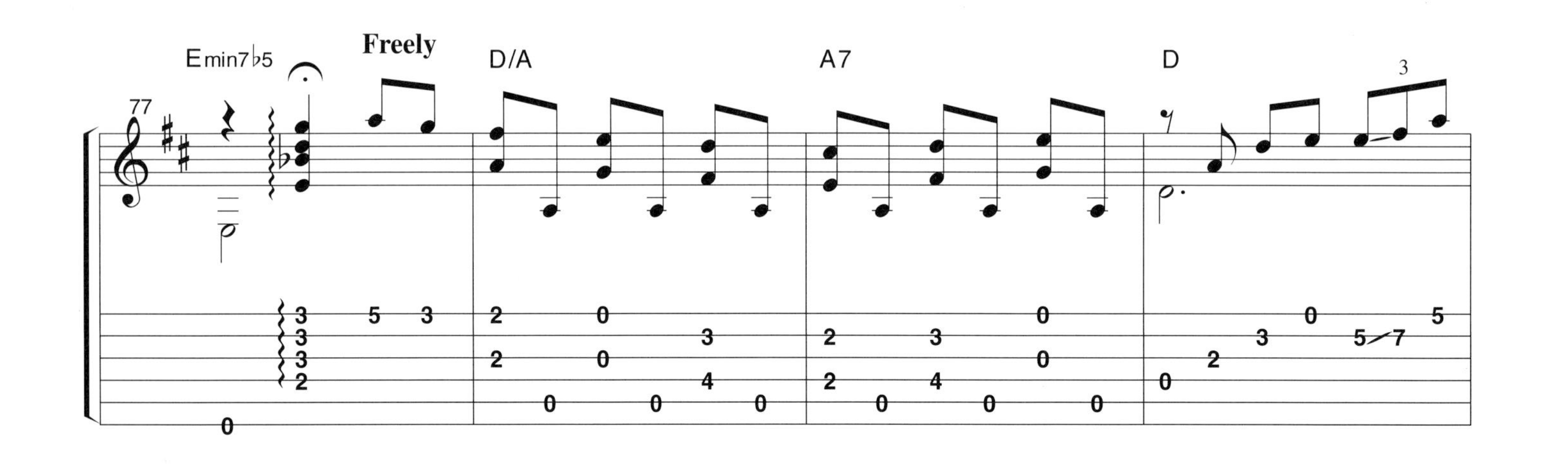
Emin7♭5
Freely
D/A
A7
D
77

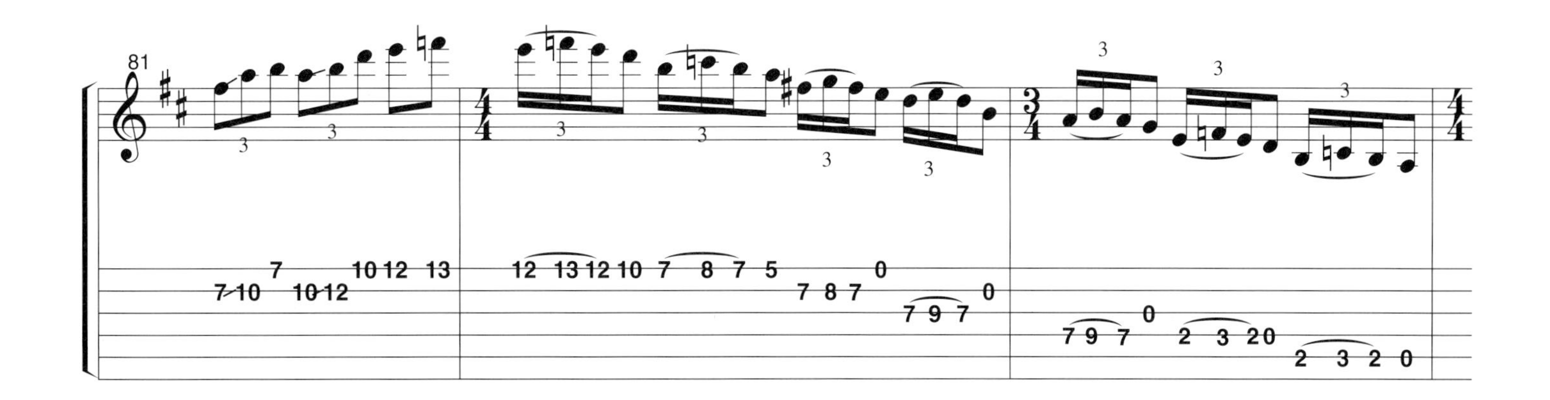
81

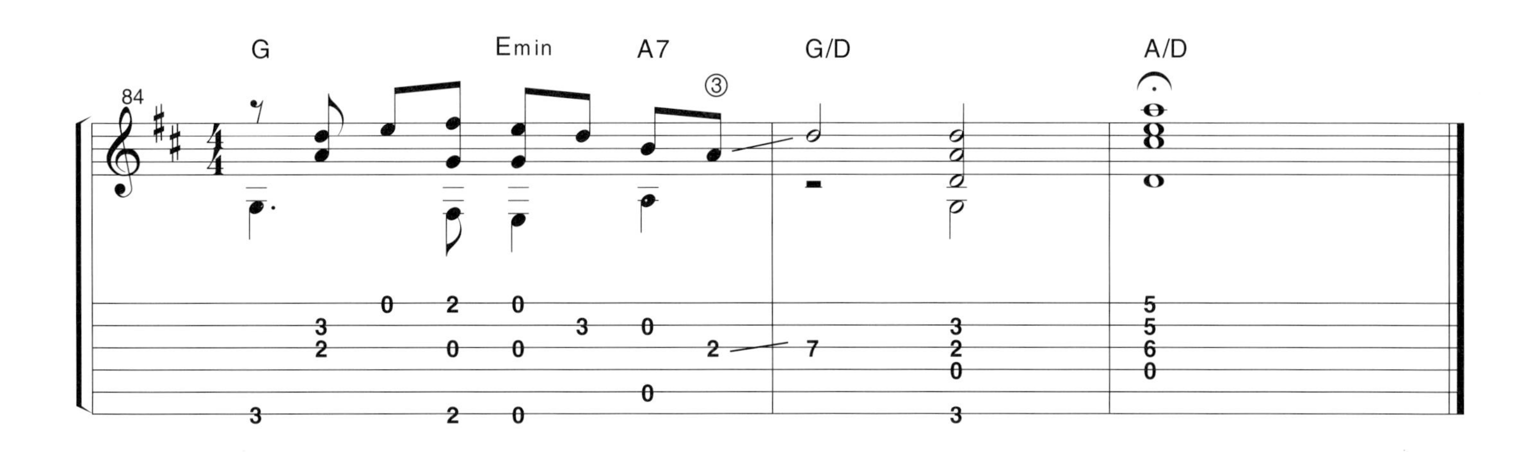
G
Emin
A7
G/D
A/D
84

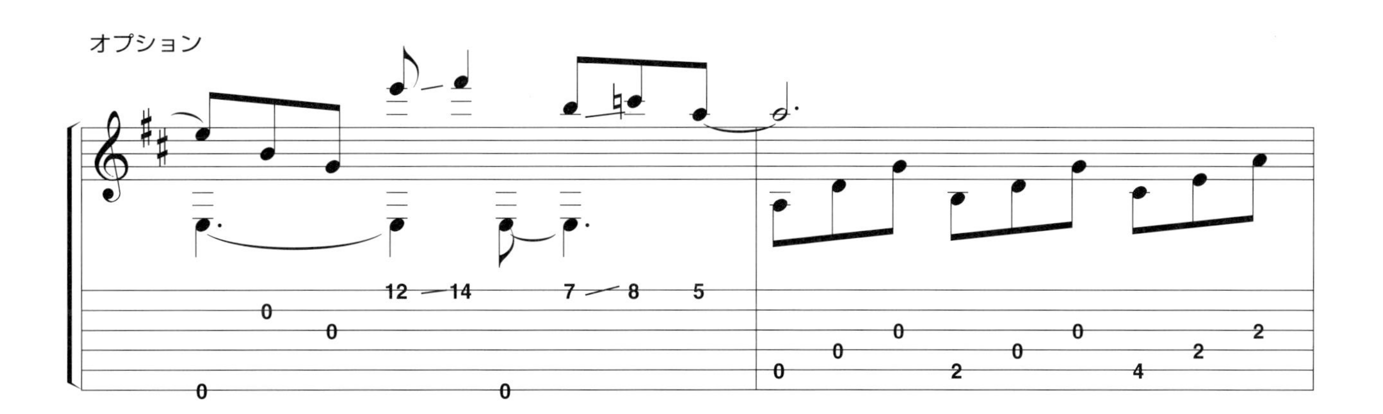
オプション

The Cowboy Medley

Texas Cowboy / Cowboy Jack

カウボーイ・メドレー

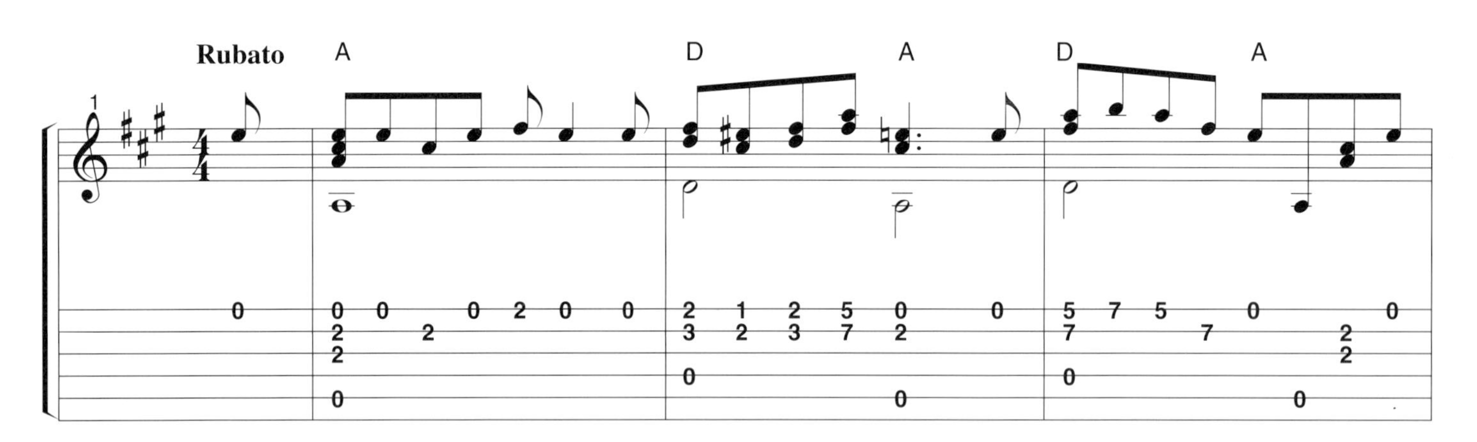

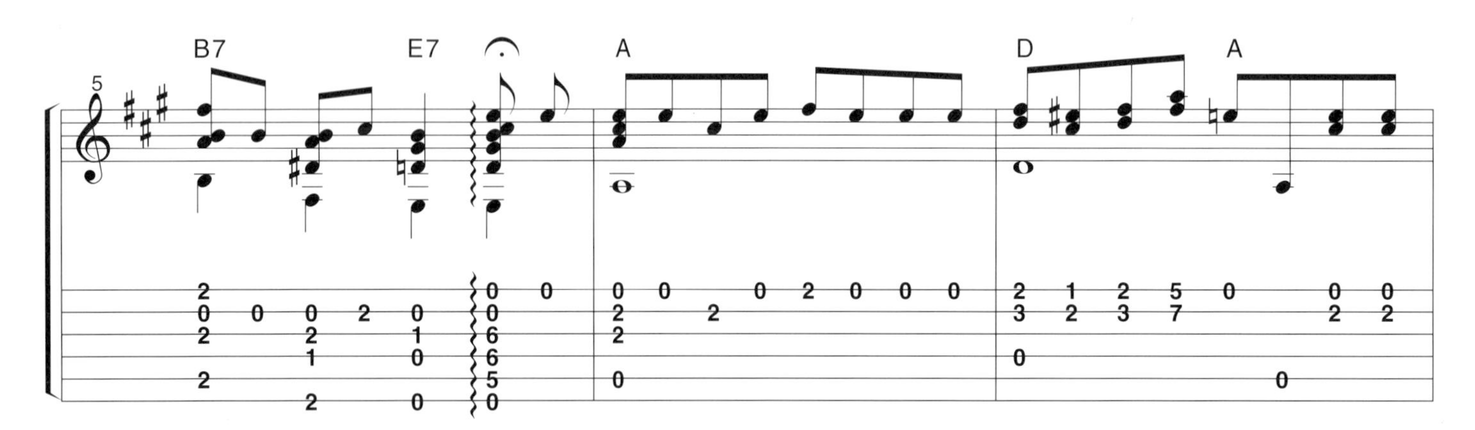

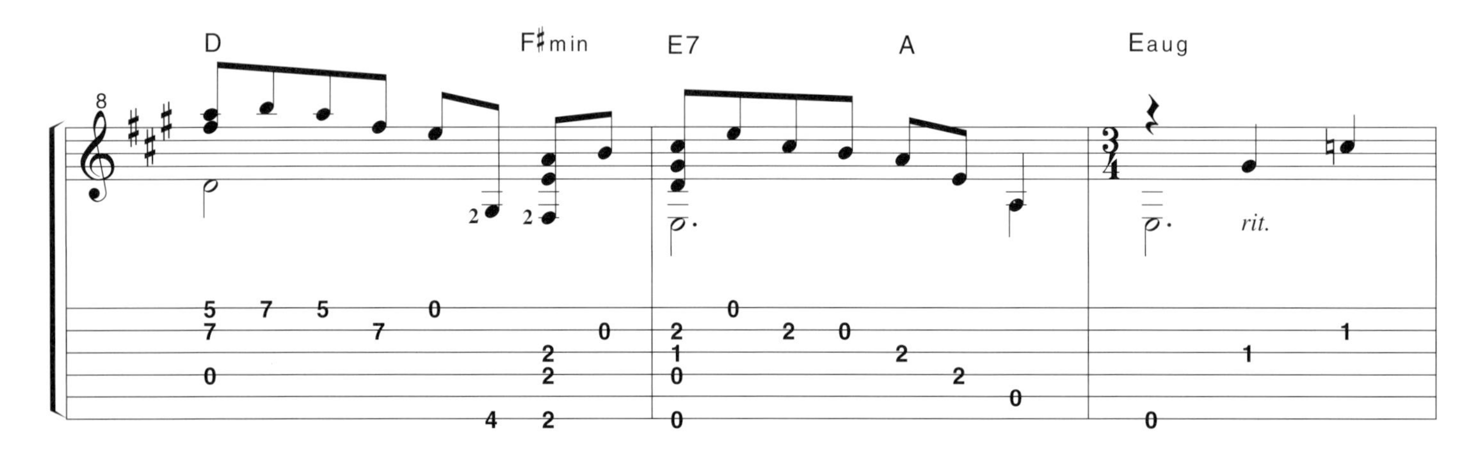

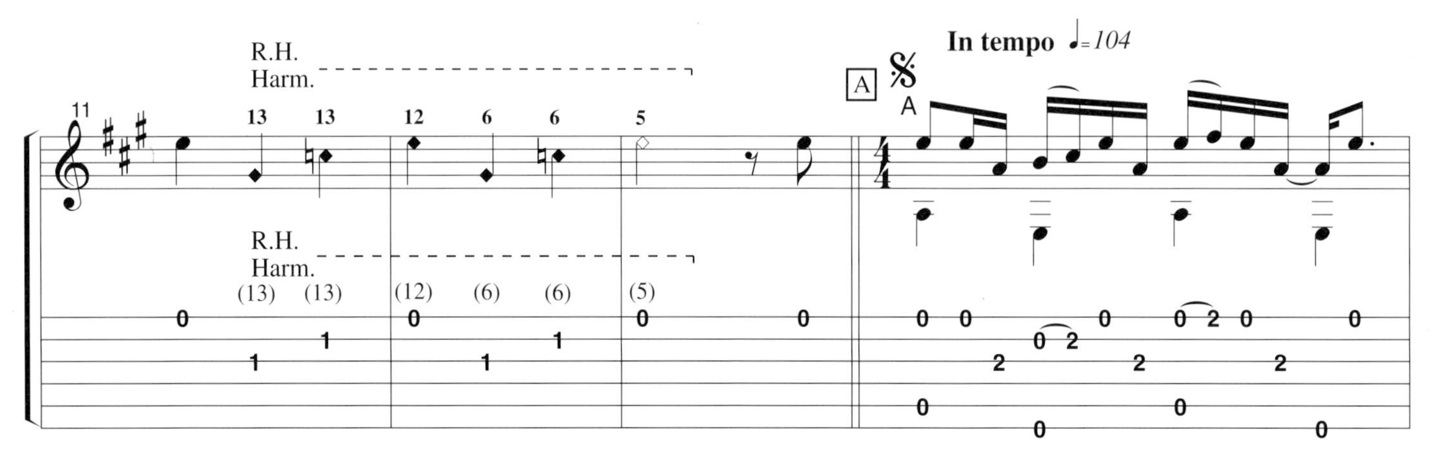

R.H. Harm：左手で押さえた弦の12フレット上を右手の人差し指で軽く触れながら、右手の親指、薬指、もしくは小指のどれかでピッキングしてハーモニクスを鳴らす

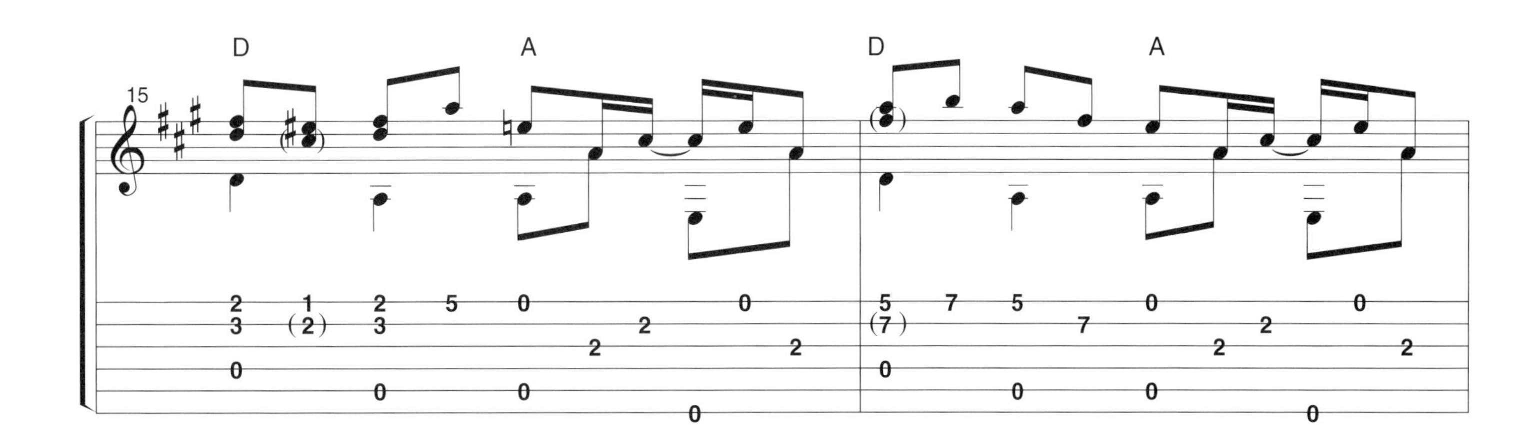
D
A
D
A
15

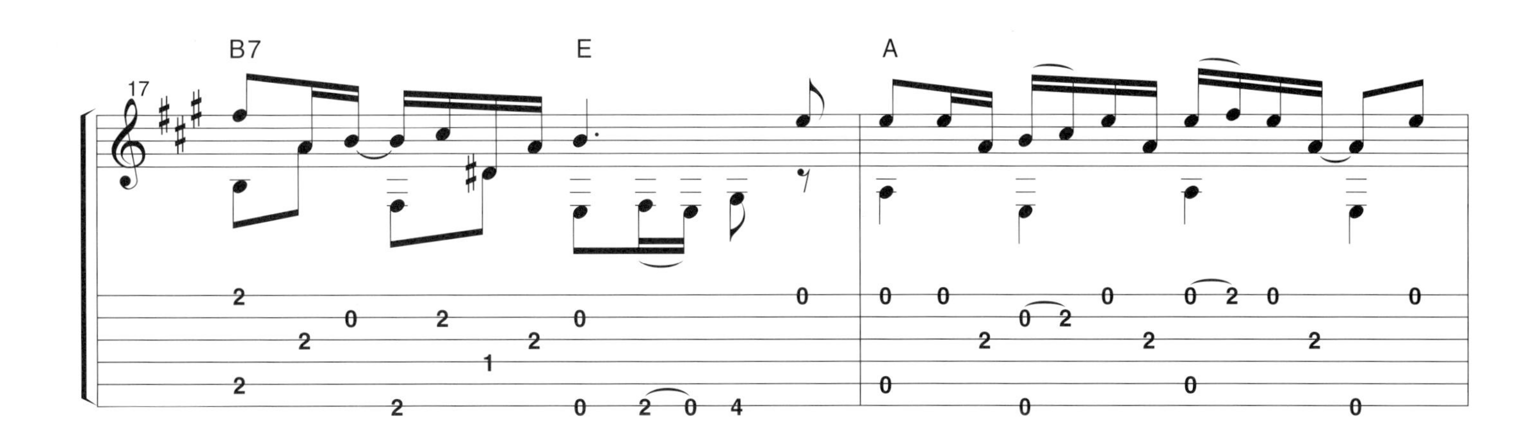
B7
E
A
17

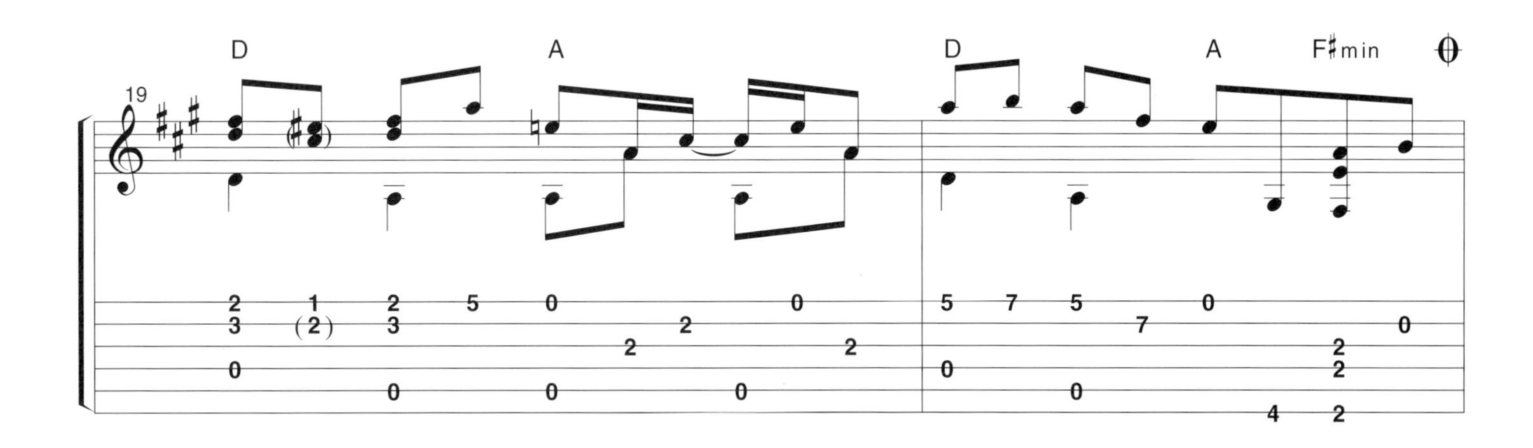
D
A
D
A
F♯min
19

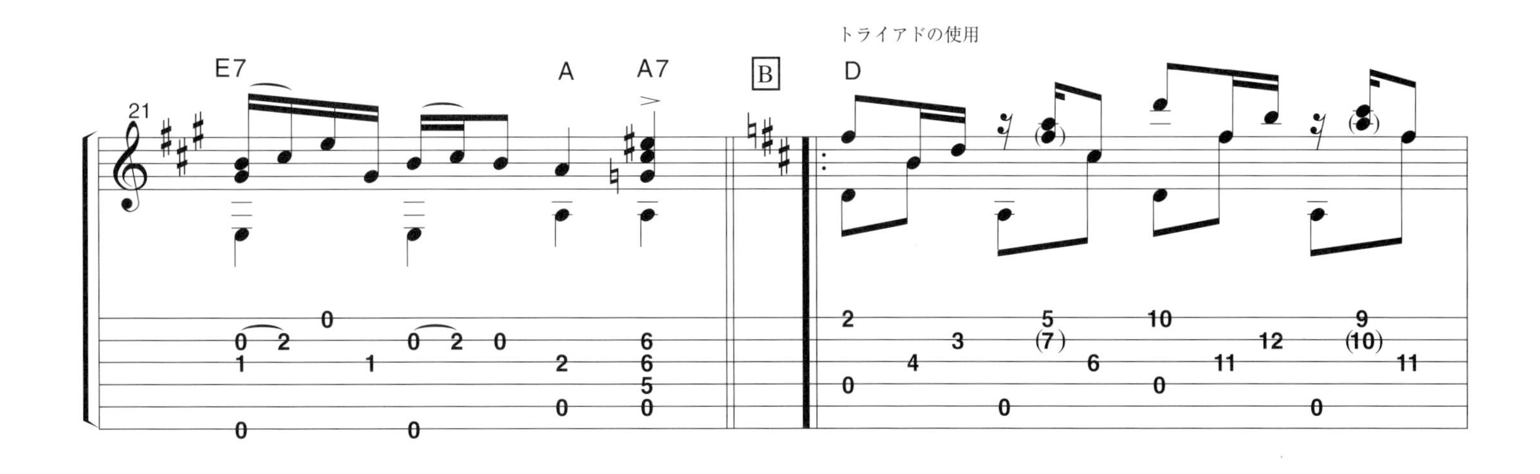
トライアドの使用
E7
A
A7
B
D
21

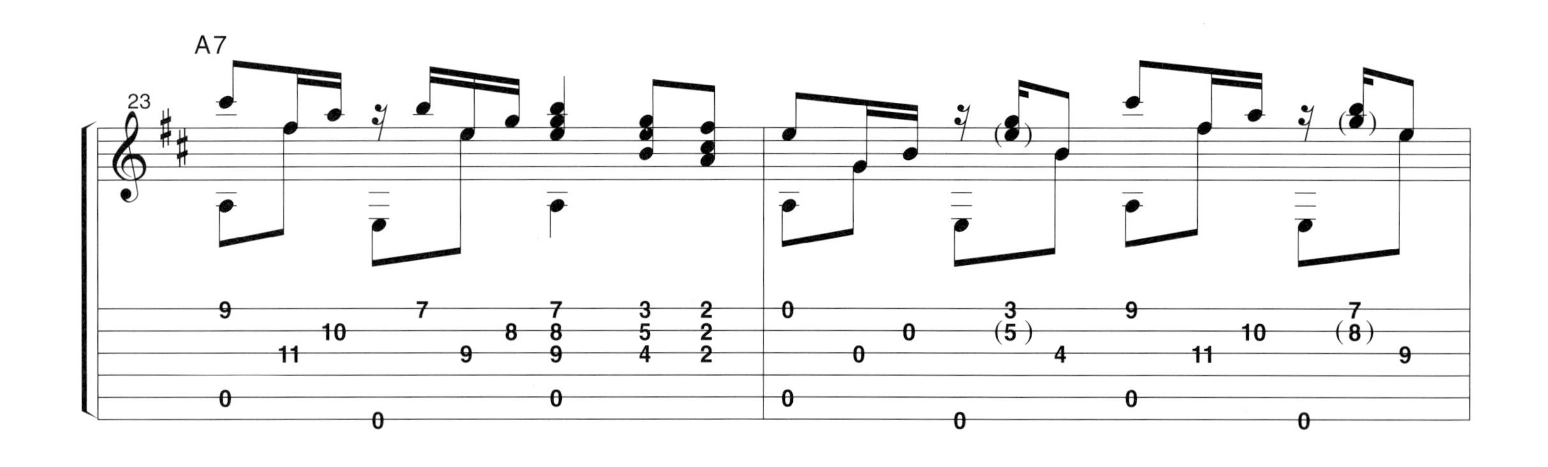
A7
23

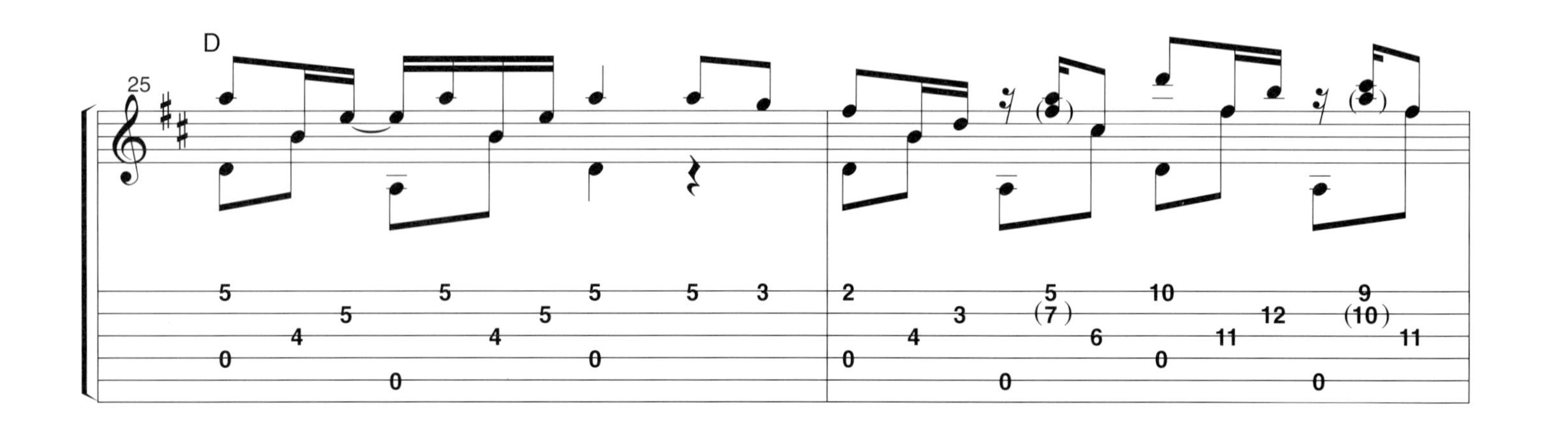
D
25

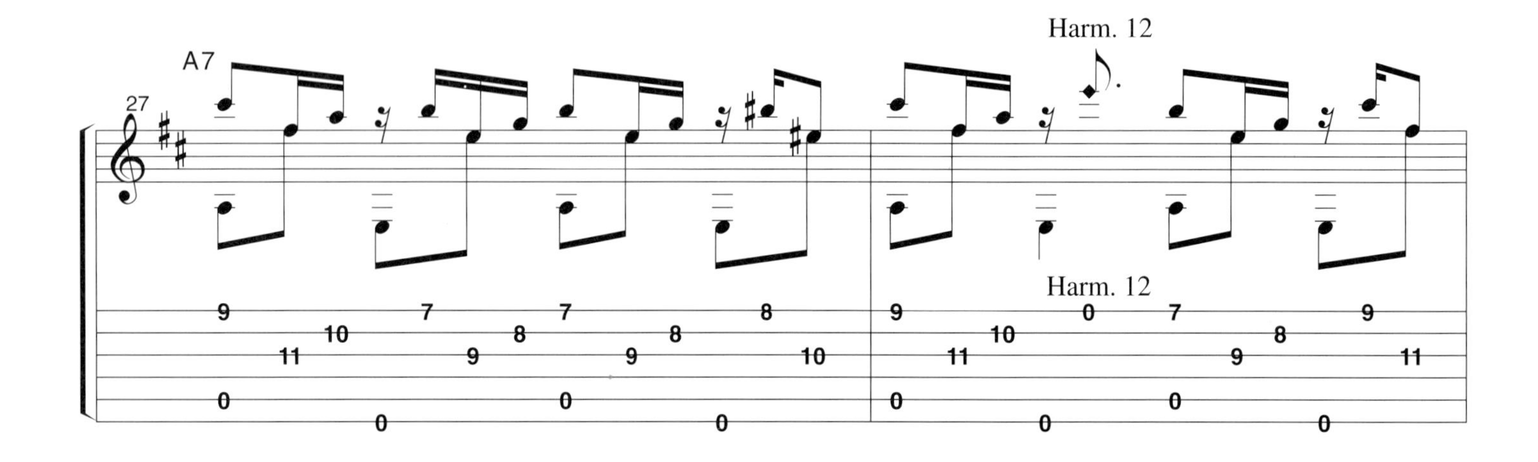
A7
27
Harm. 12
Harm. 12

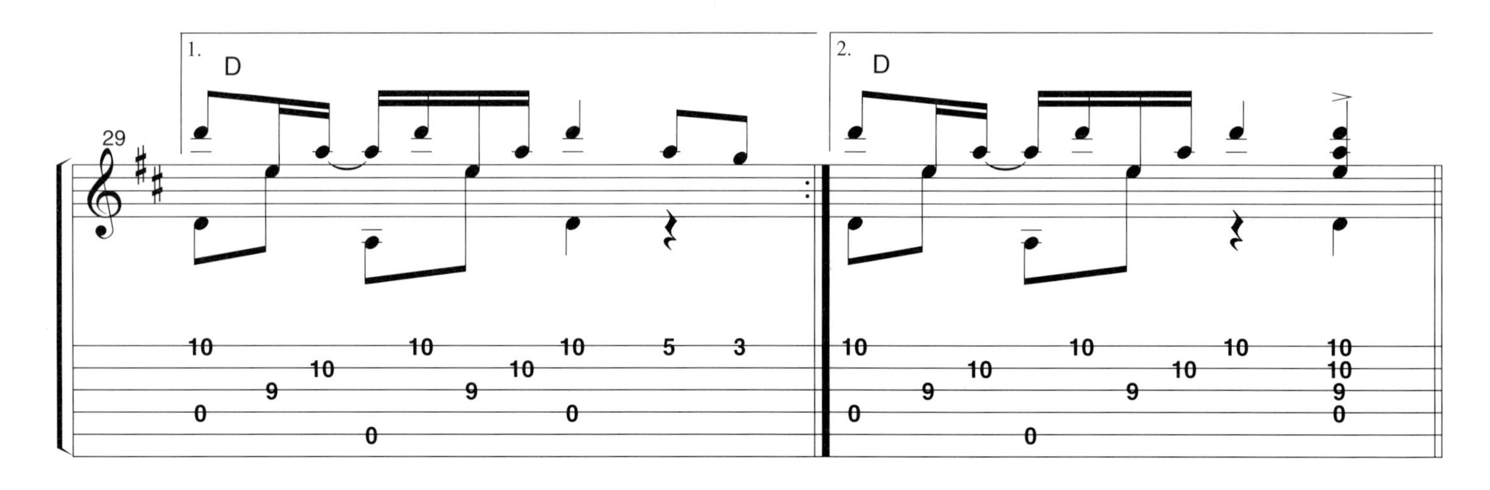
29
1.
D
2.
D

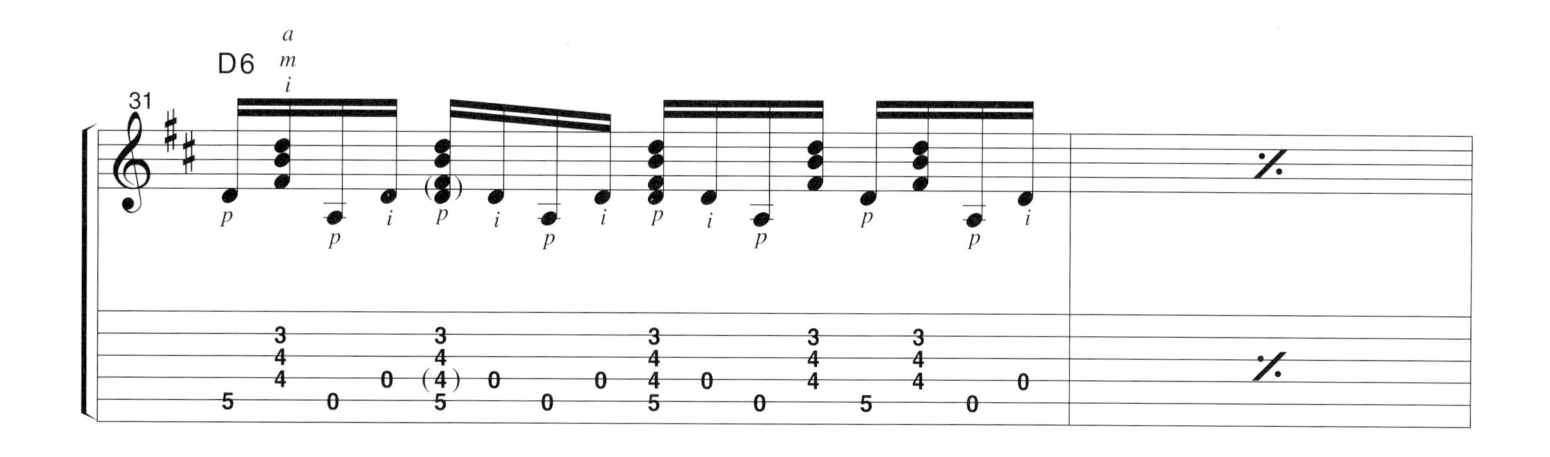

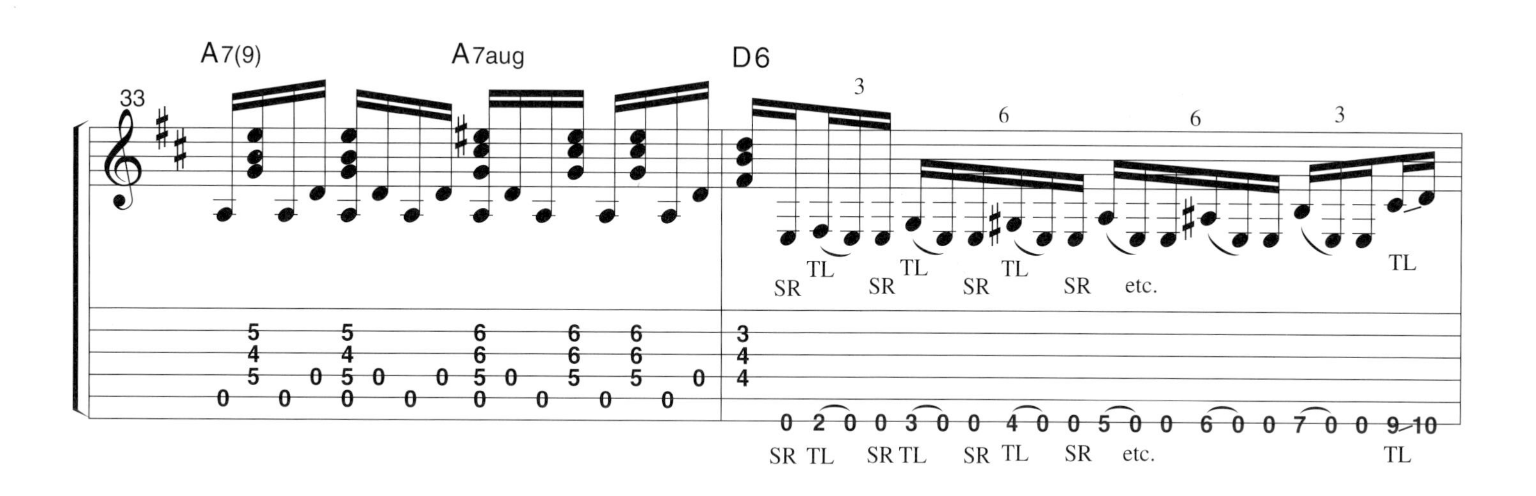

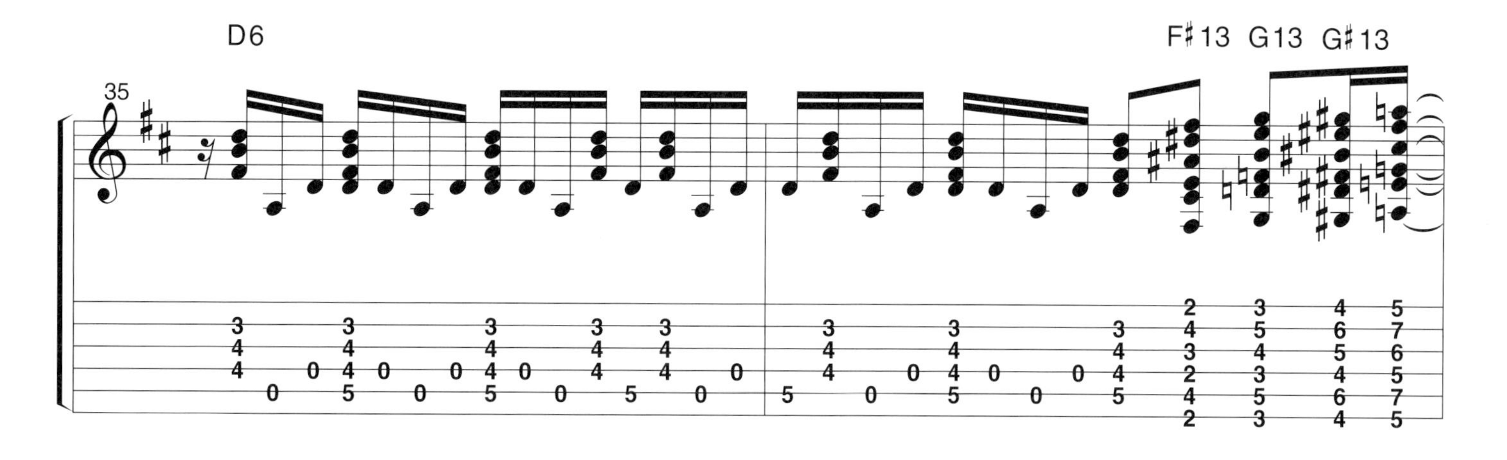

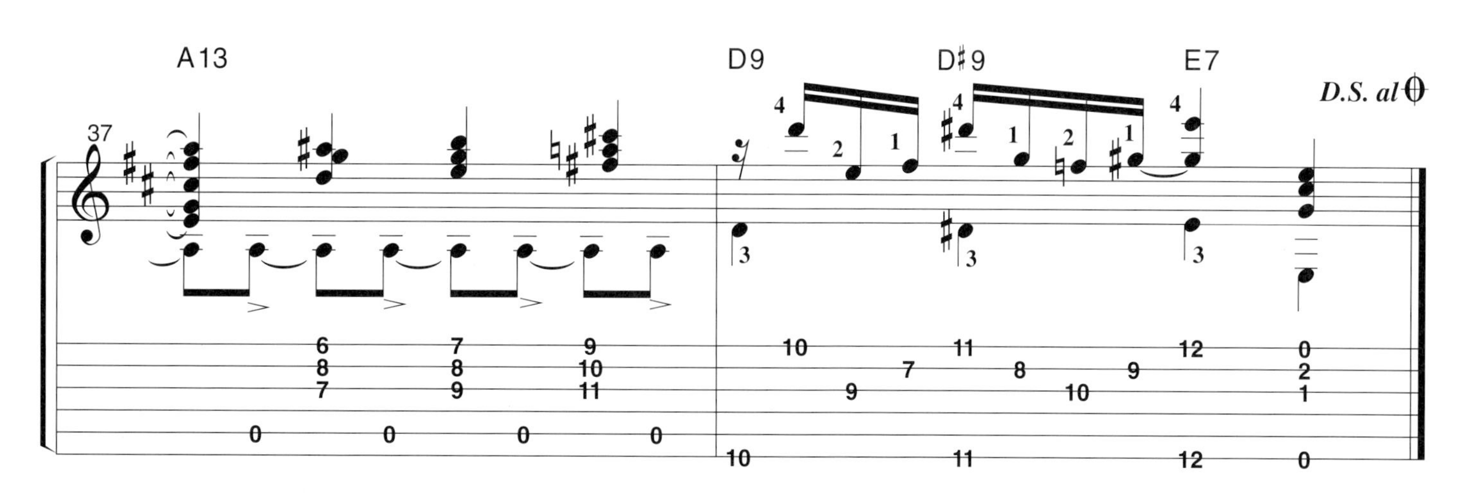

SR：右手（Right Hand）で弦をたたく（Slap）　TL：左手の指（Left Hand）でタッピング（Tap）する

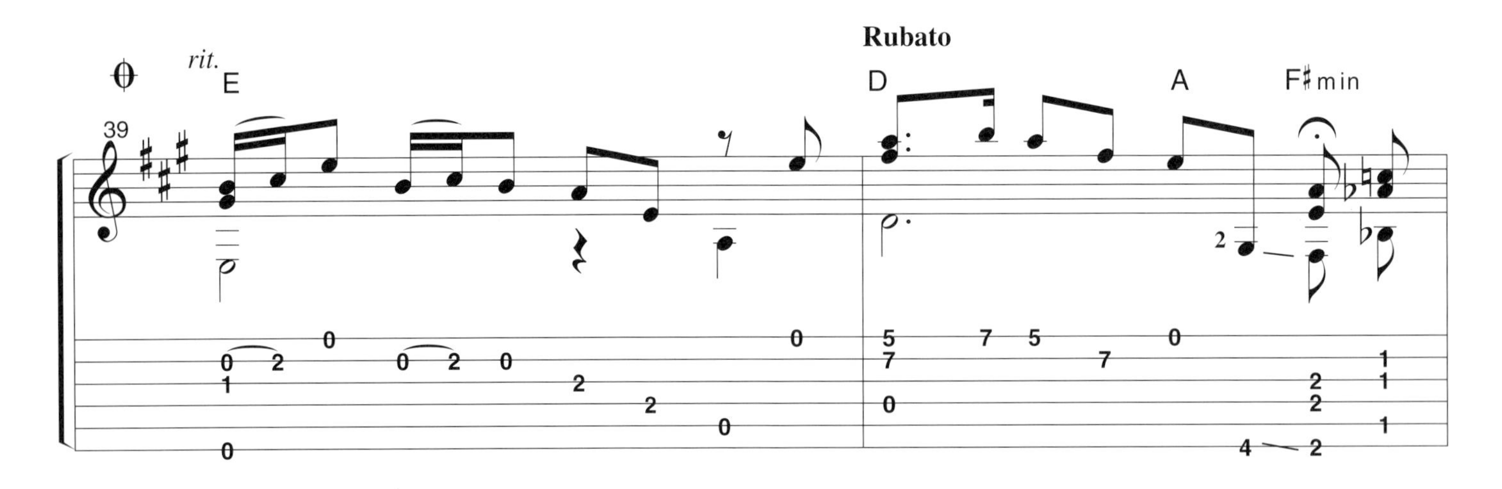
rit.
E
Rubato
D
A
F♯min
39

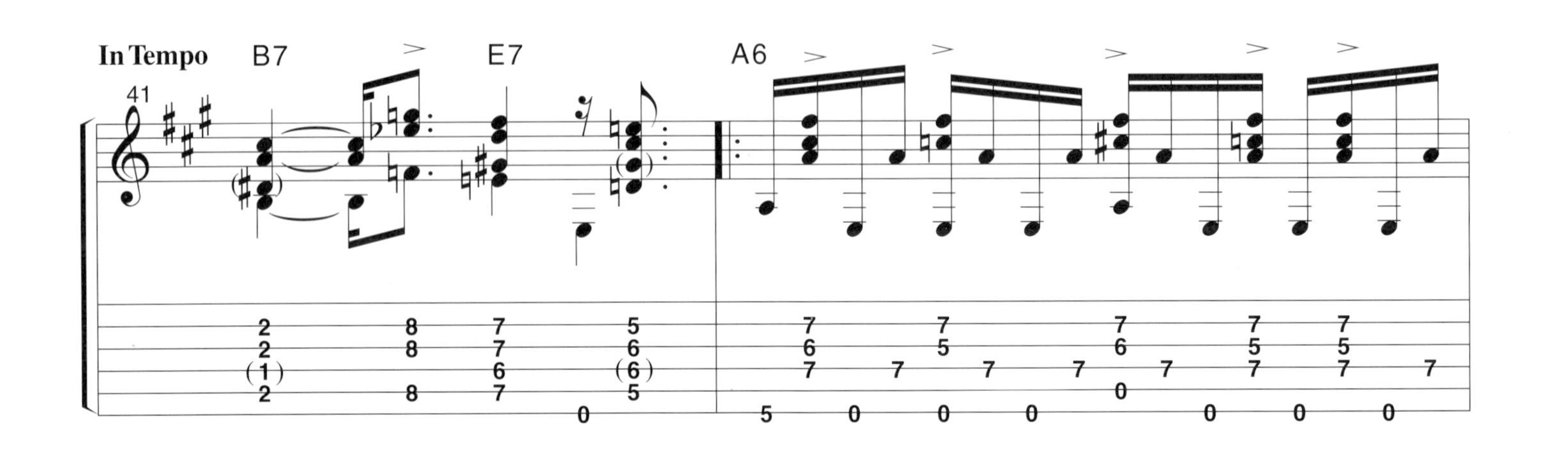
In Tempo
B7
E7
A6
41

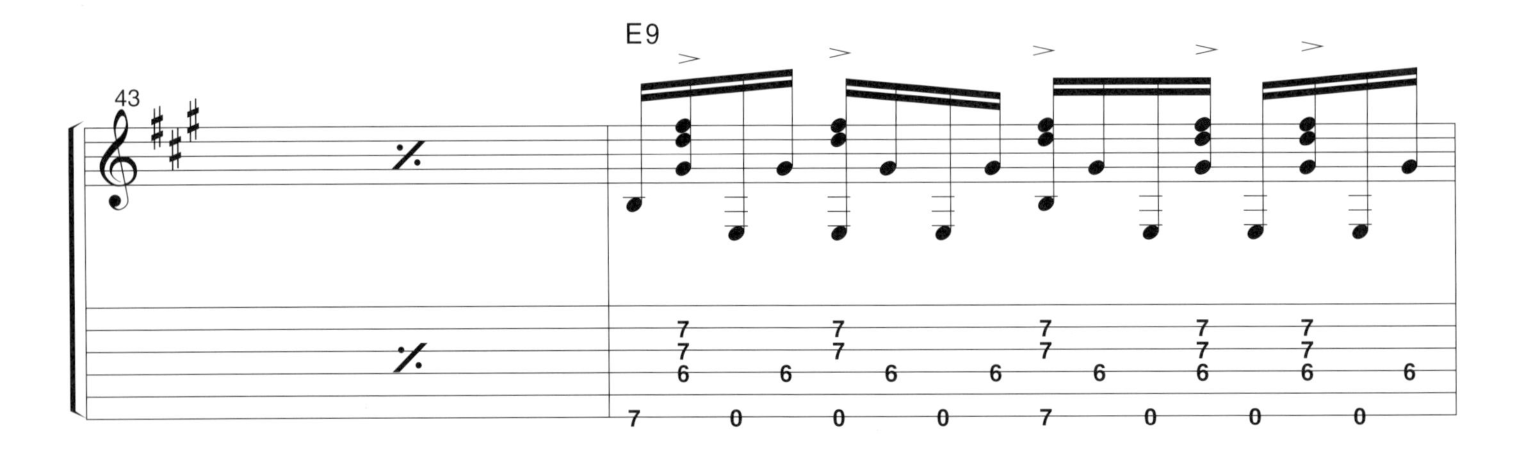
E9
43

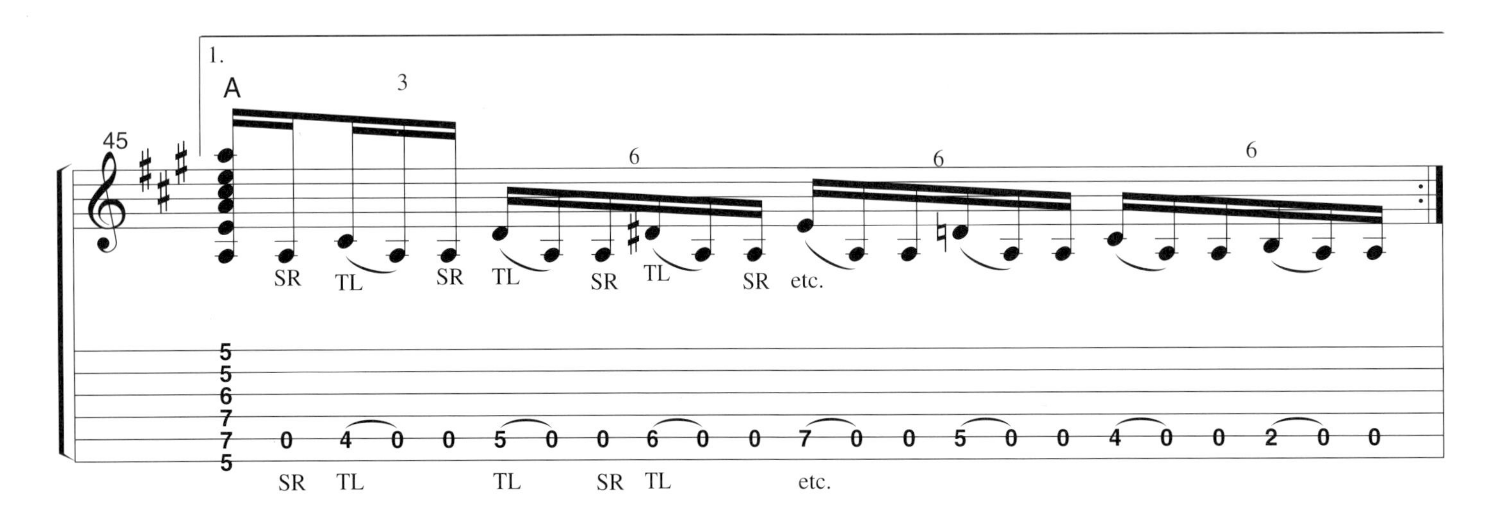
1.
A
45
SR TL SR TL SR TL SR etc.
SR TL TL SR TL etc.

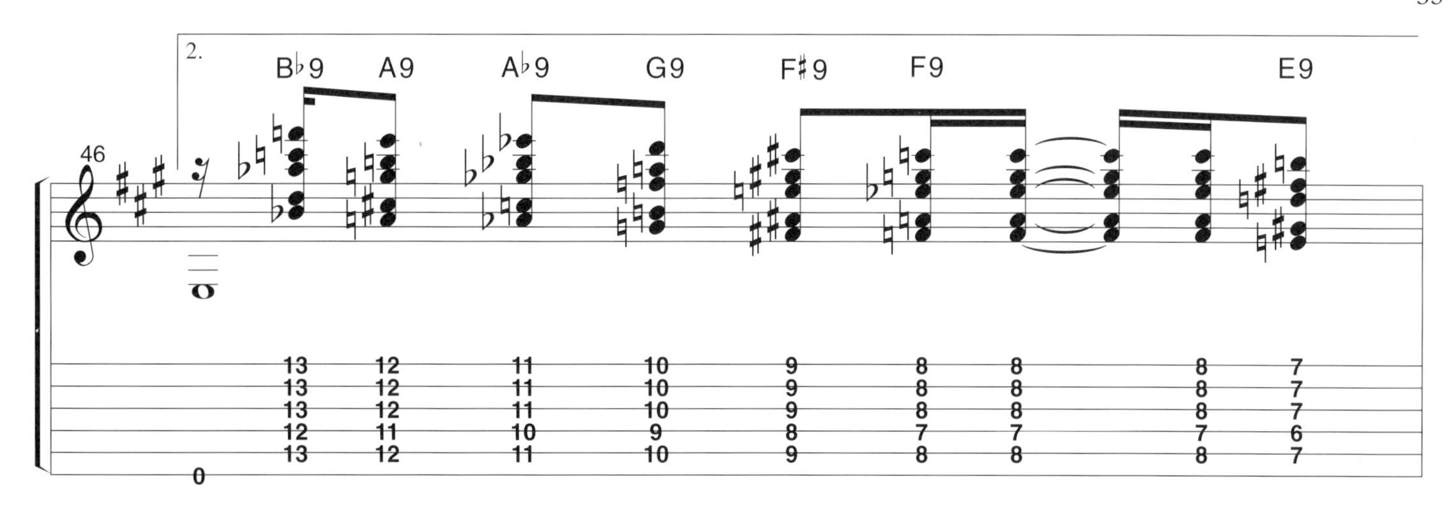
2.
B♭9
A9
A♭9
G9
F♯9
F9
E9
46

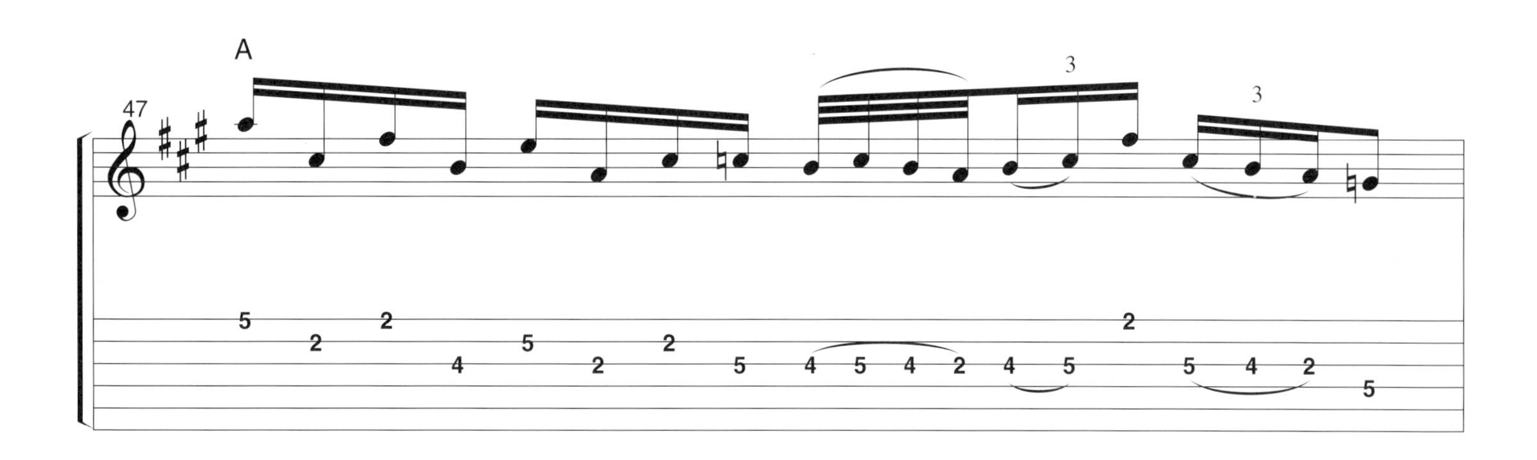
A
47
3
3

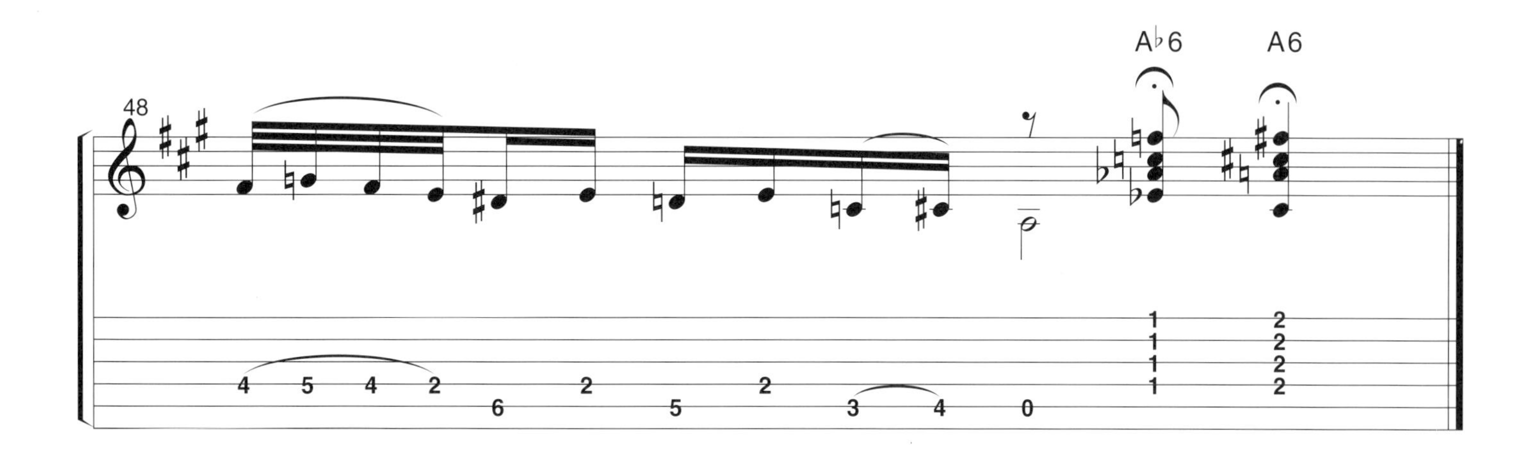
48
A♭6
A6

Doney Gal

ドネイ・ギャル

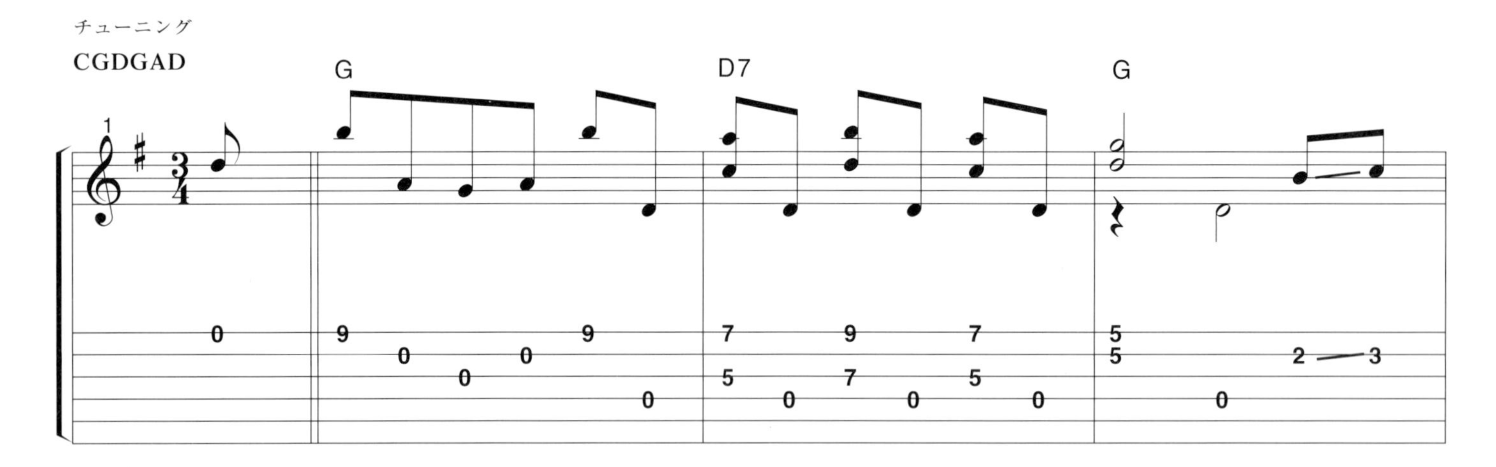

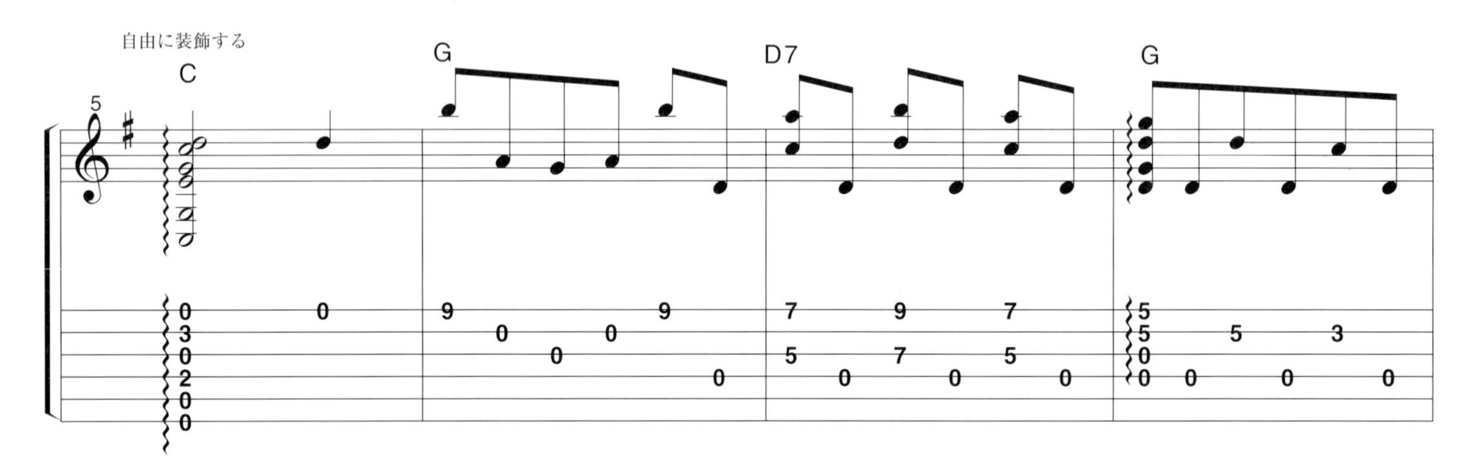

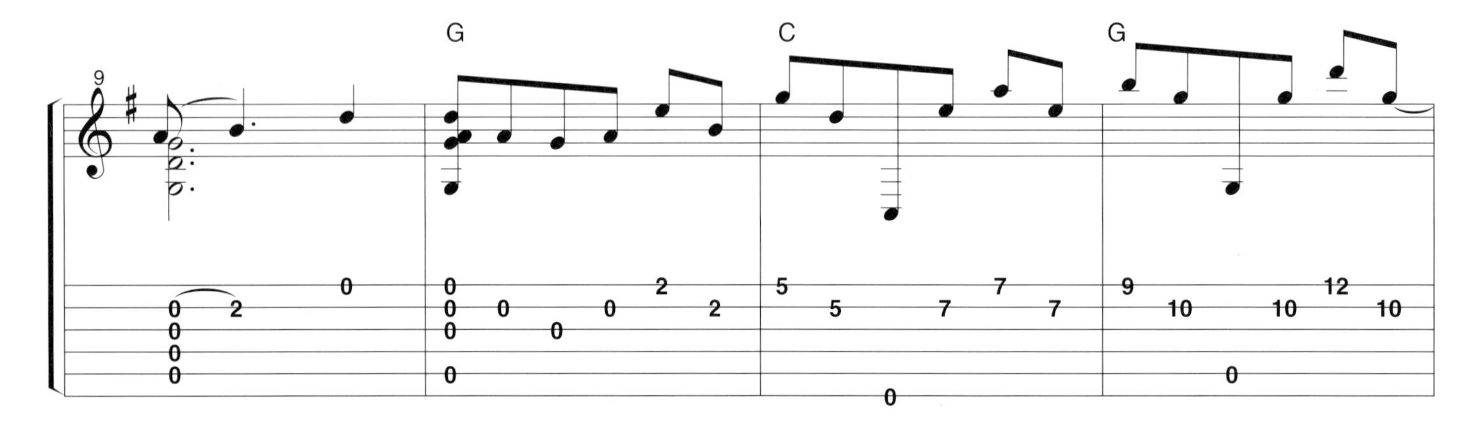

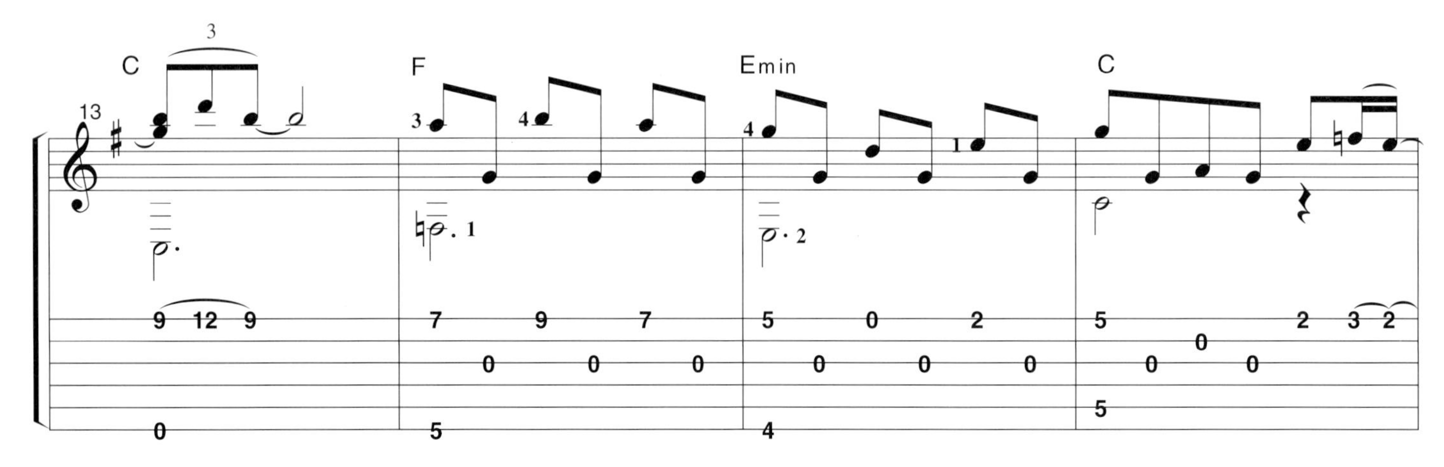

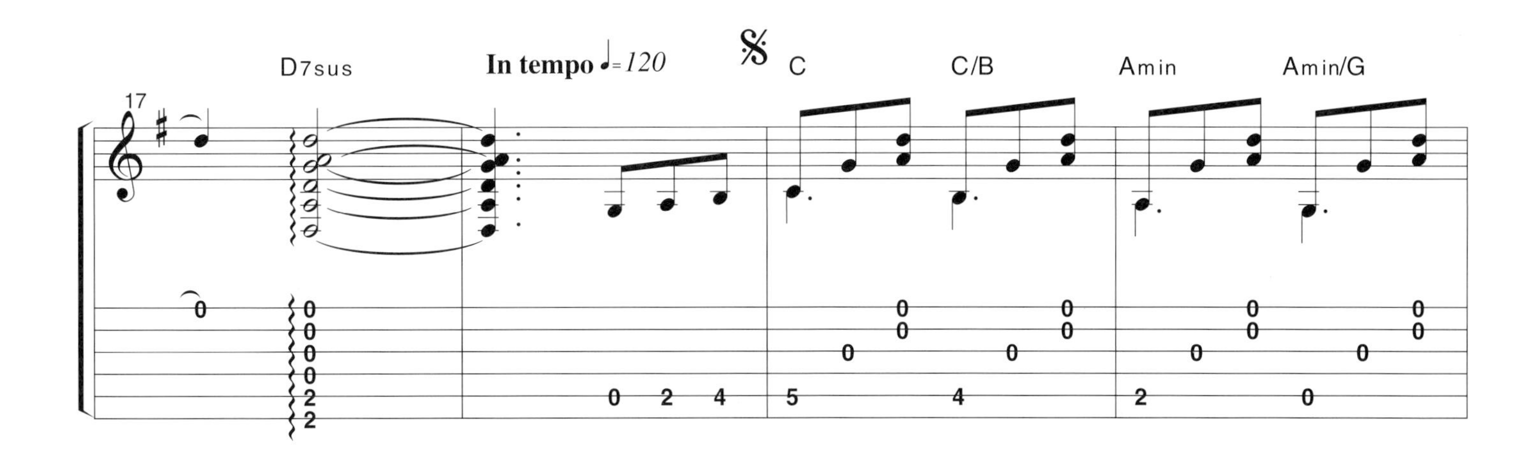
D7sus
In tempo ♩=120
C
C/B
Amin
Amin/G

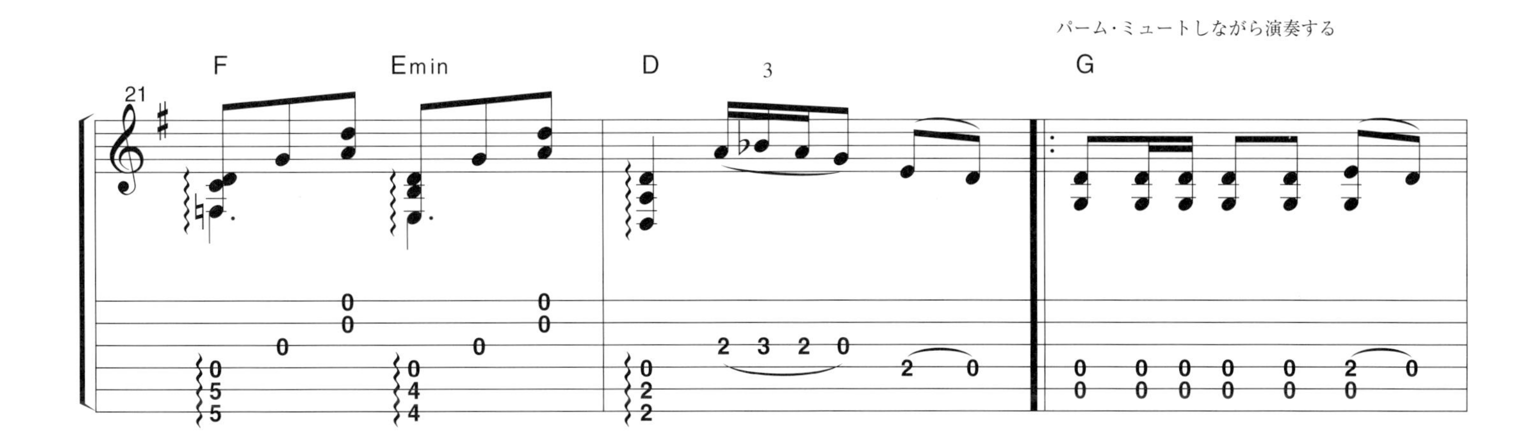
パーム・ミュートしながら演奏する
F
Emin
D
G

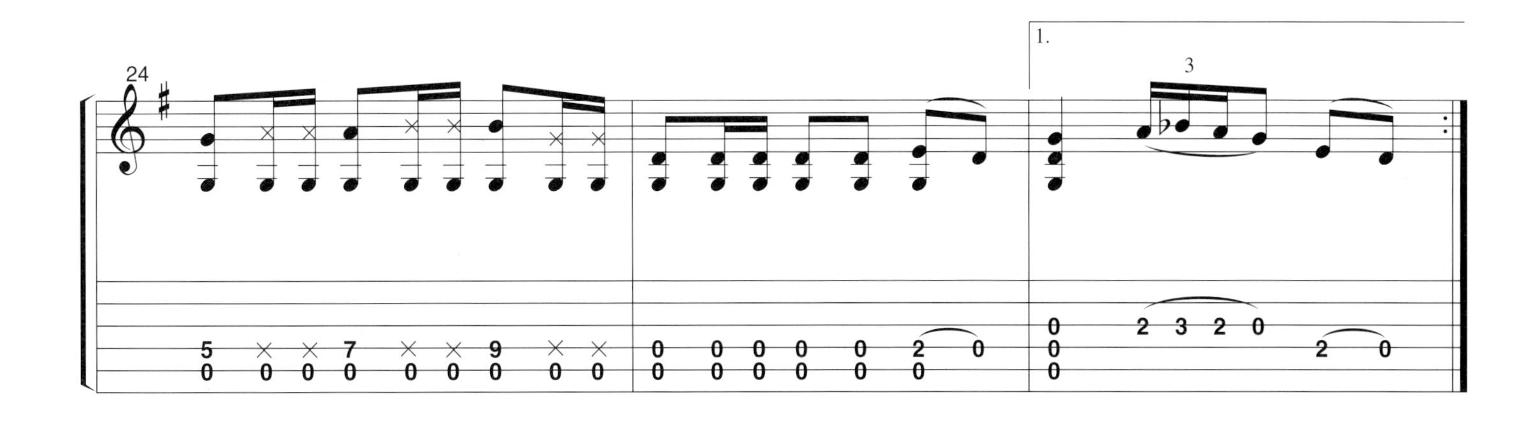

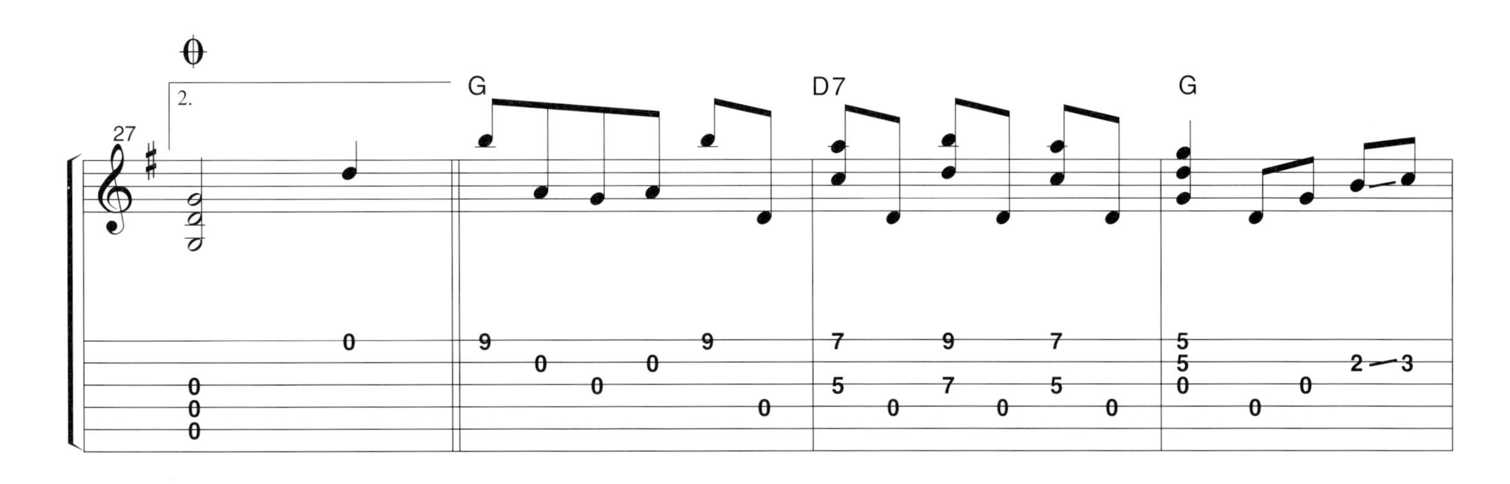
G
D7
G

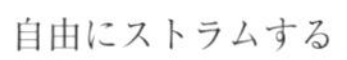
自由にストラムする

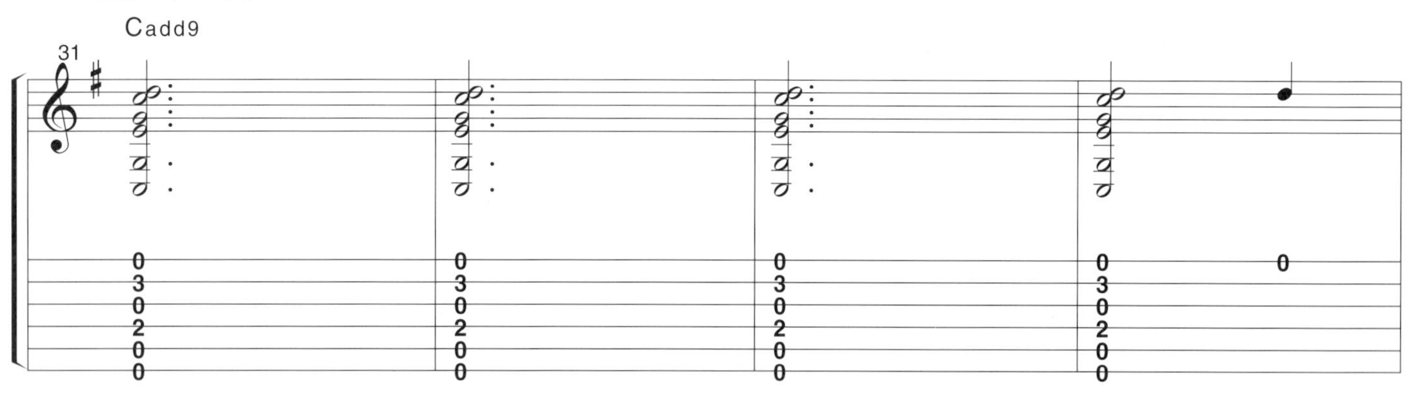
Cadd9
31

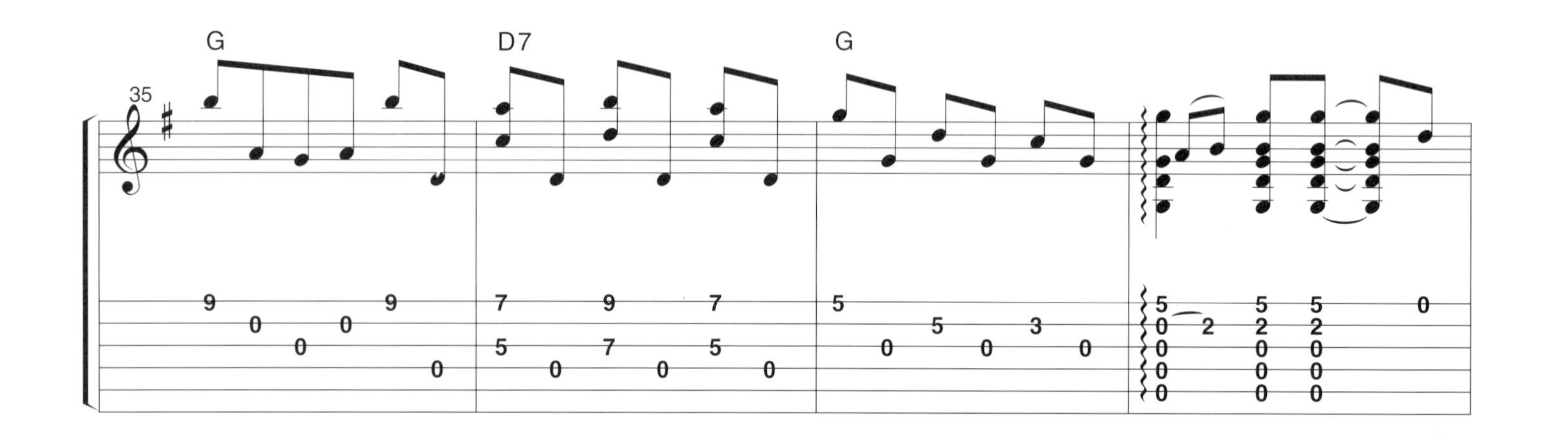
G
D7
G
35

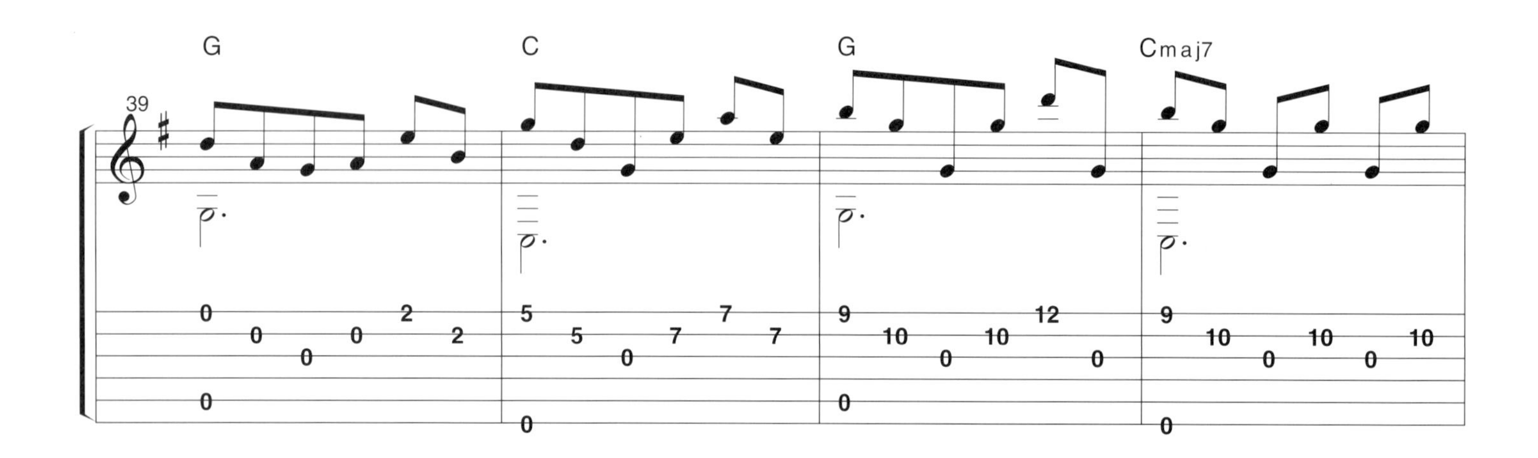
G
C
G
Cmaj7
39

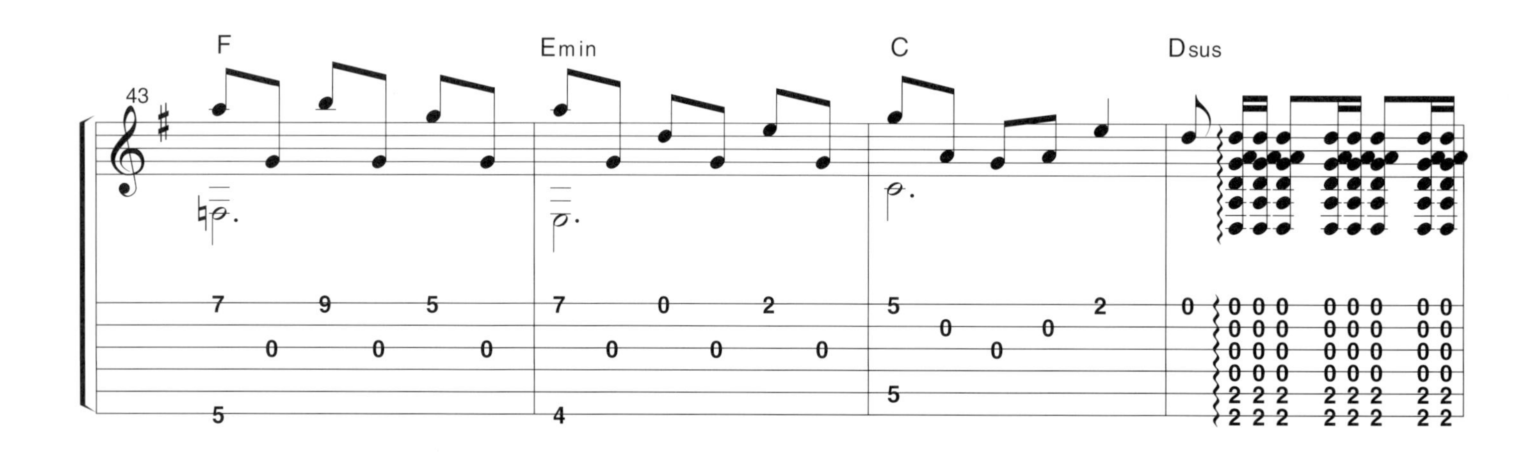
F
Emin
C
Dsus
43

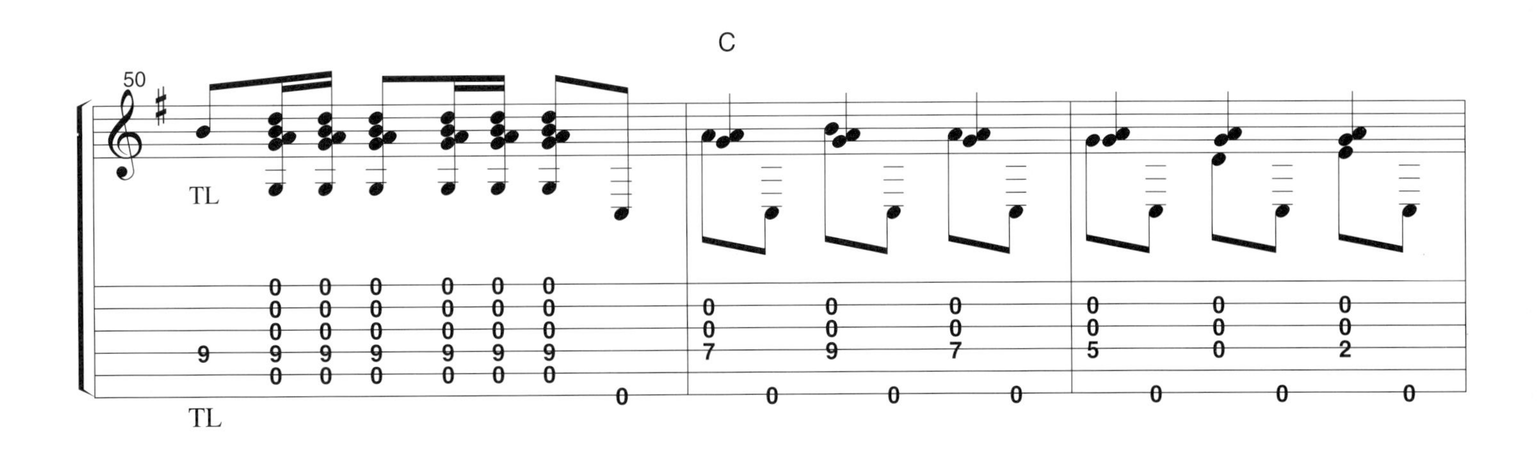

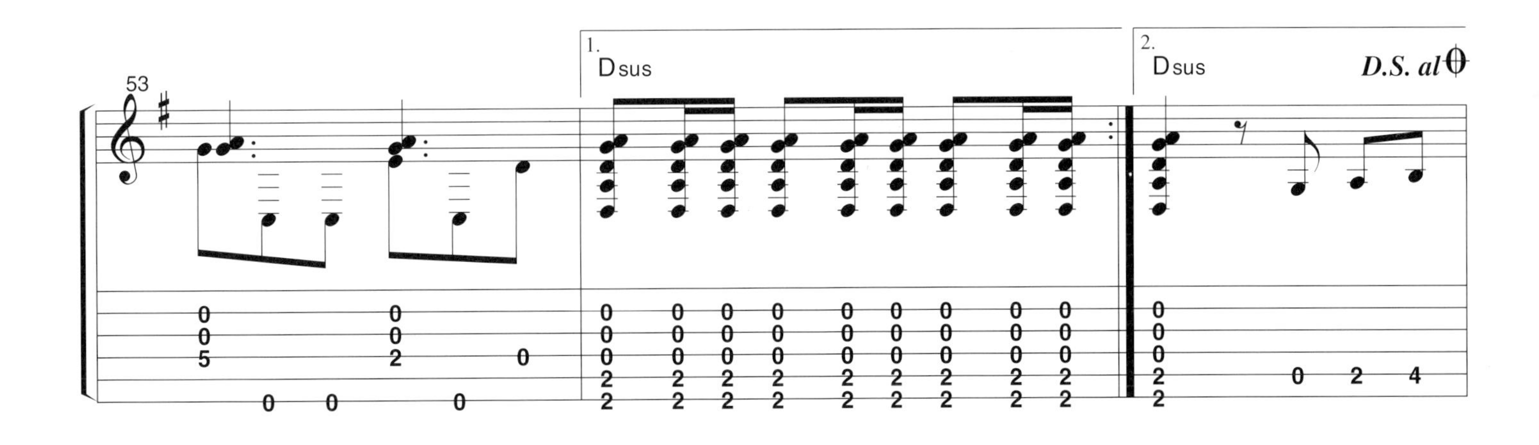

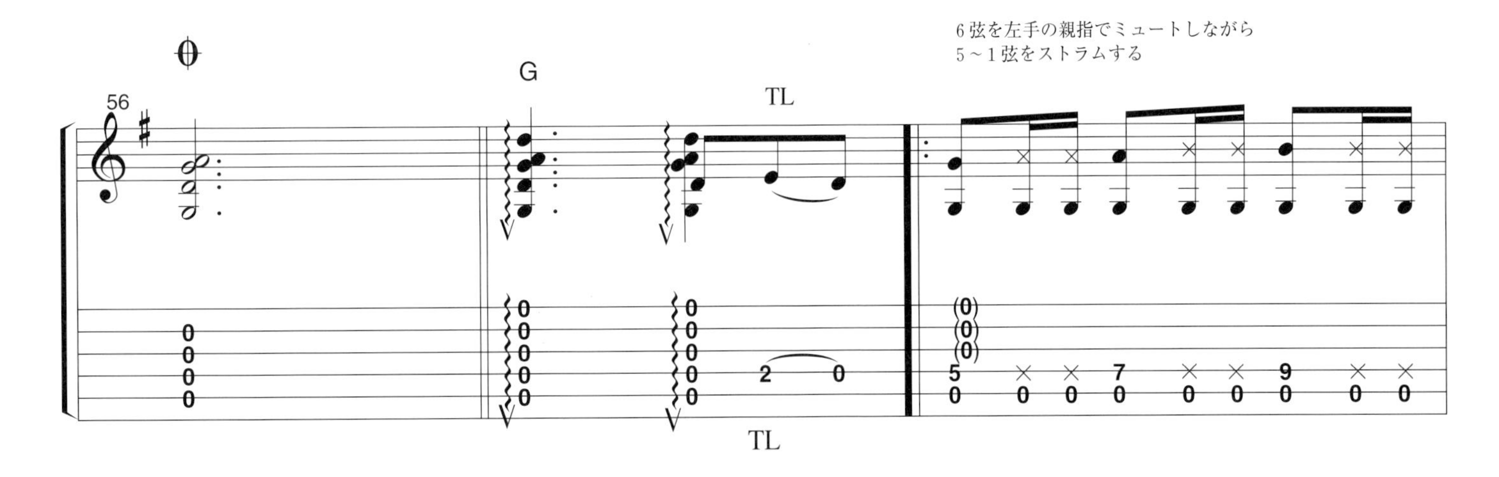

SR：右手で12フレット付近をたたきハーモニクスを鳴らす　　TL：左手の指でタップする

etc.
Cmaj7
G
TL
TL

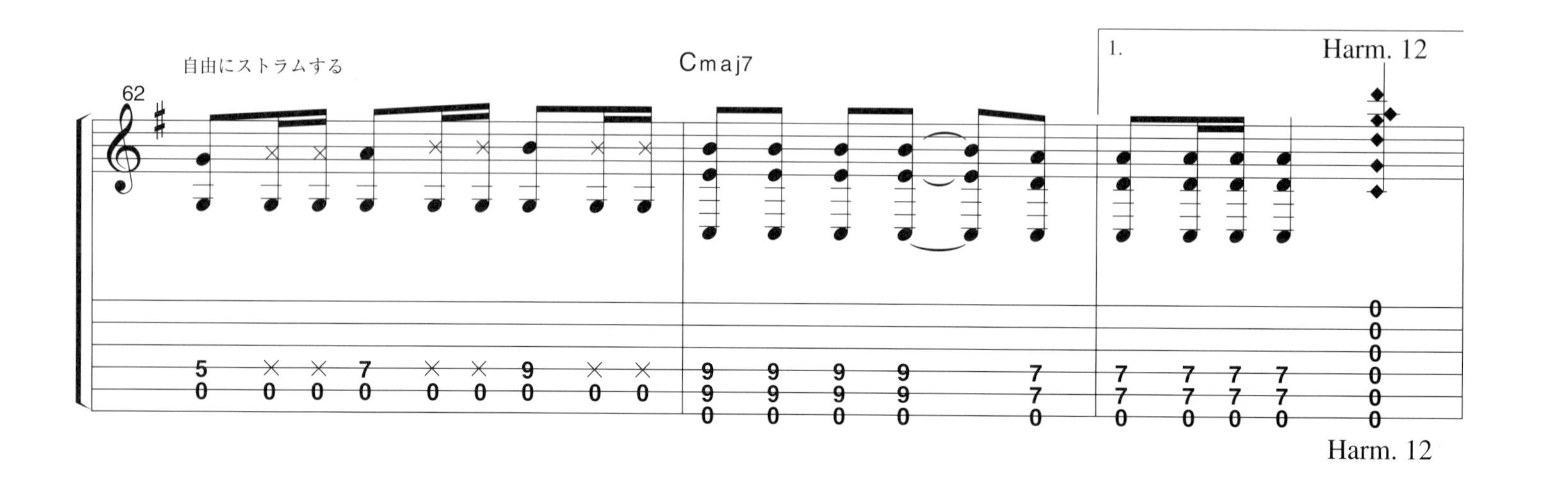
自由にストラムする
Cmaj7
1.
Harm. 12
Harm. 12

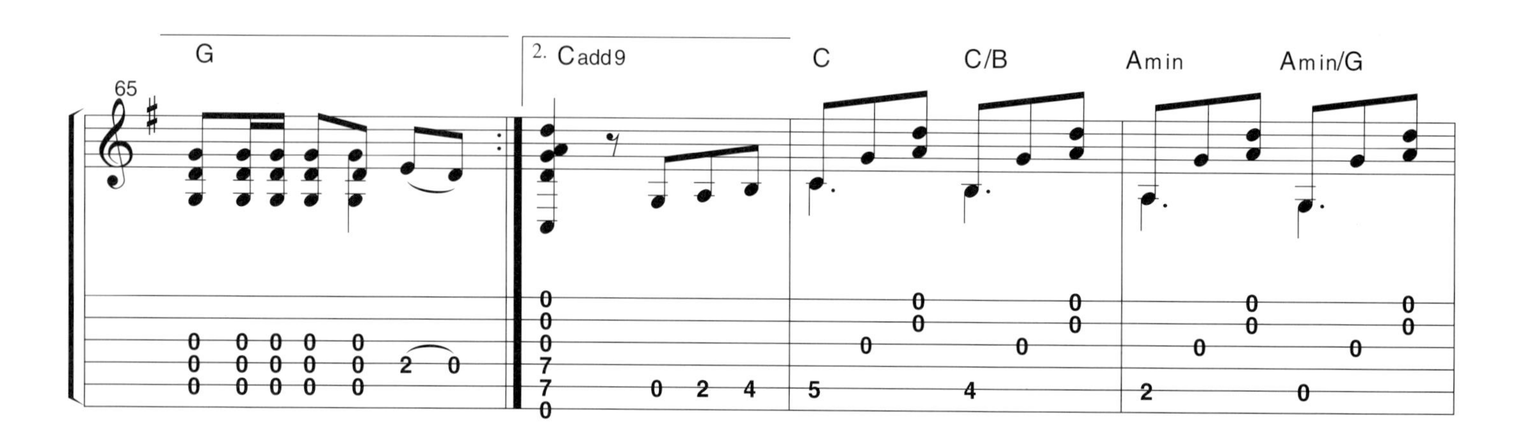
G
2. Cadd9
C
C/B
Amin
Amin/G

F
Emin
Dsus
徐々にゆっくりと
rit.

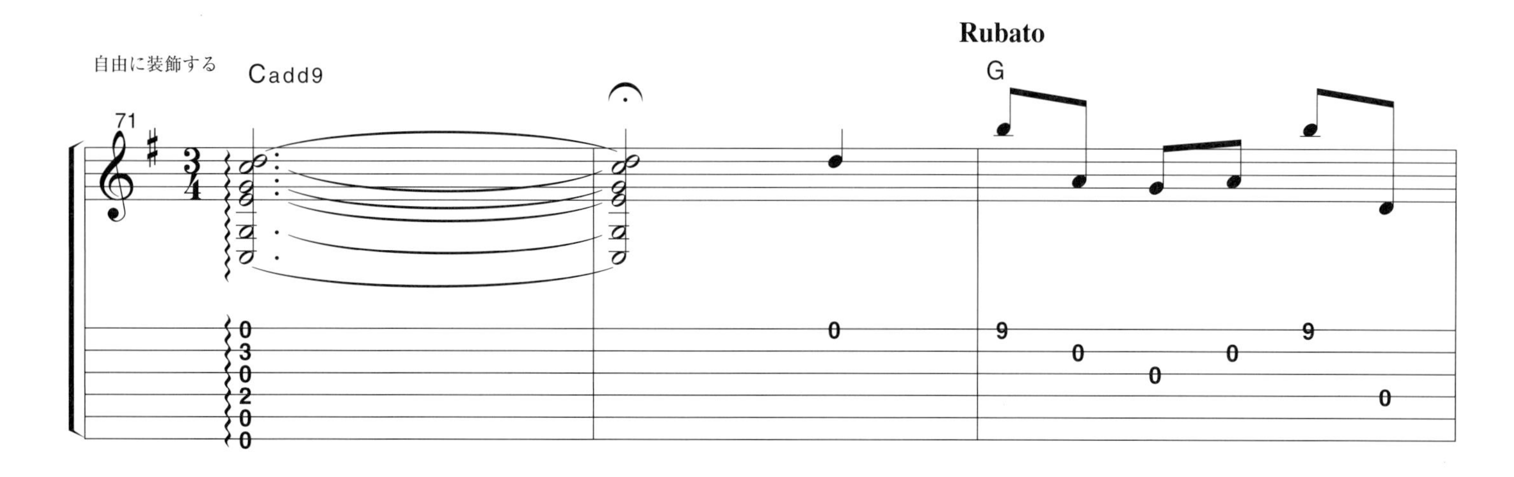
自由に装飾する
Cadd9
Rubato
G
71

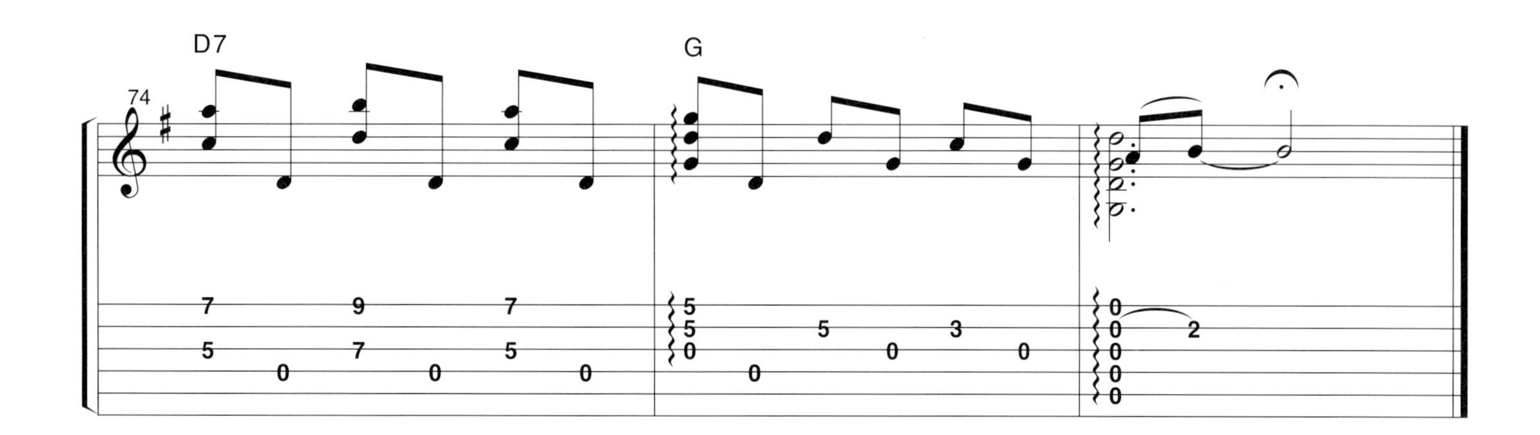
D7
G
74

The Hills of Mexico

ヒルズ・オヴ・メキシコ

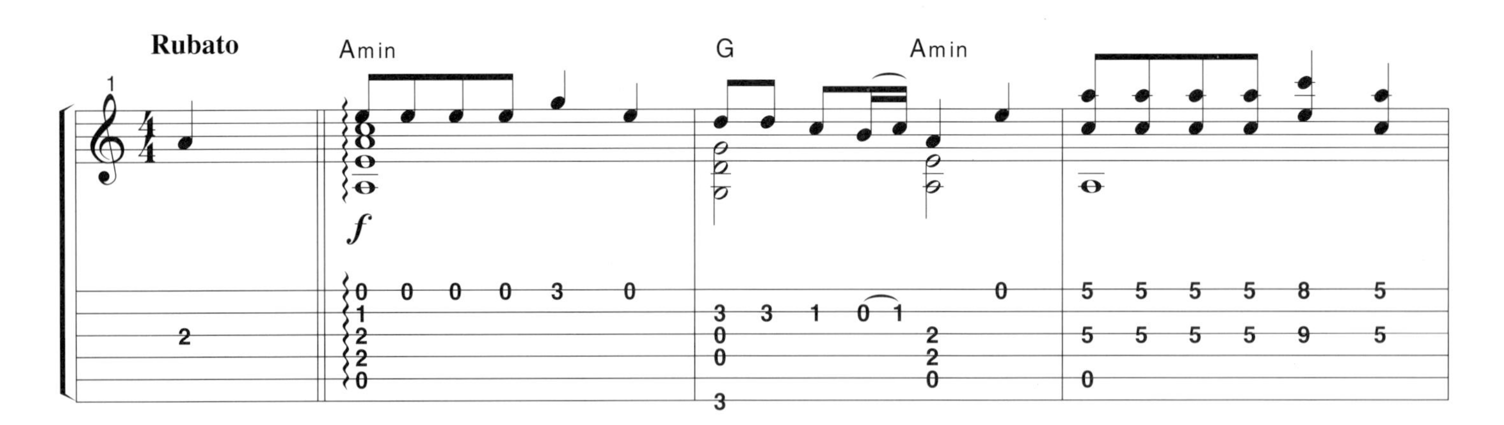

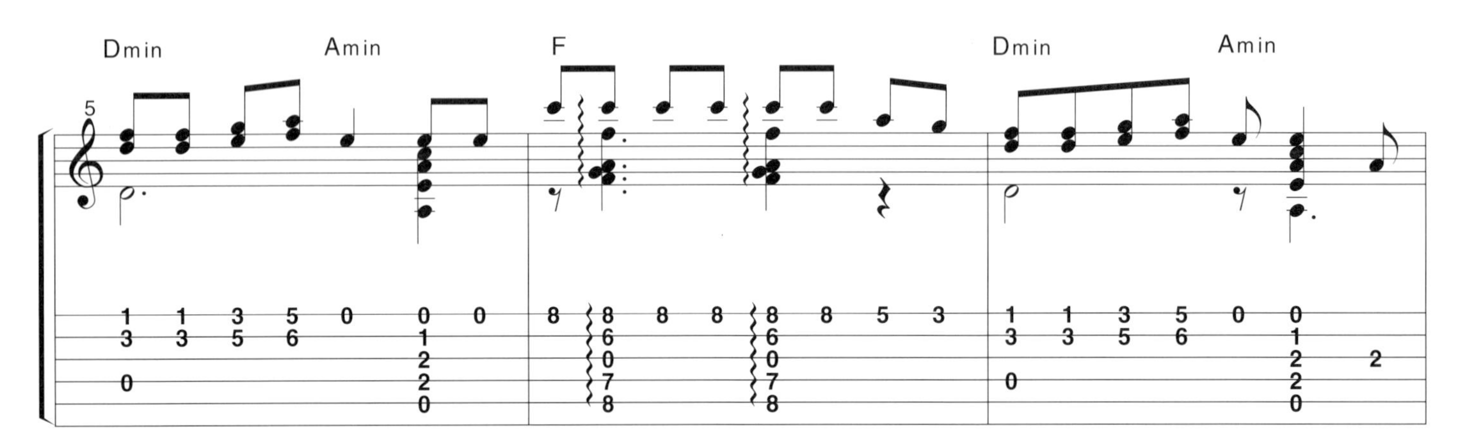

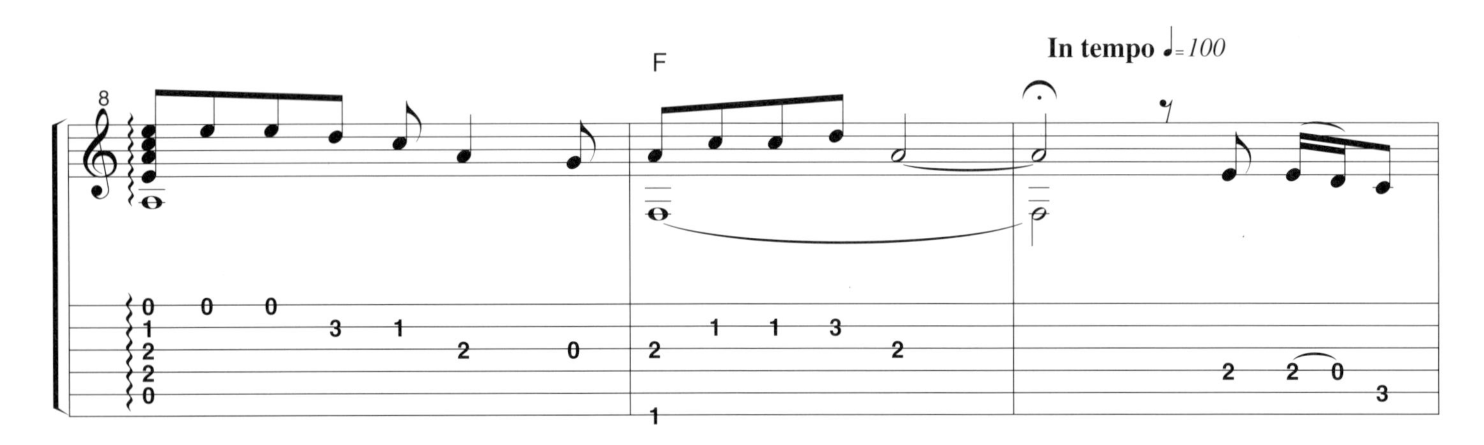

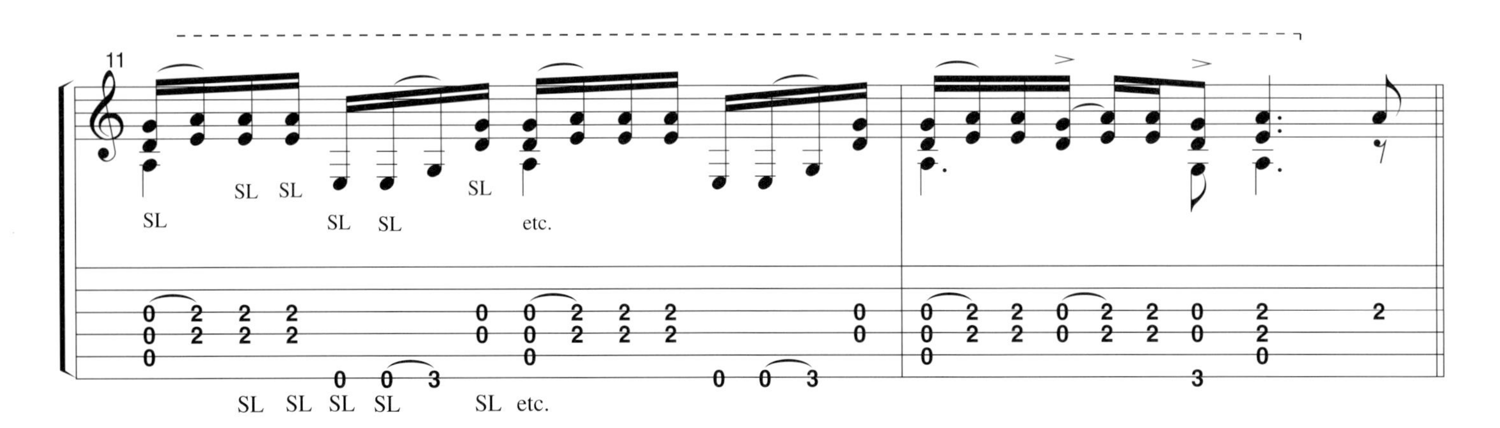

SL：右手で弦をたたく

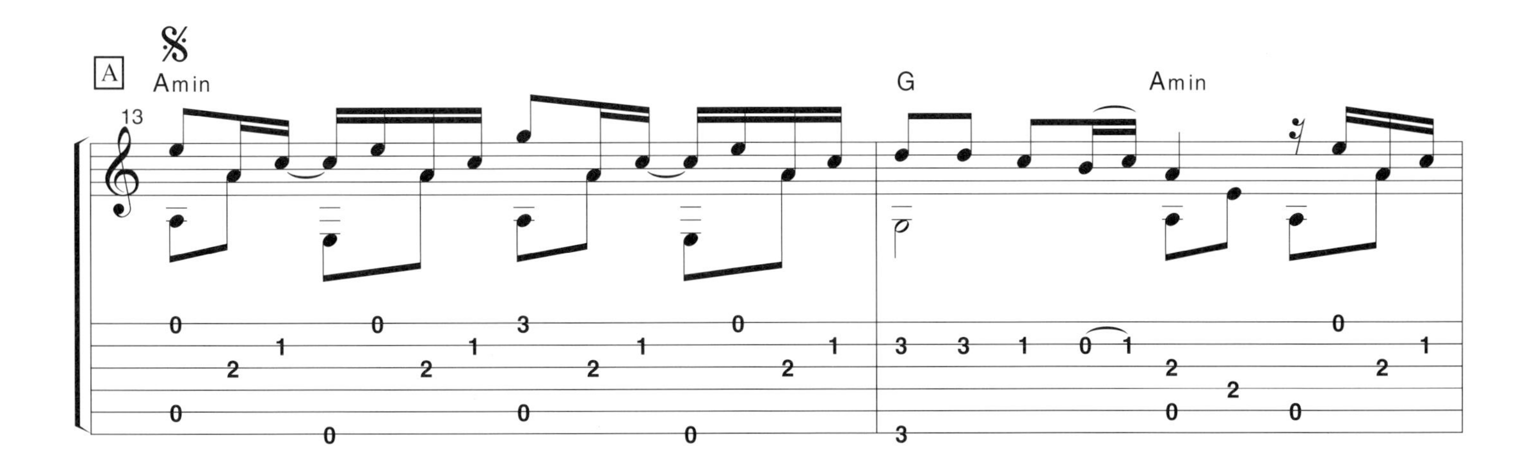
A
Amin
13
G
Amin

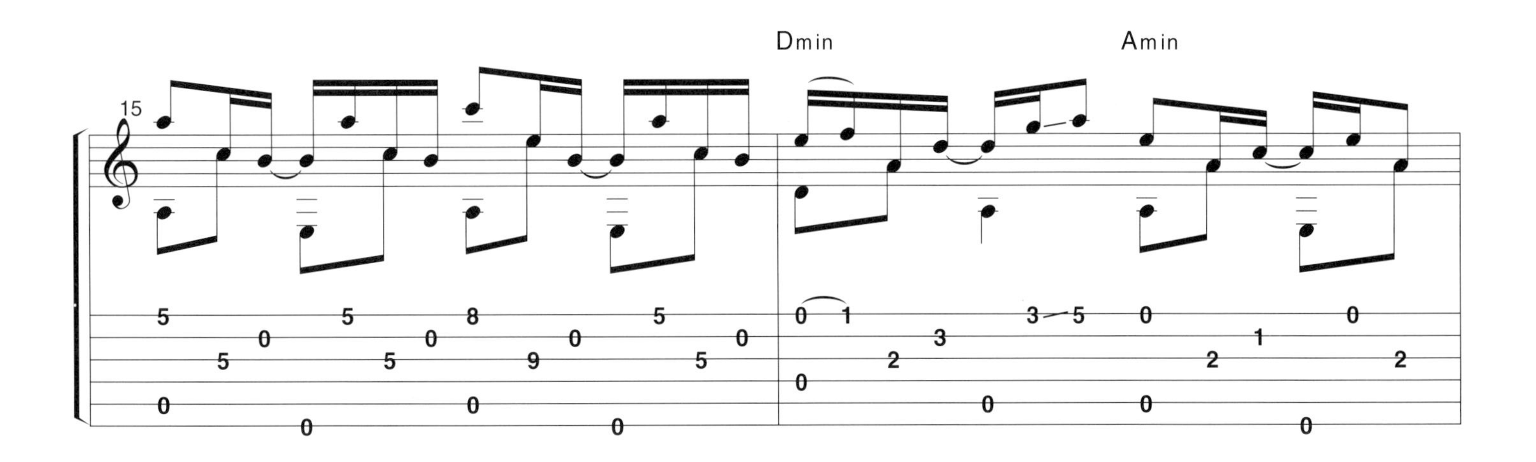
15
Dmin
Amin

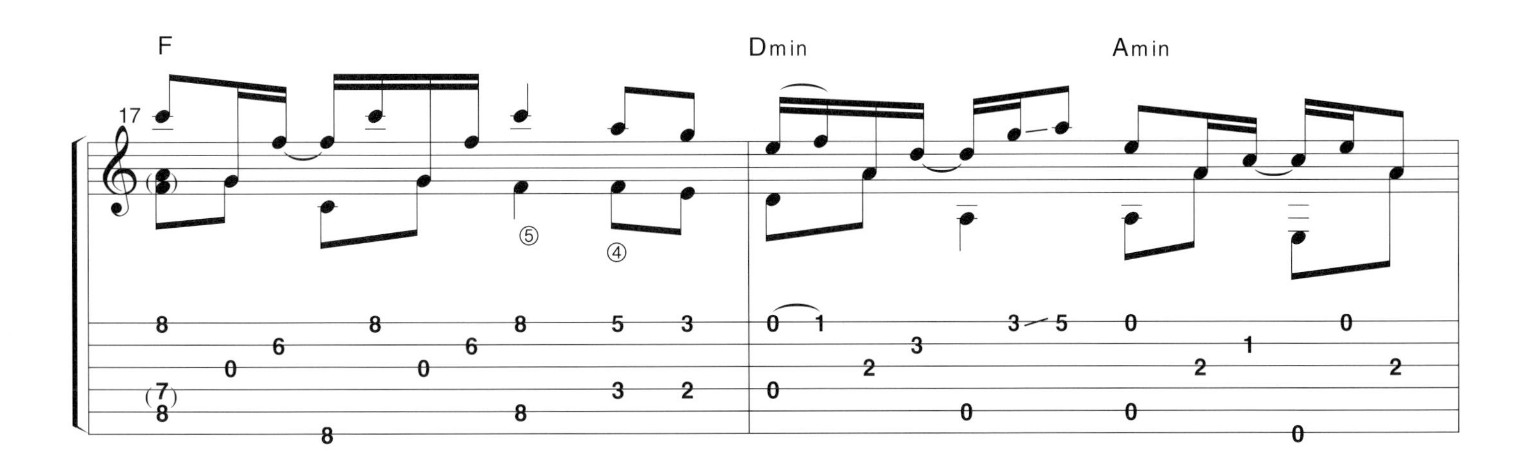
F
17
Dmin
Amin

19
F

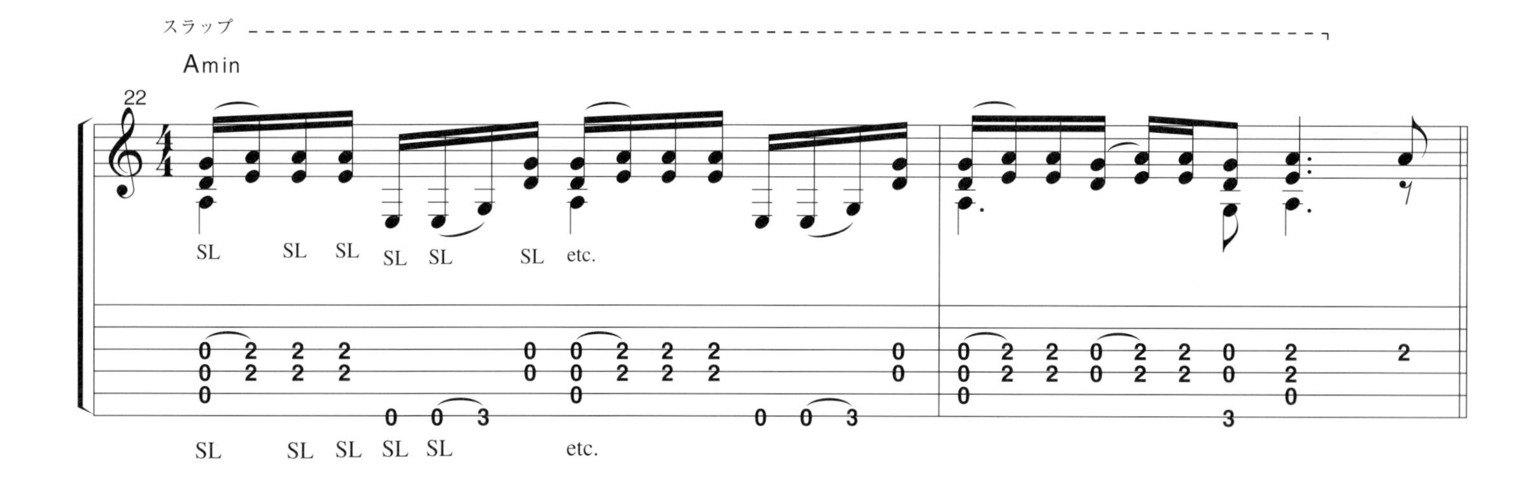
スラップ
Amin
22
SL SL SL SL SL SL etc.
SL SL SL SL SL etc.

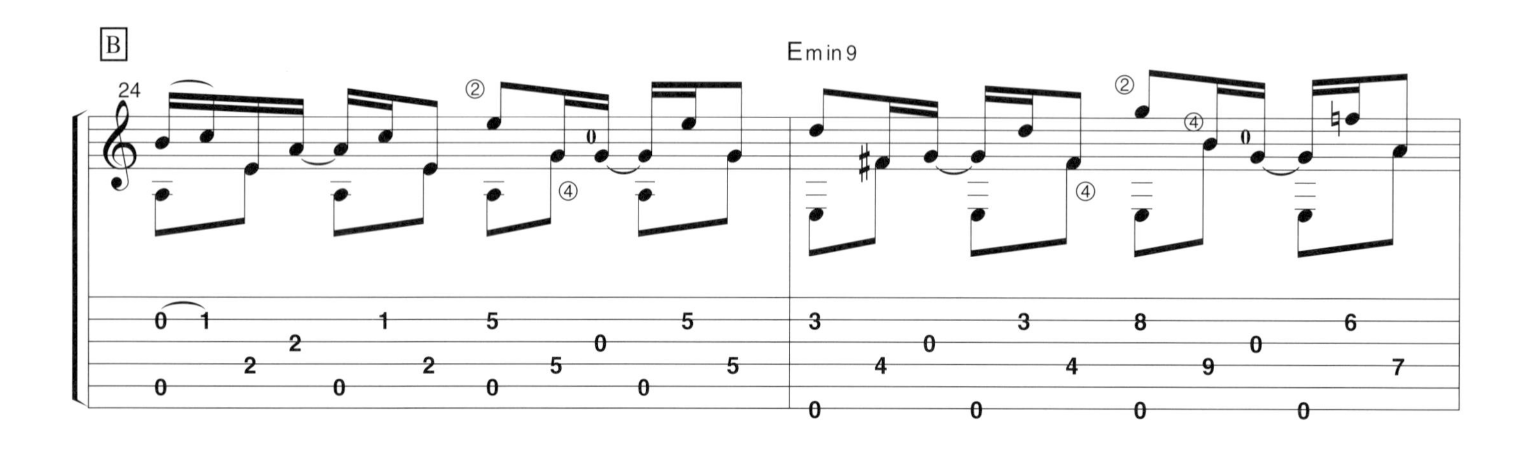
B
24
Emin9

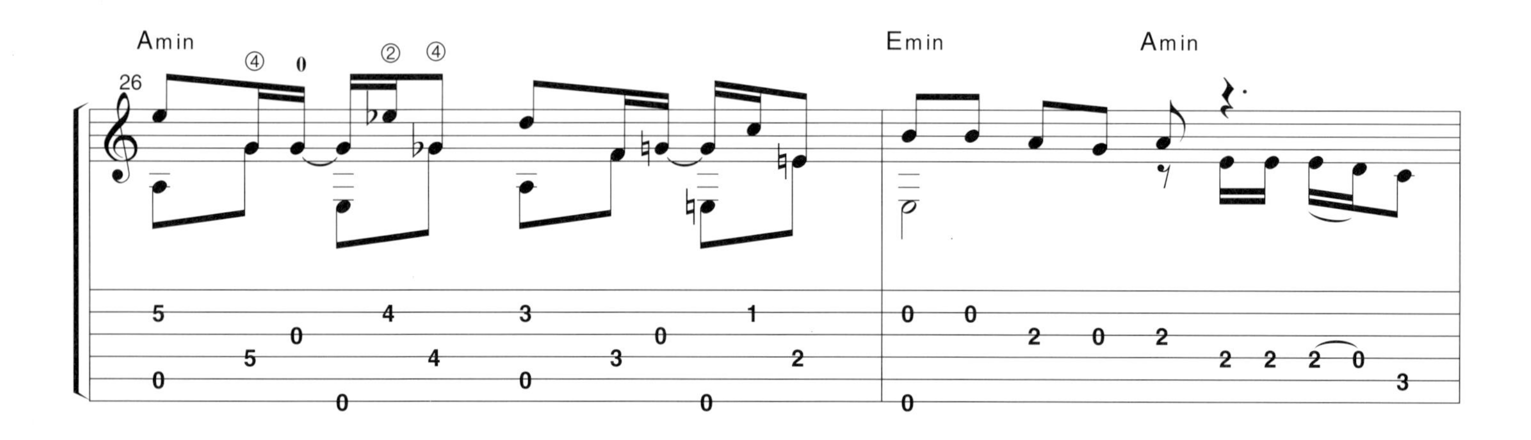
Amin
26
Emin
Amin

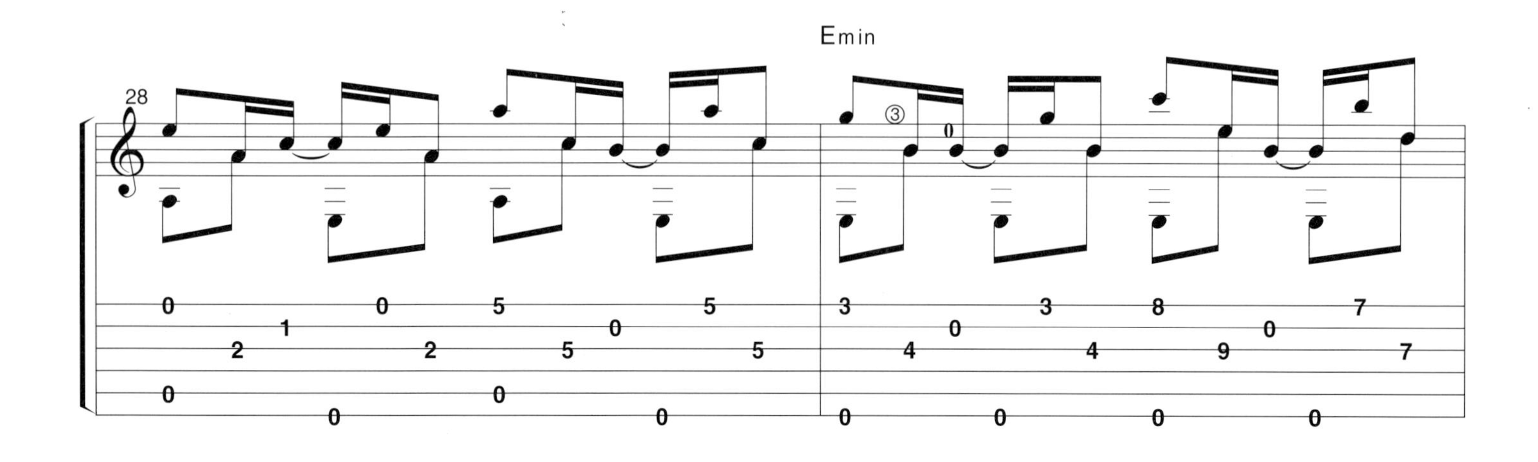
28
Emin

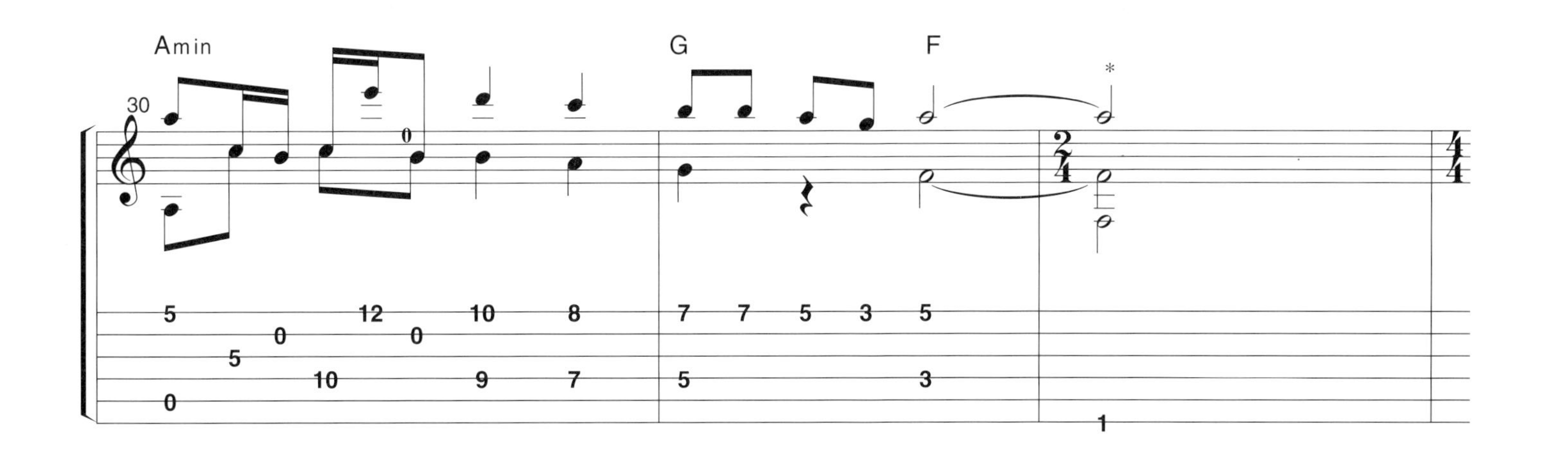

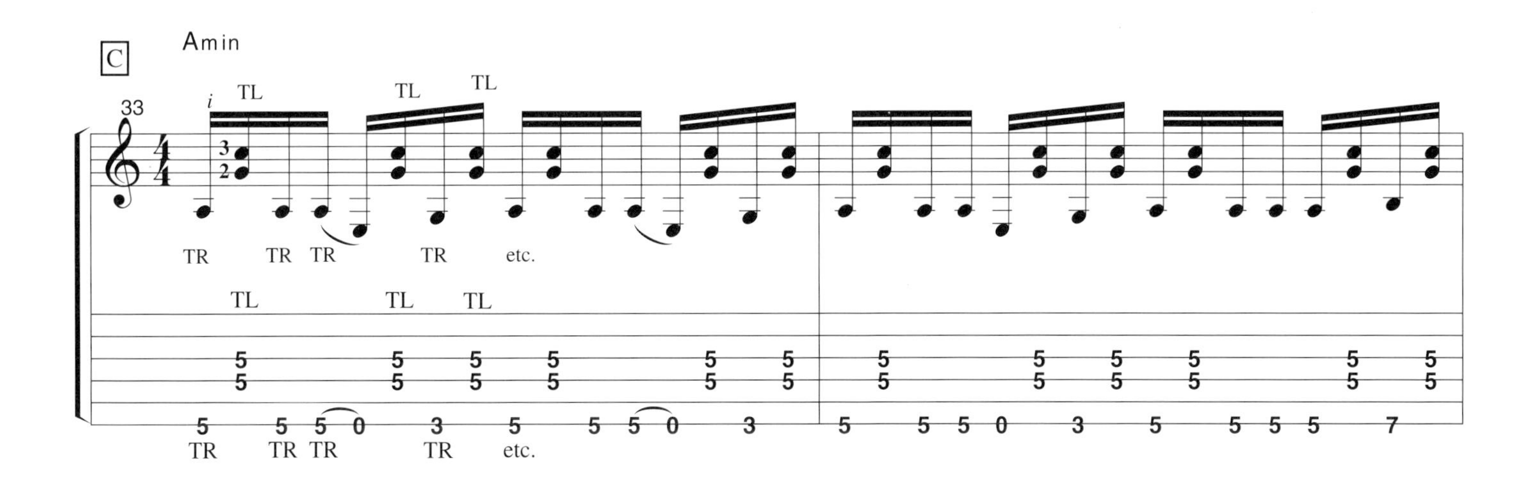

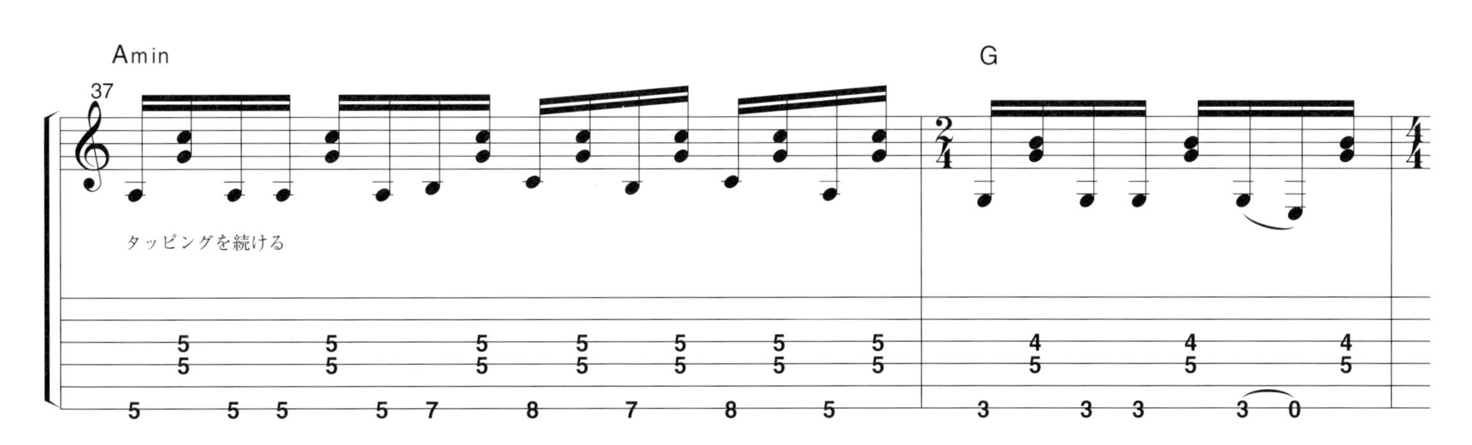

＊右手の人差し指で押弦し、そのまま薬指でピッキングする

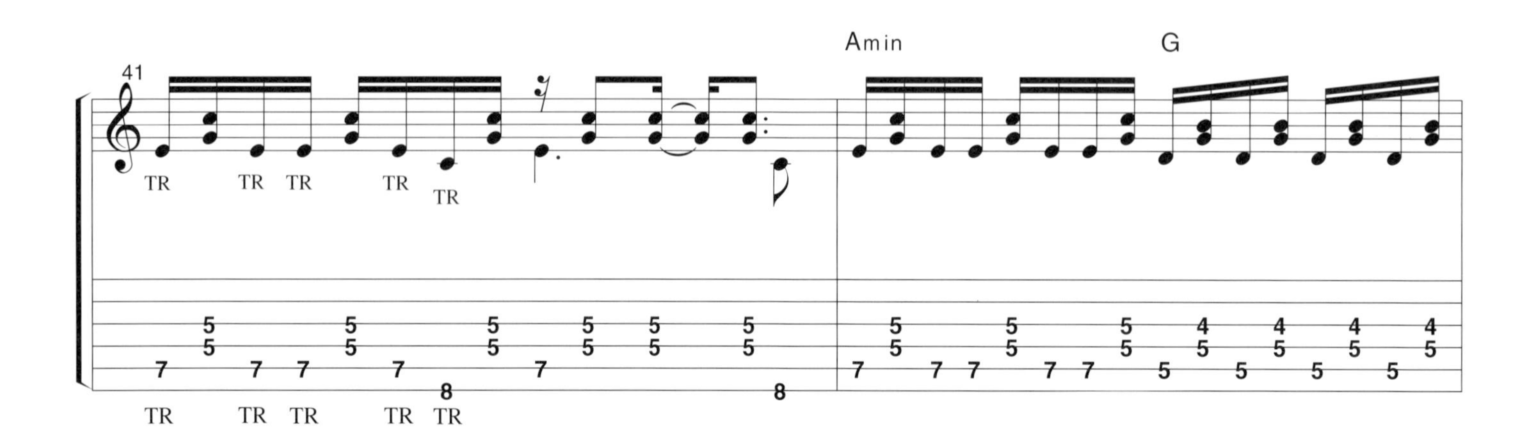

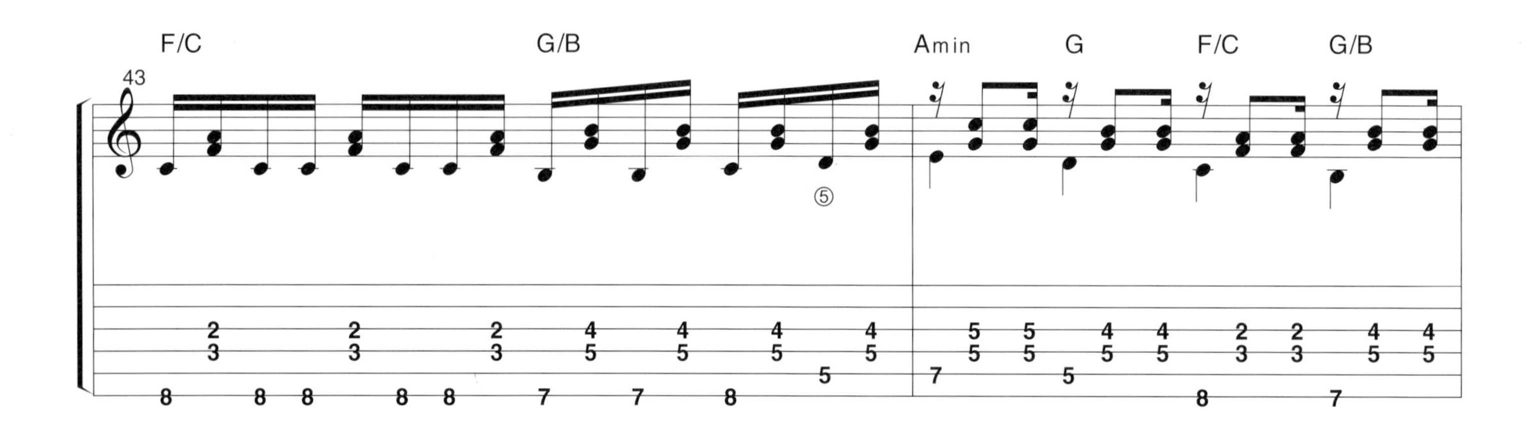

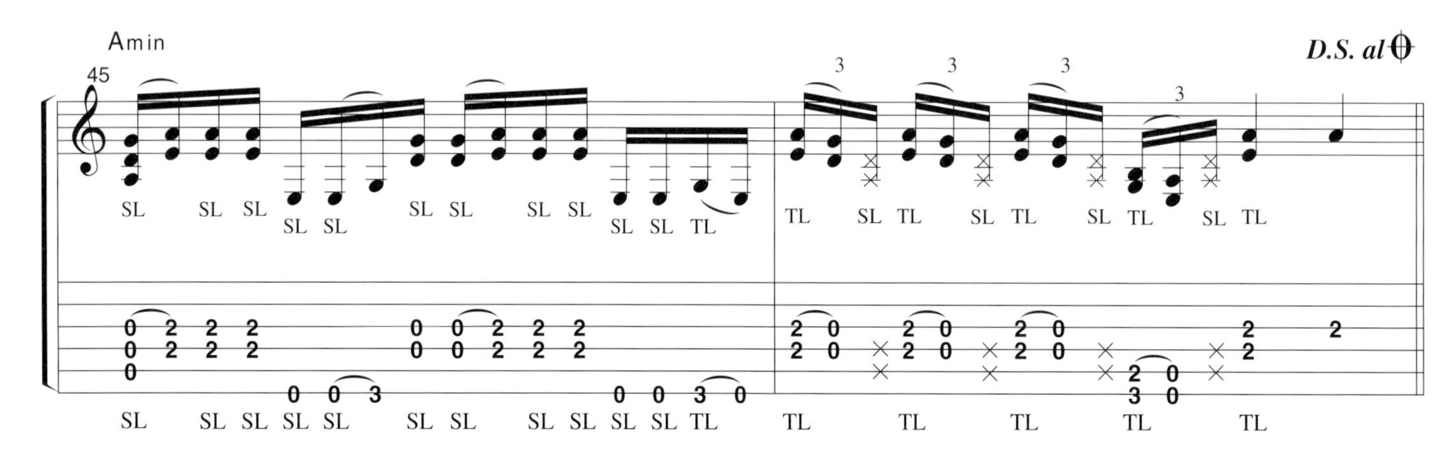

SL：右手で弦をたたく　TL：左手の指でタップする

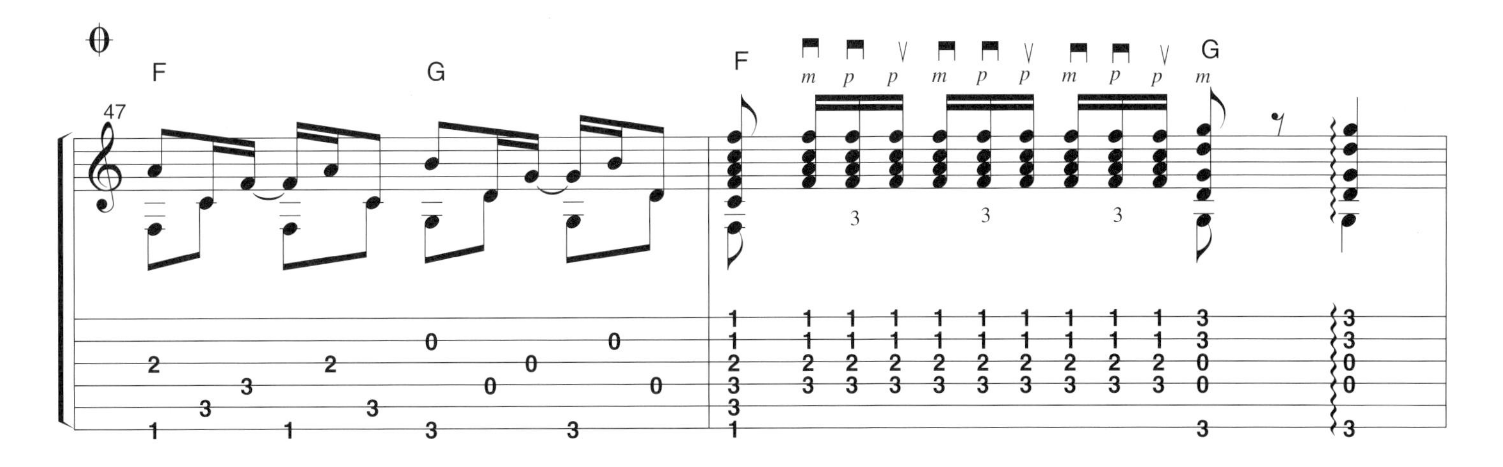
F
G
F
G
m
p
p
m
p
p
m
p
p
m

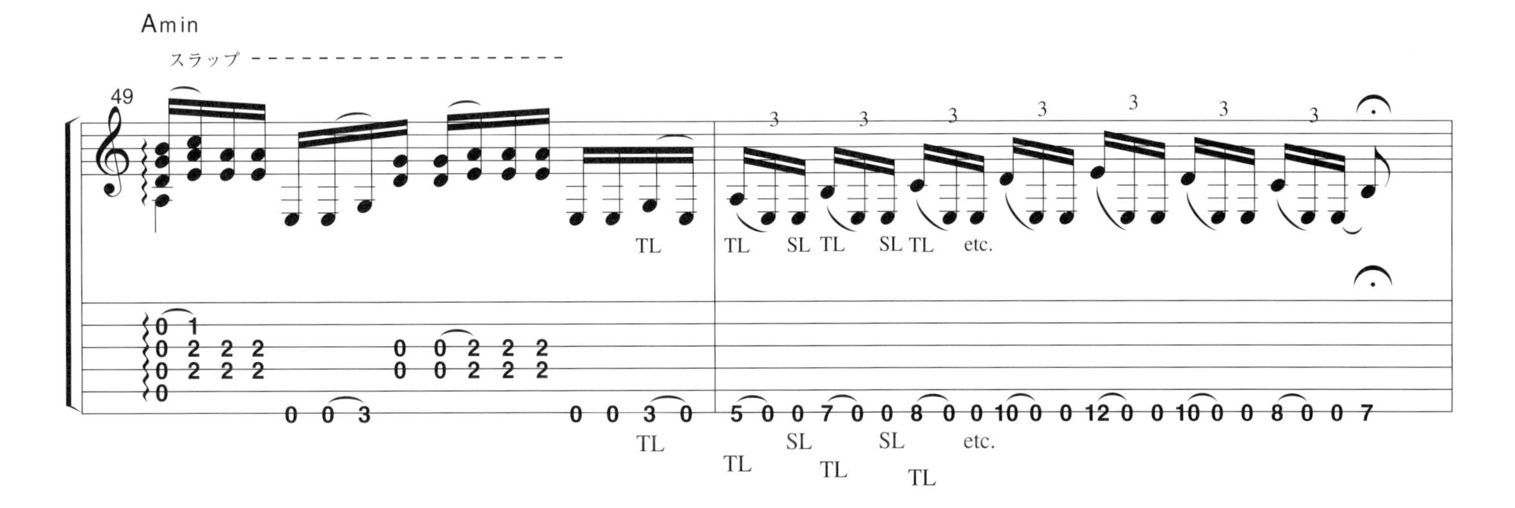
Amin
スラップ
TL
SL
etc.

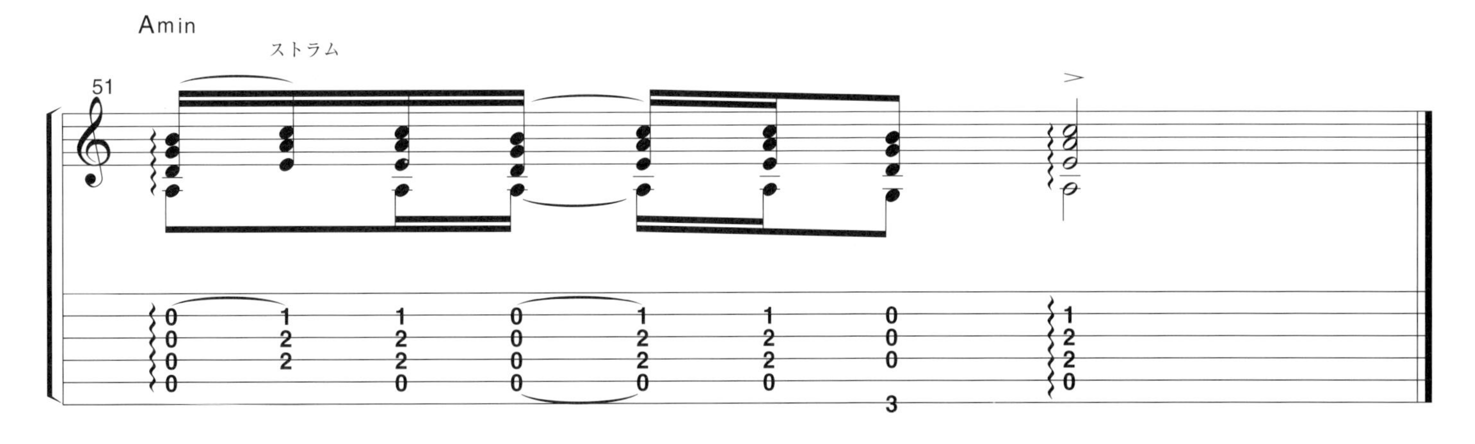
Amin
ストラム

The Colorado Trail

コロラド・トレイル

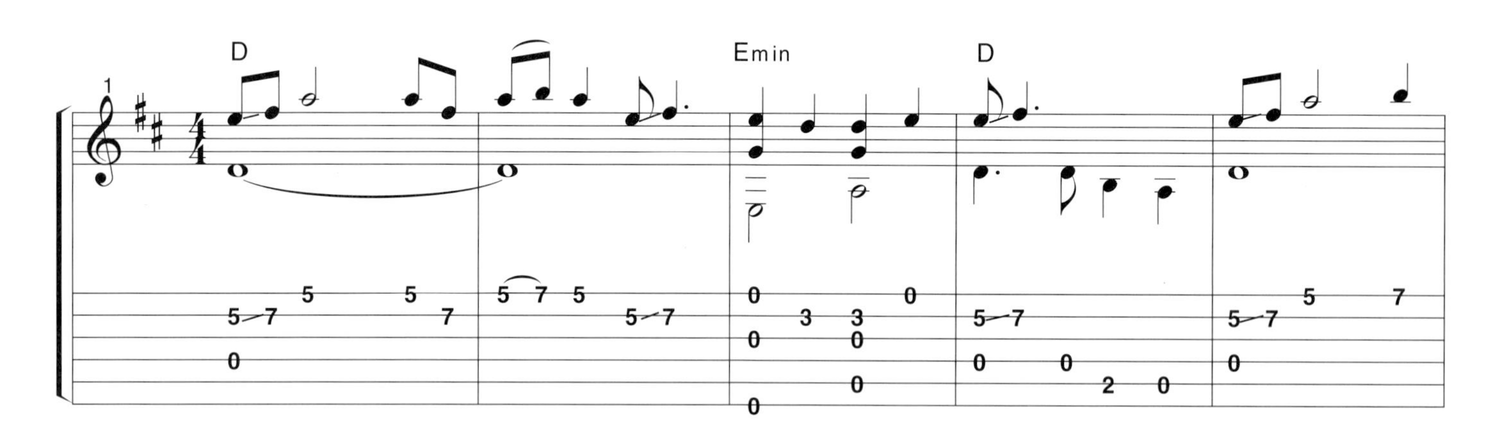

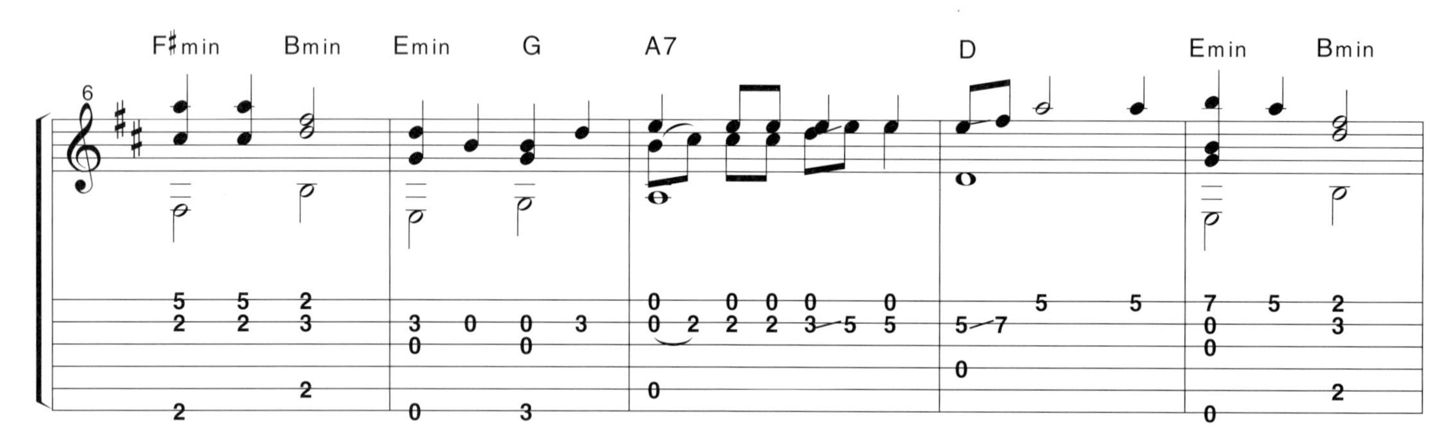

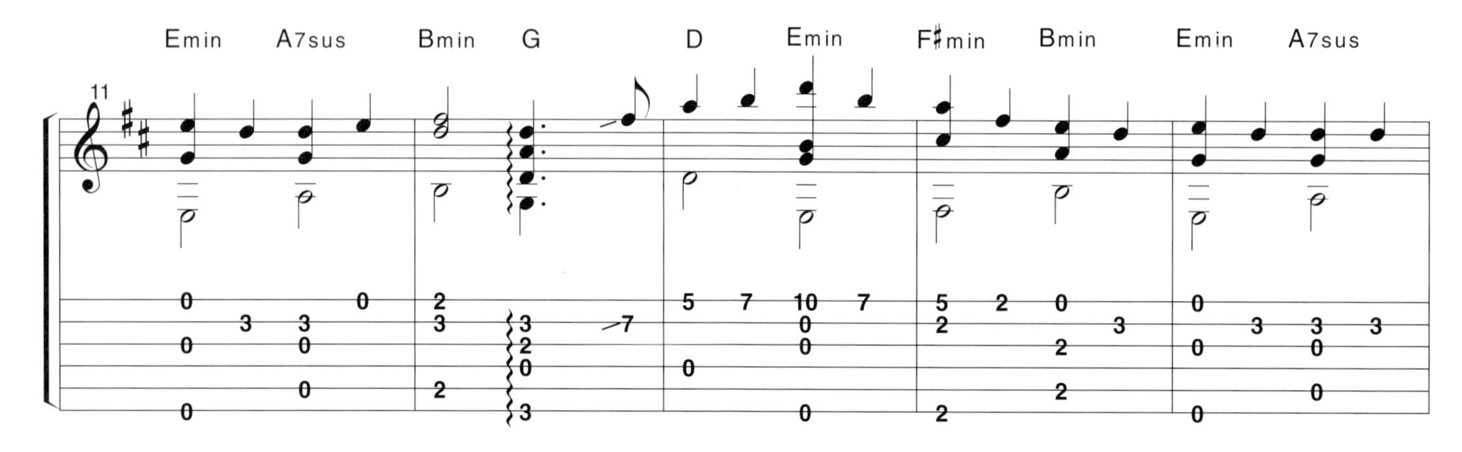

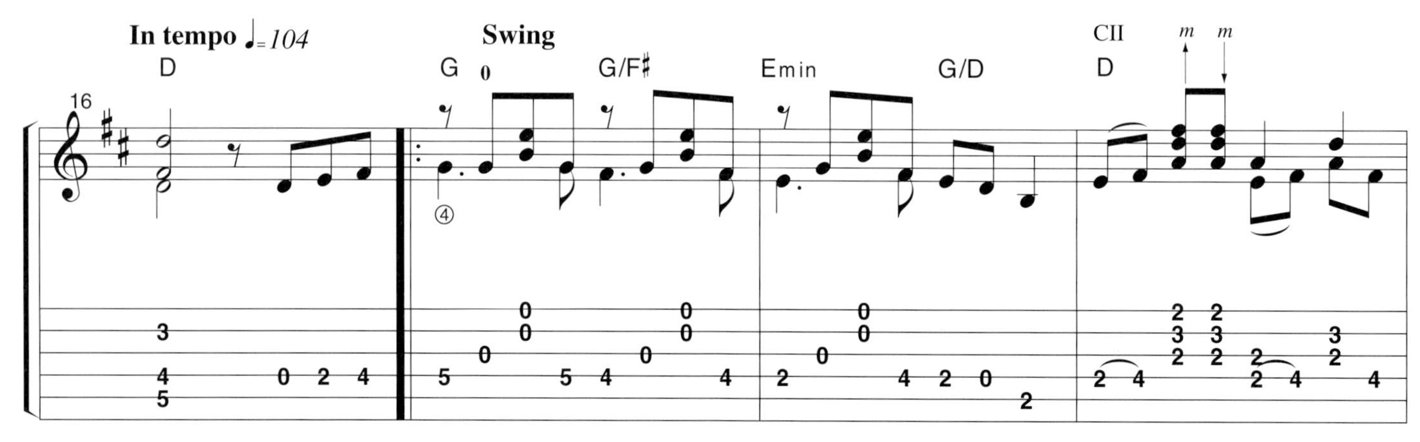

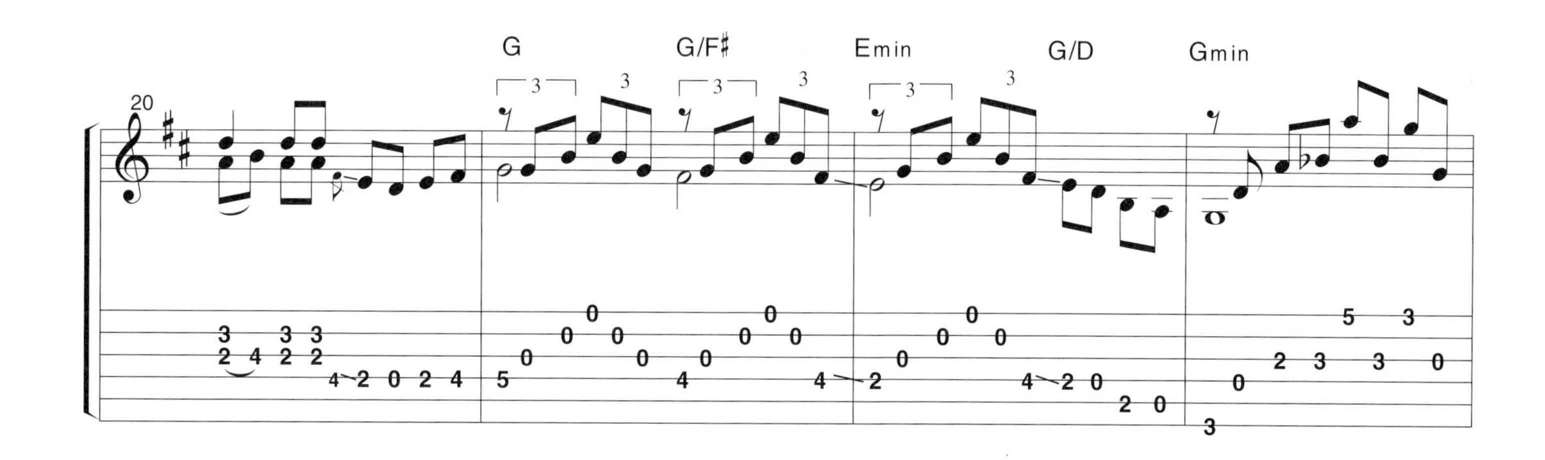

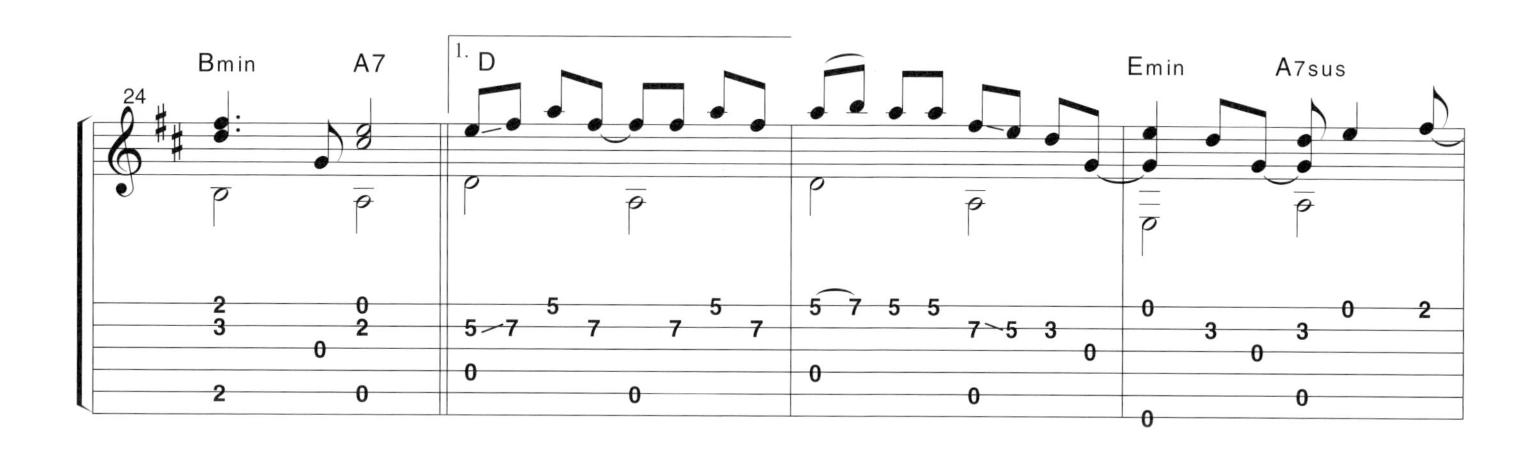

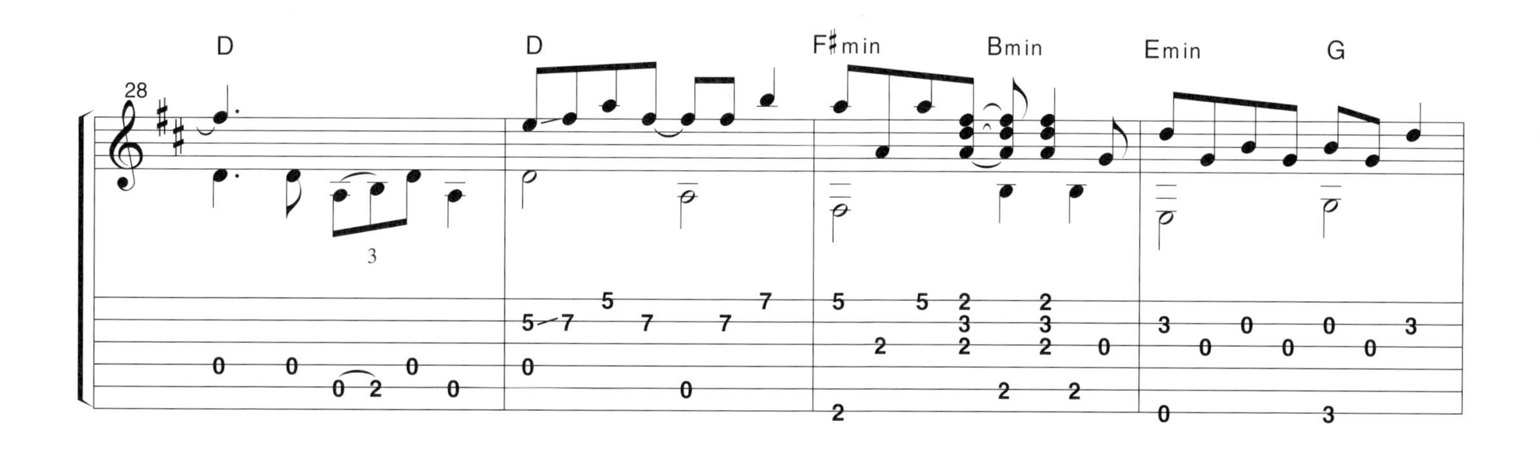

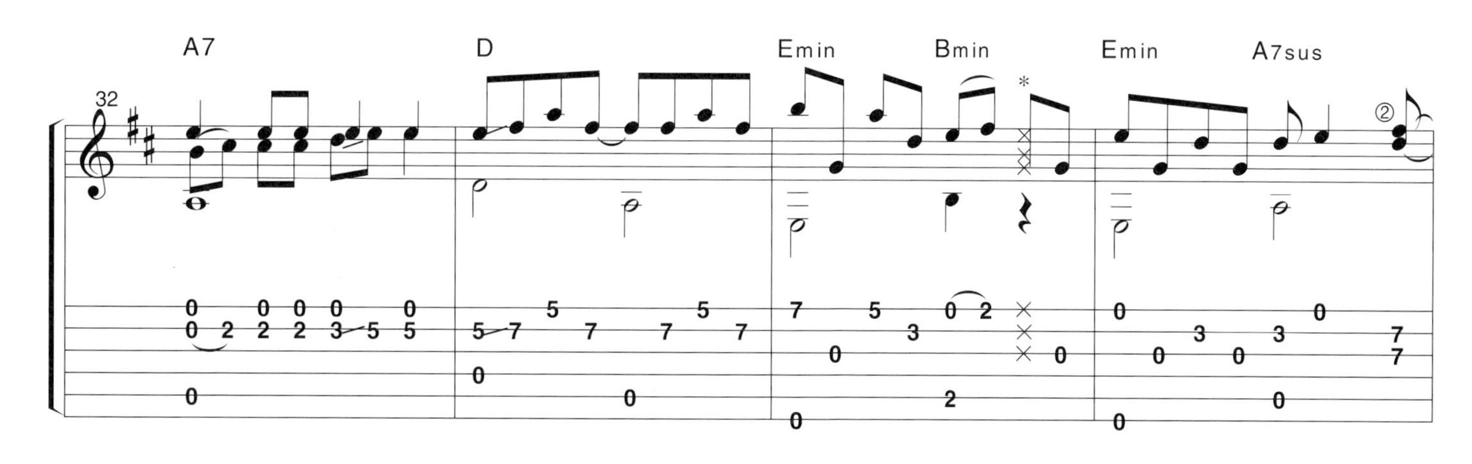

*右手の指を弦間にすばやく差し込み、パーカッシヴな音を出す

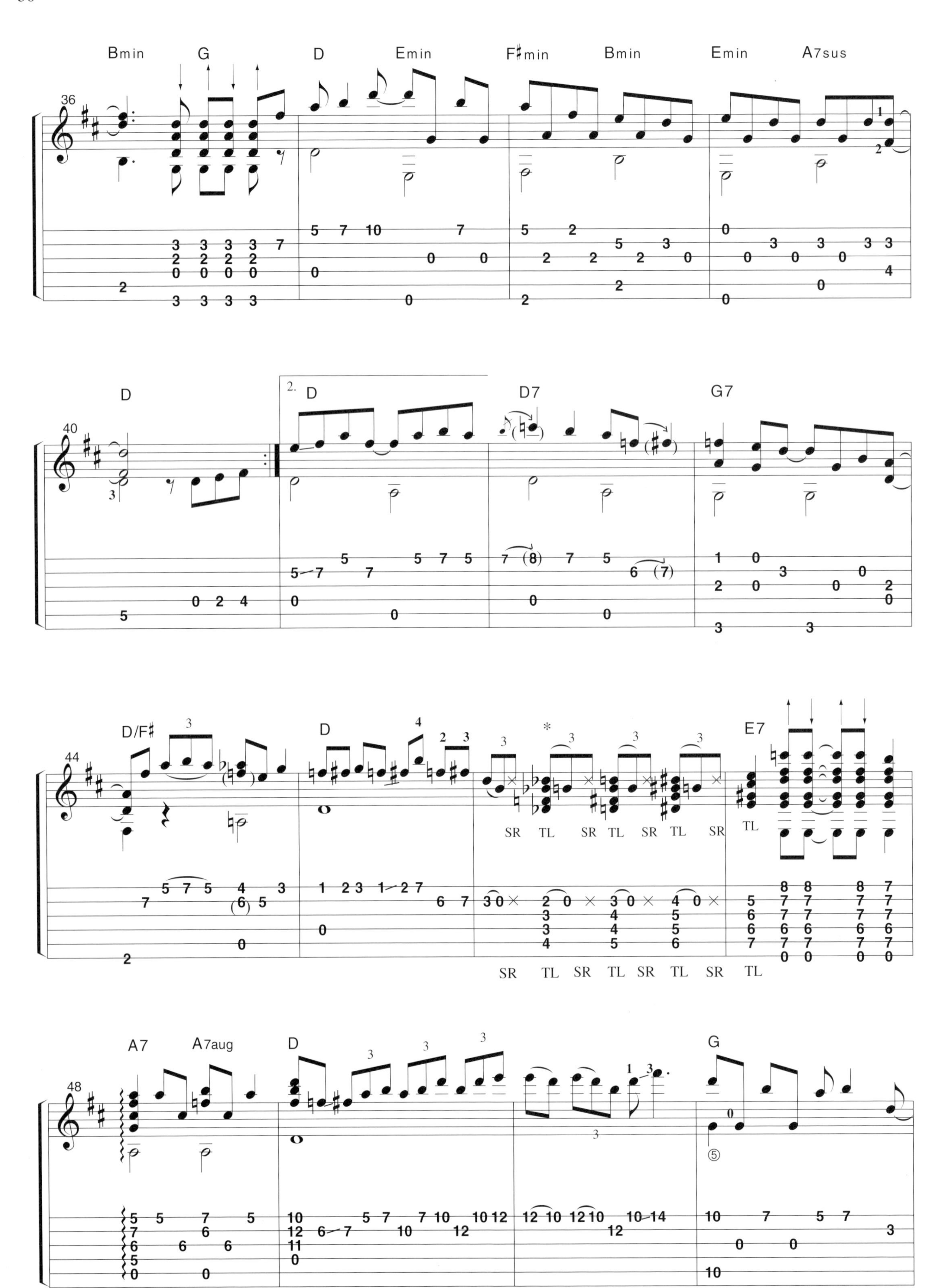

*左手でコードをタッピングし、そのまま２弦をプル･オフする。続いて右手で開放弦をスラップする

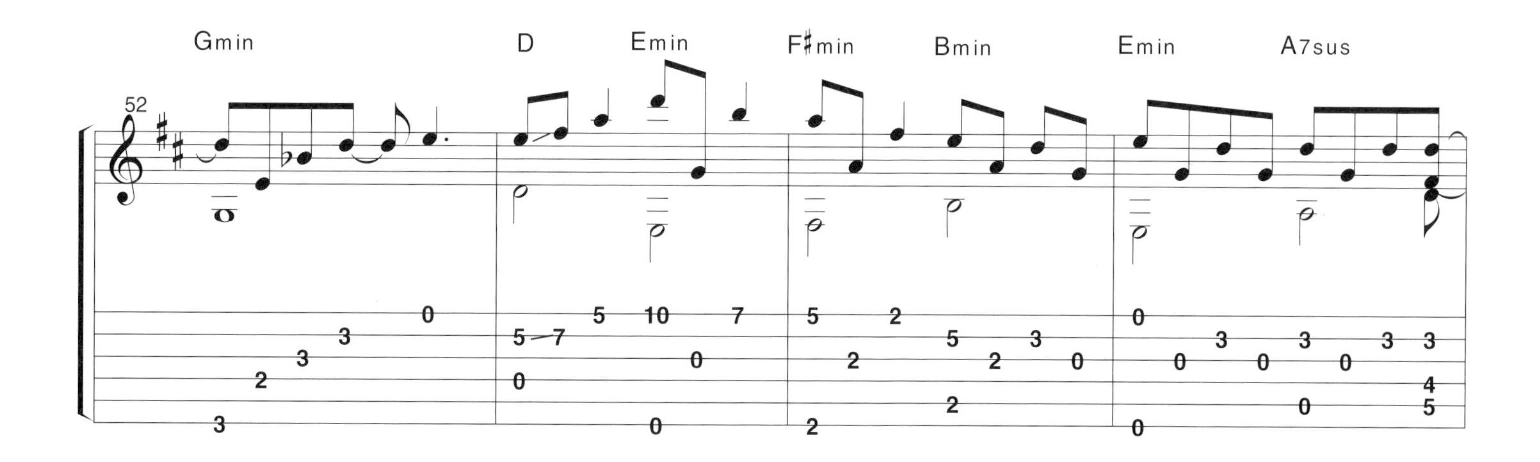
Gmin
D
Emin
F♯min
Bmin
Emin
A7sus
52

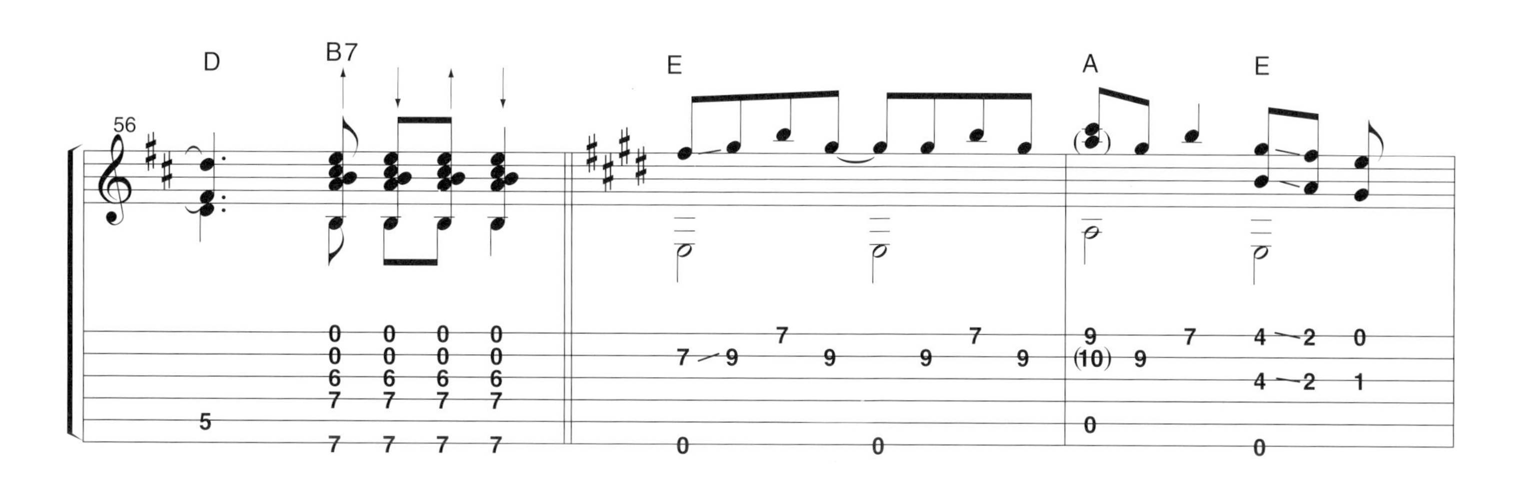
D
B7
E
A
E
56

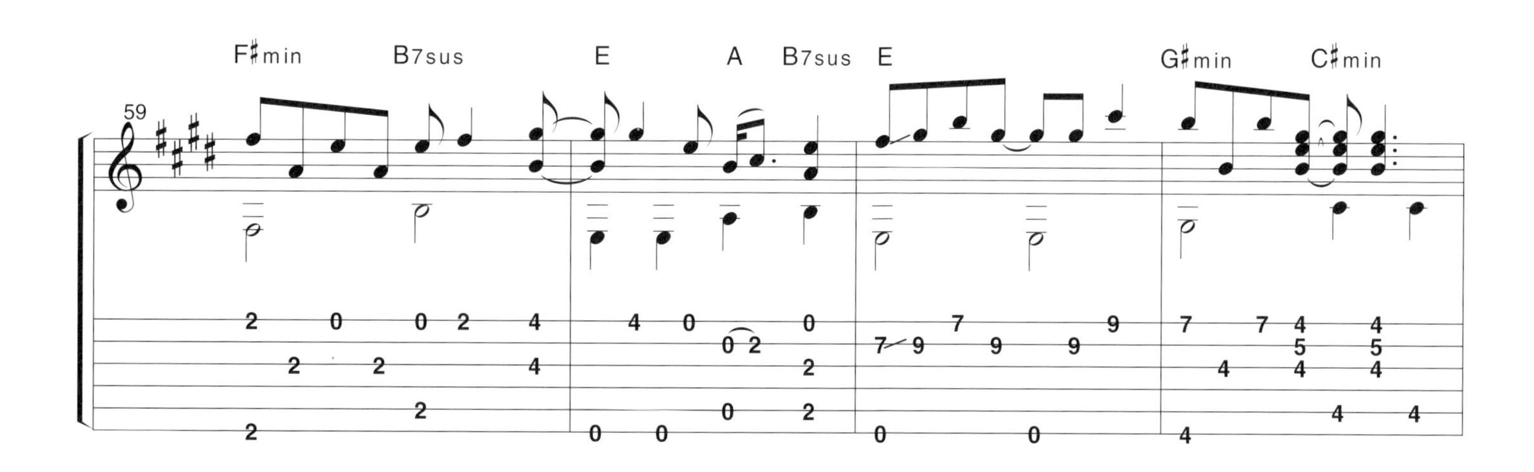
F♯min
B7sus
E
A
B7sus
E
G♯min
C♯min
59

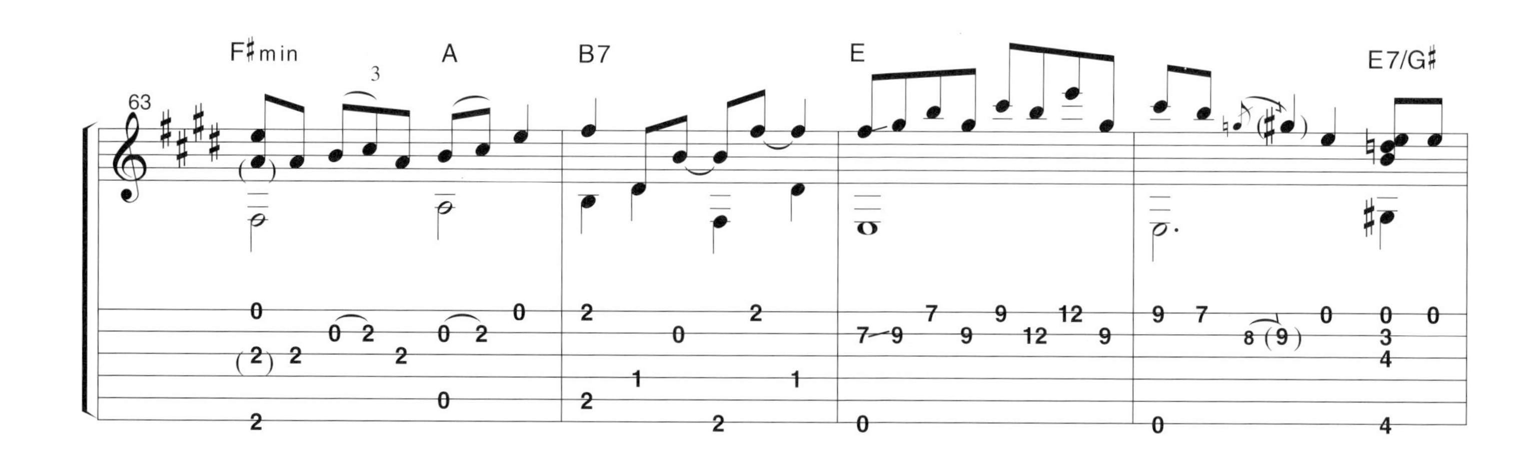
F♯min
A
B7
E
E7/G♯
63

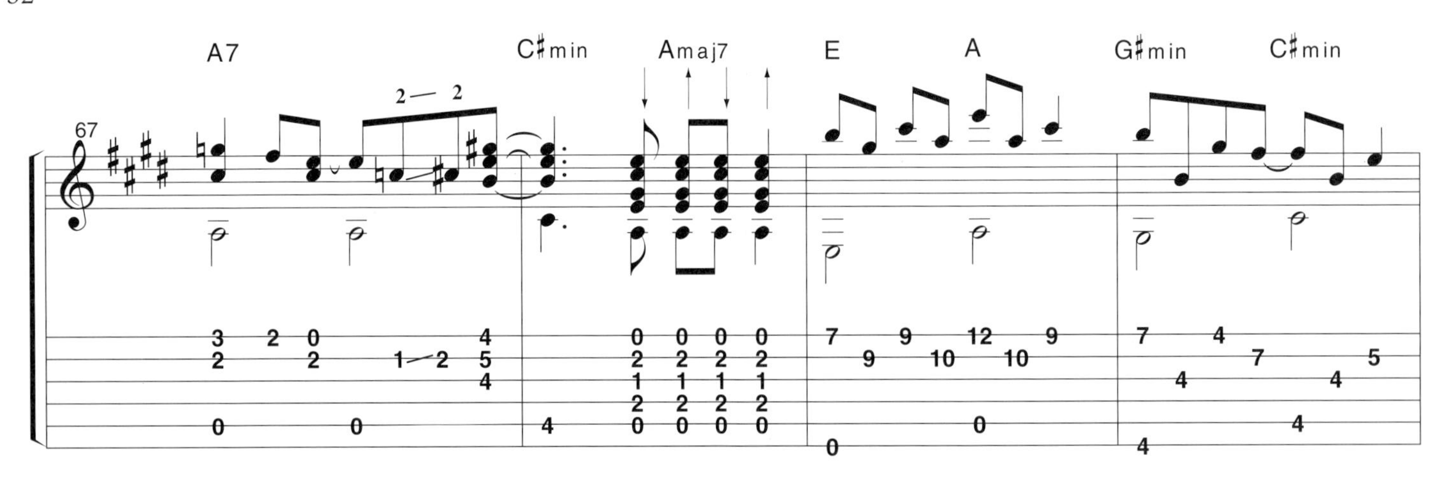
A7
C♯min
Amaj7
E
A
G♯min
C♯min

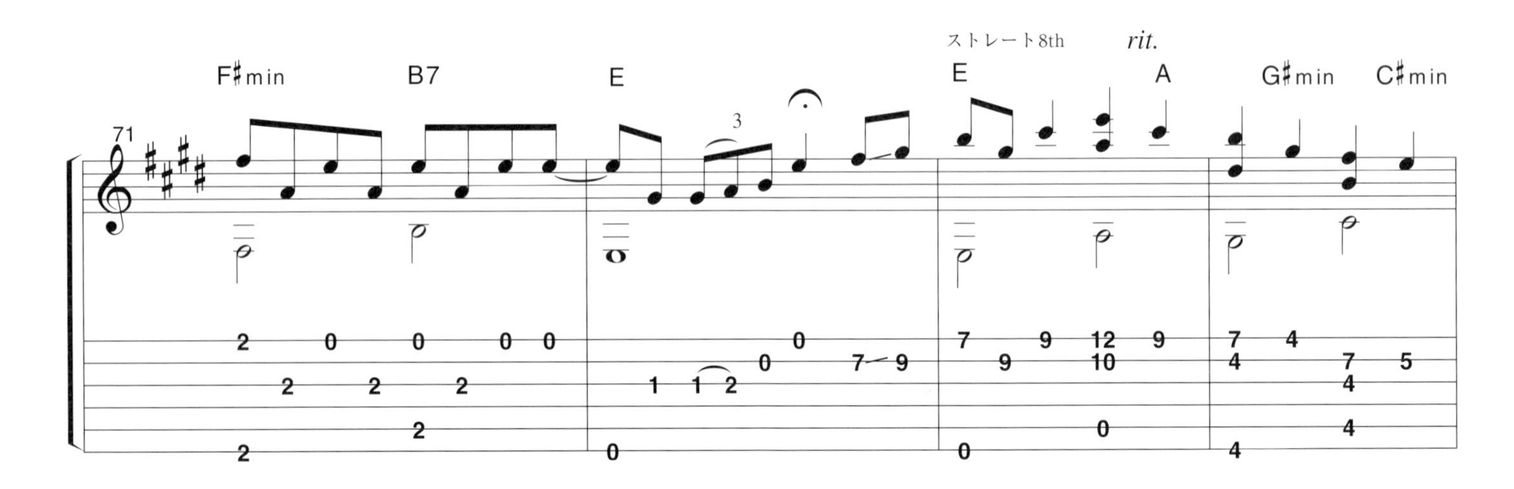
ストレート8th
rit.
F♯min
B7
E
E
A
G♯min
C♯min

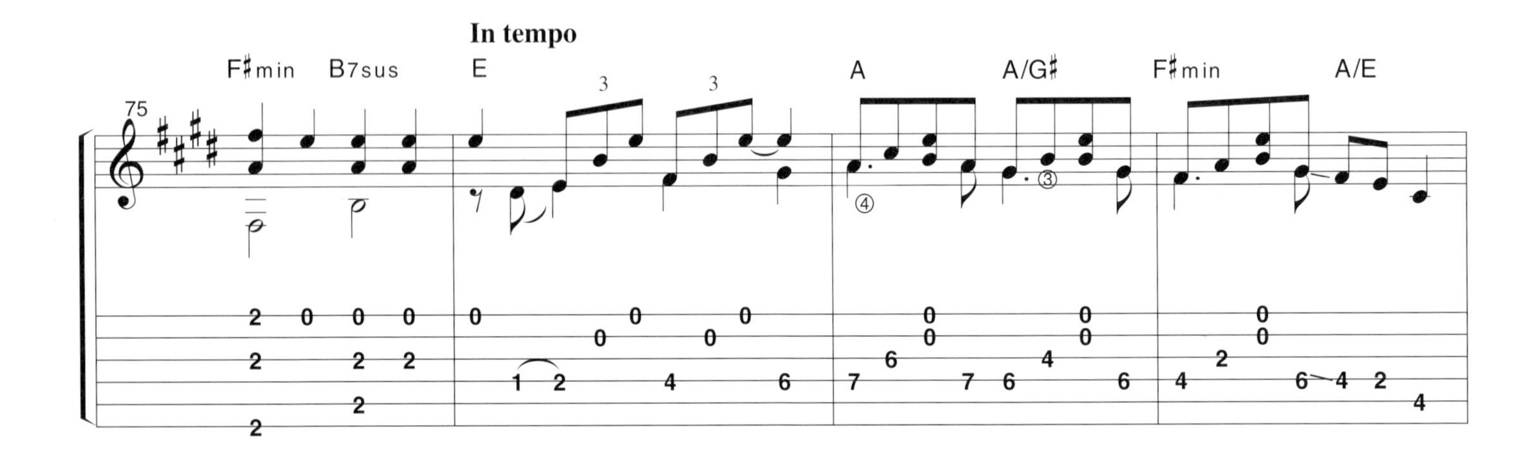
In tempo
F♯min
B7sus
E
A
A/G♯
F♯min
A/E

E
CIV
A

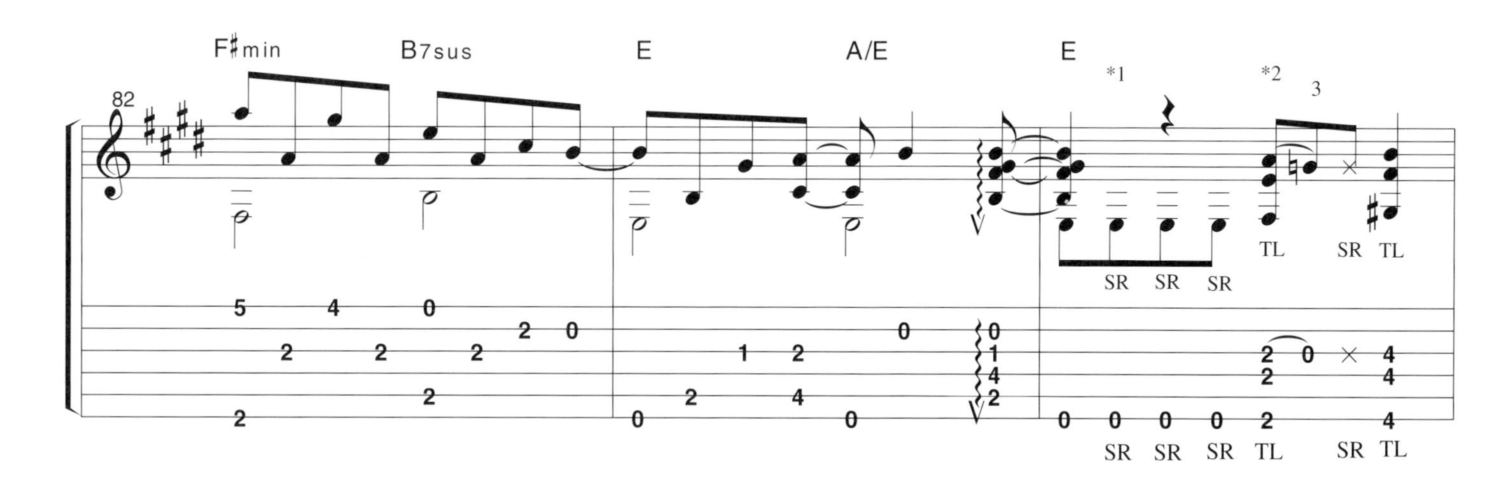

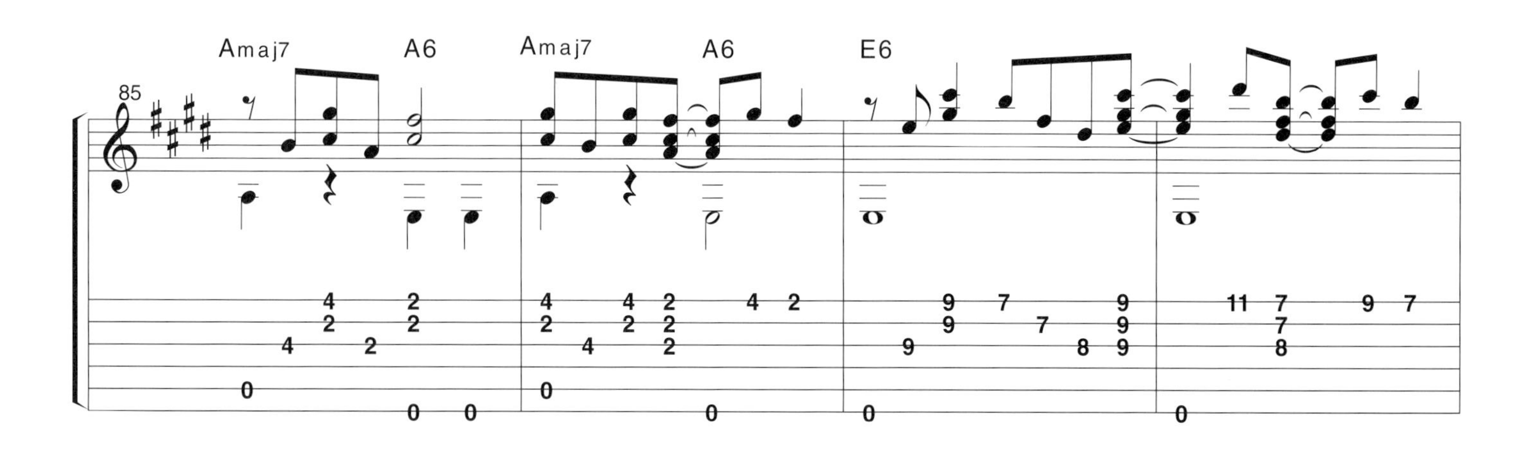

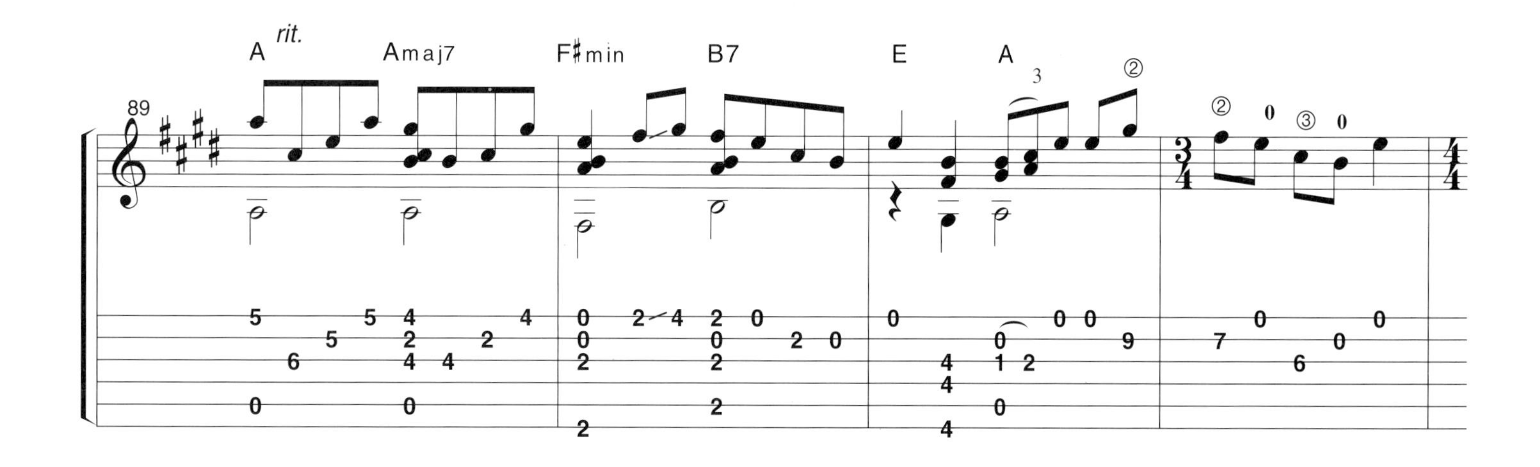

*1 : 右手の中指でスラップする
*2 : 左手でコードをタッピングし、そのまま２弦をプル･オフする。続いて右手で開放弦をスラップする

The Red River Valley

赤い河の谷間

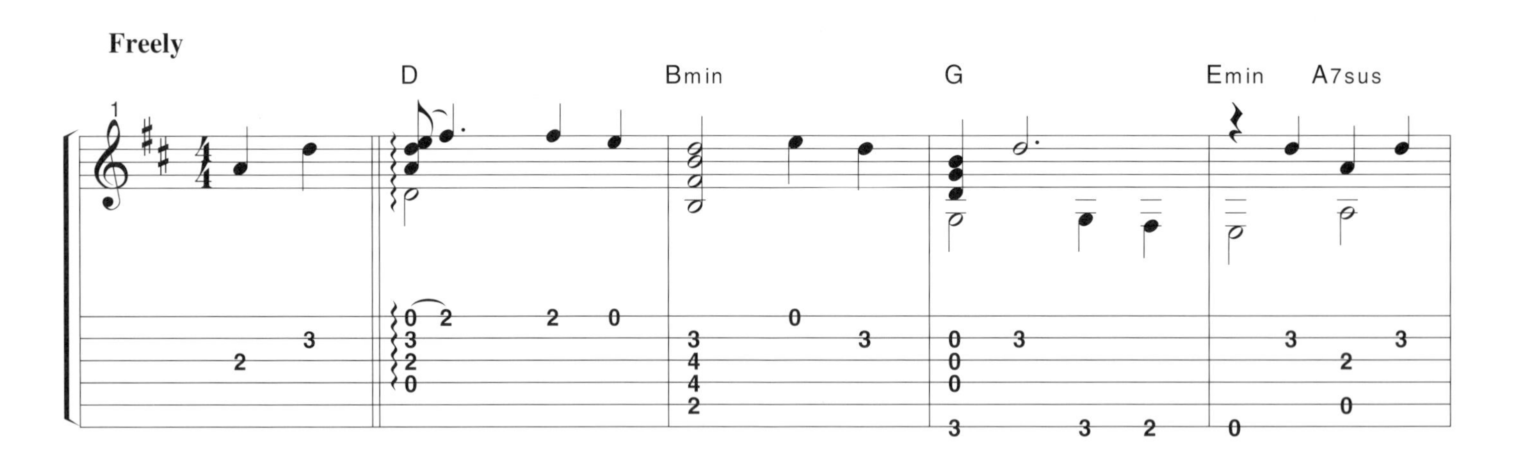

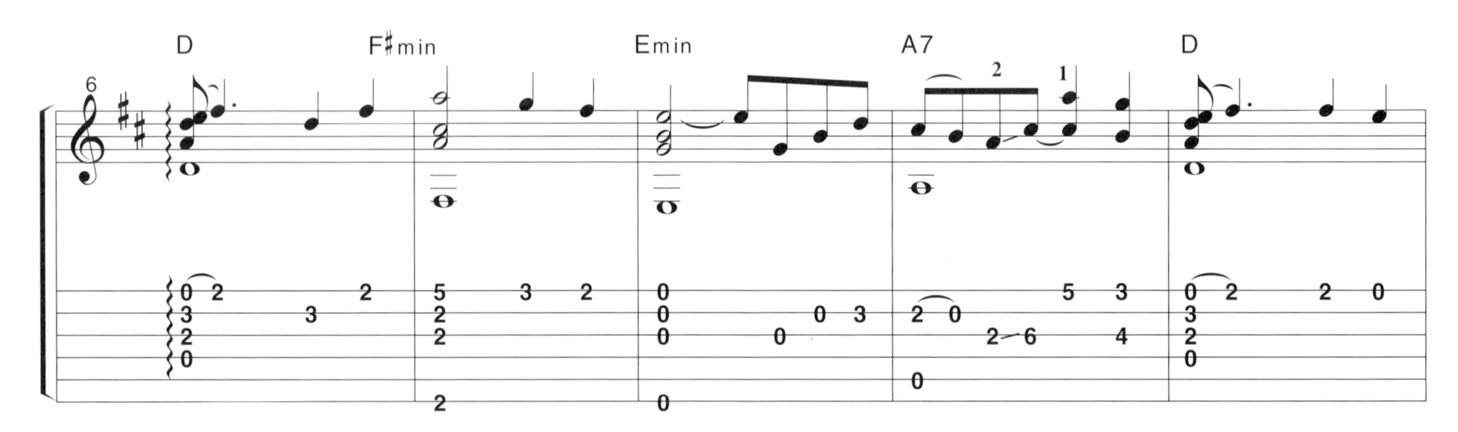

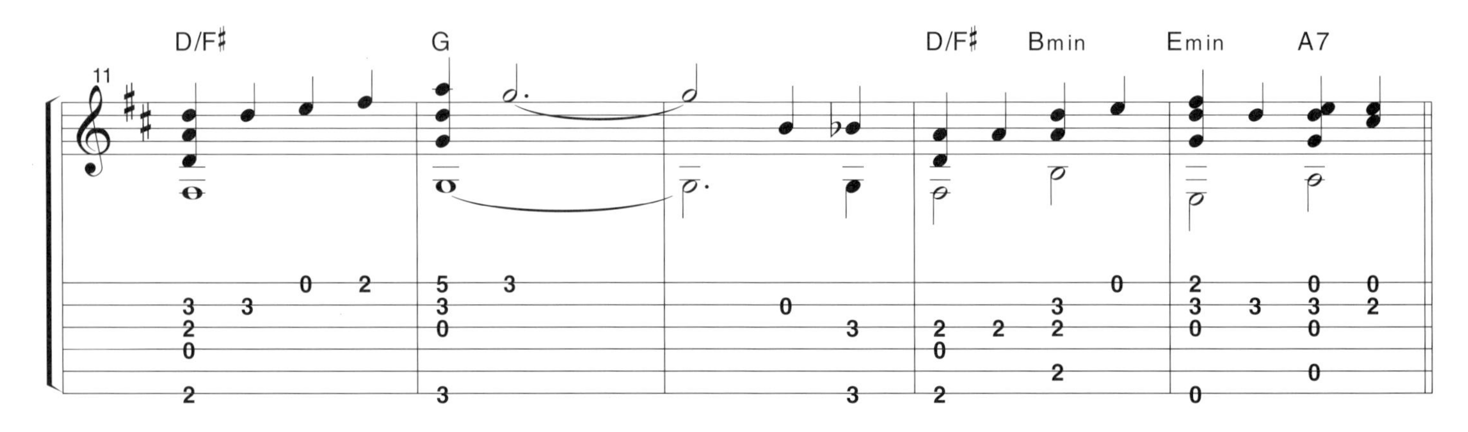

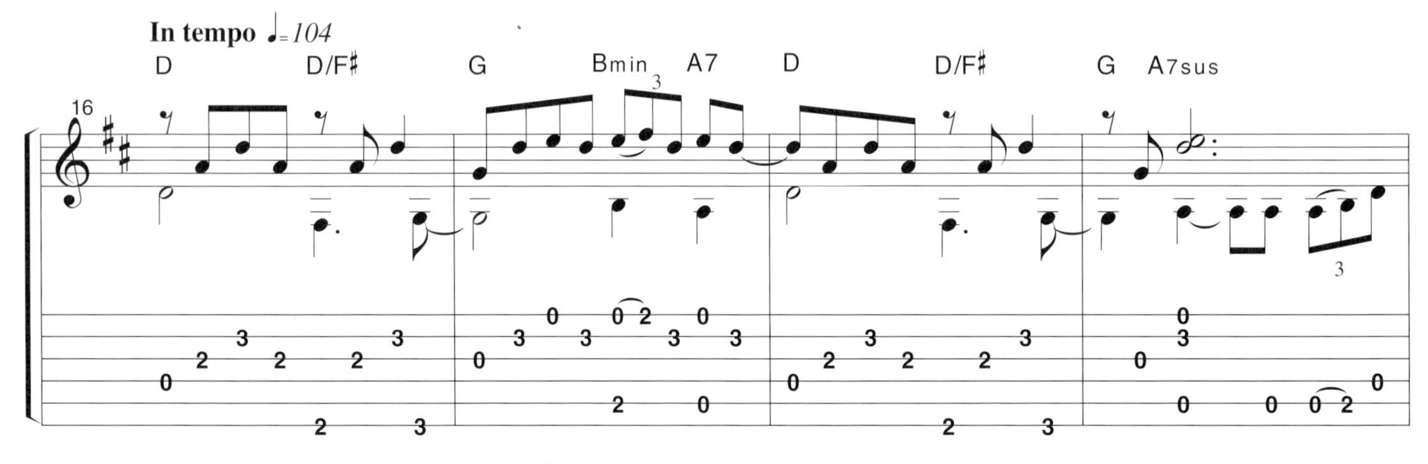

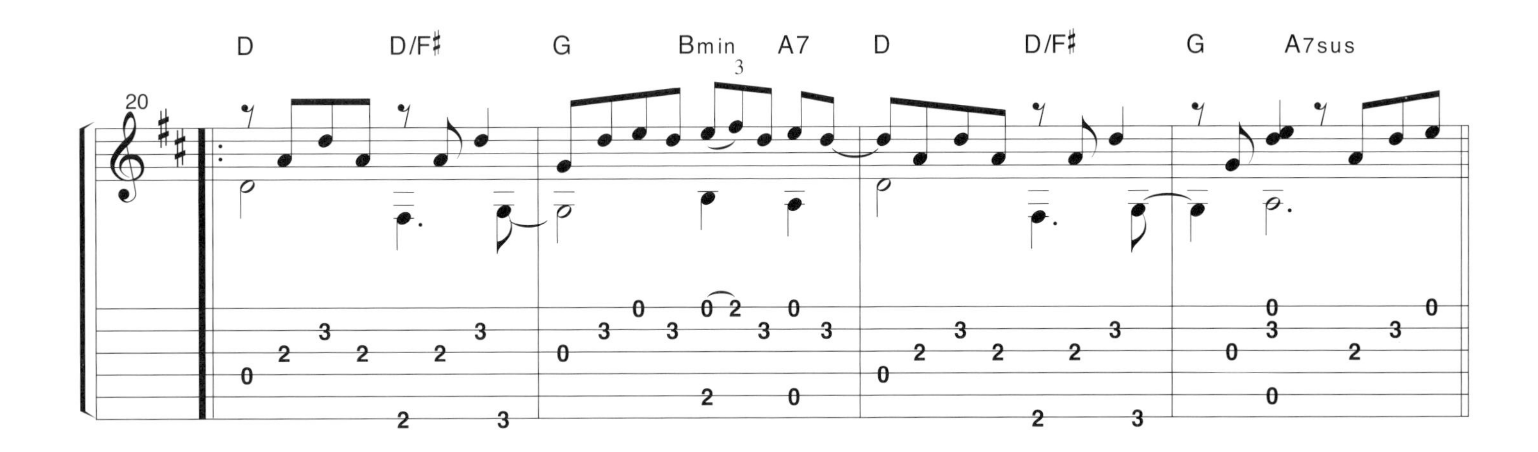

D D/F♯ G Bmin A7 D D/F♯ G A7sus
20

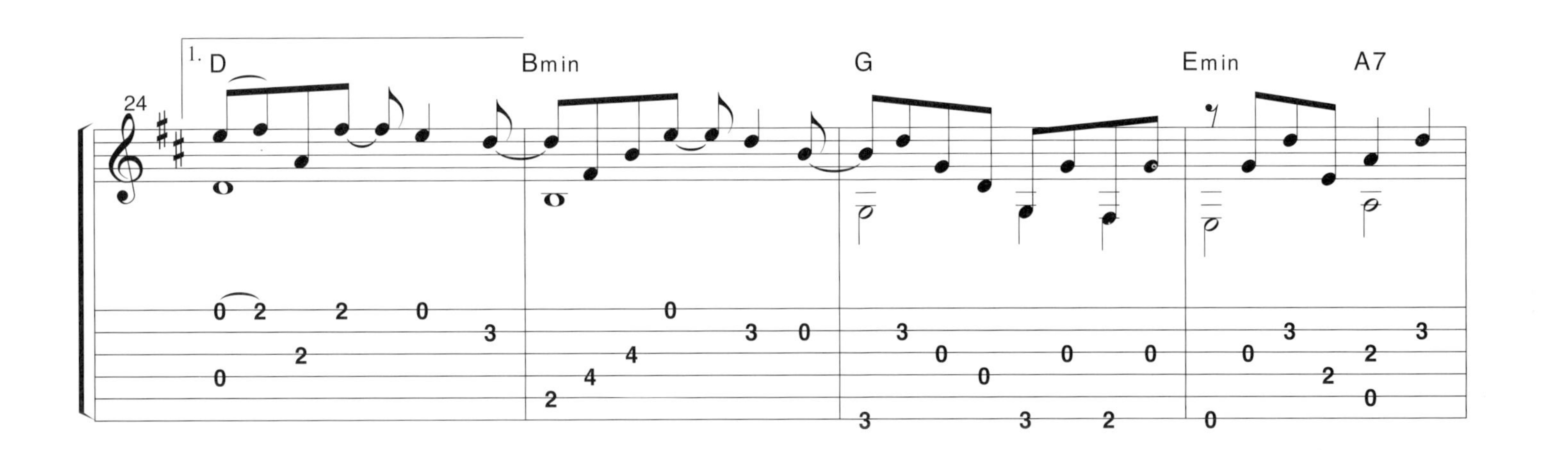

1.
D Bmin G Emin A7
24

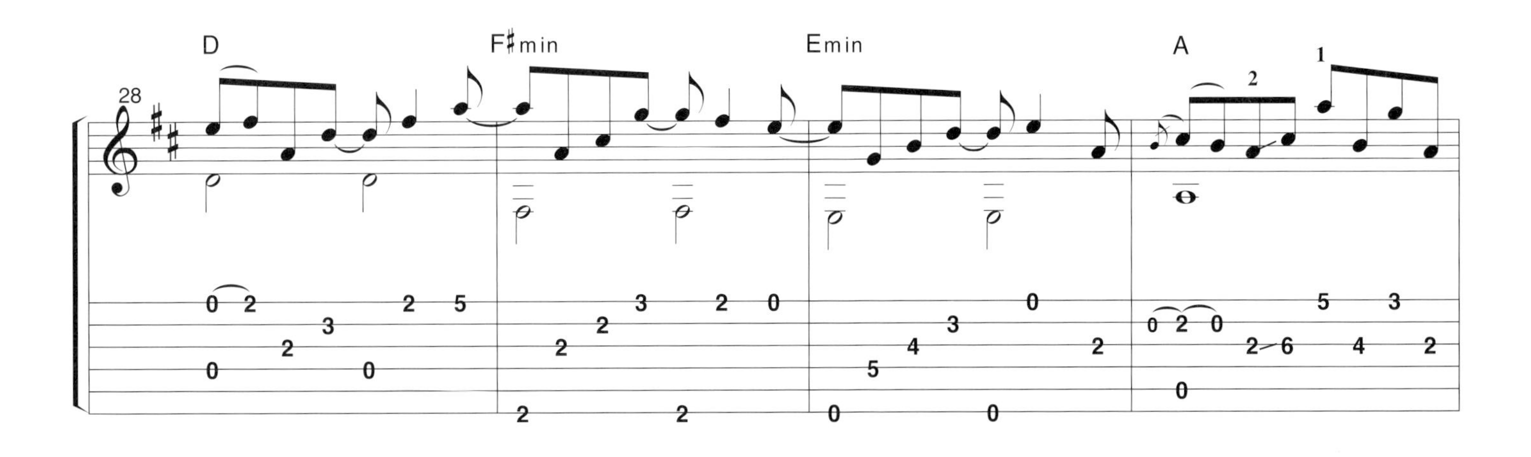

D F♯min Emin A
28

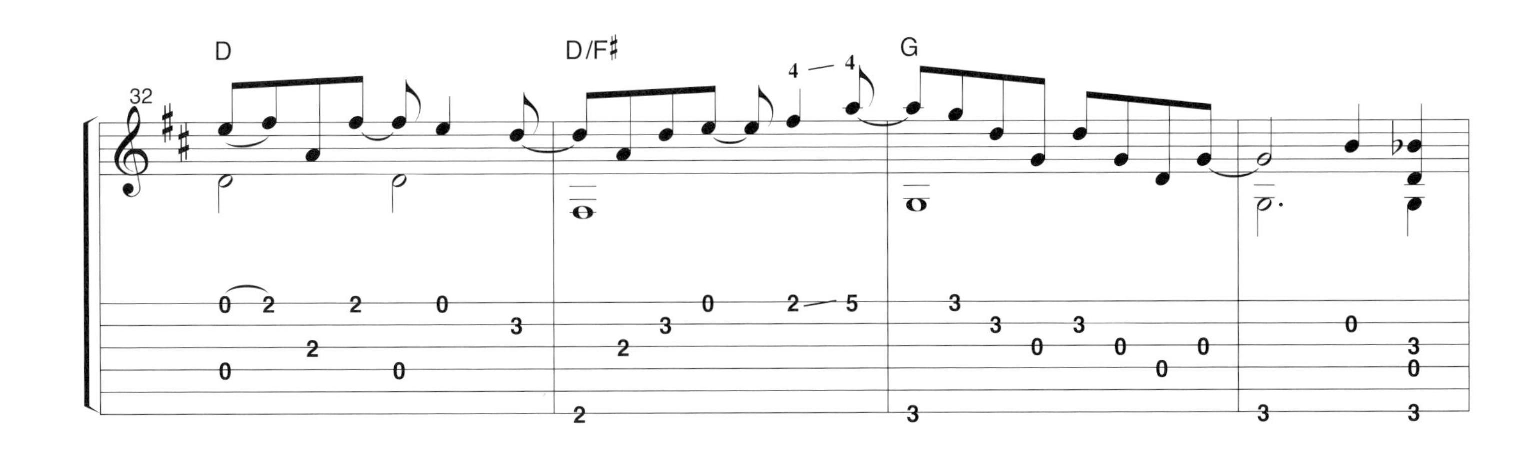

D D/F♯ G
32

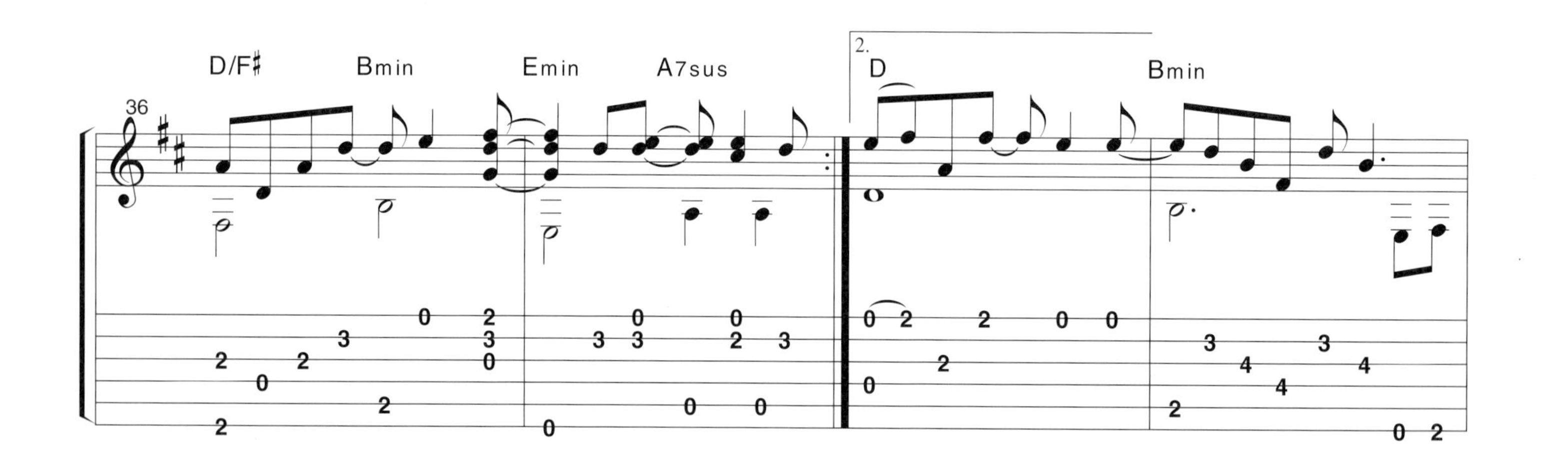
D/F♯
Bmin
Emin
A7sus
2.
D
Bmin
36

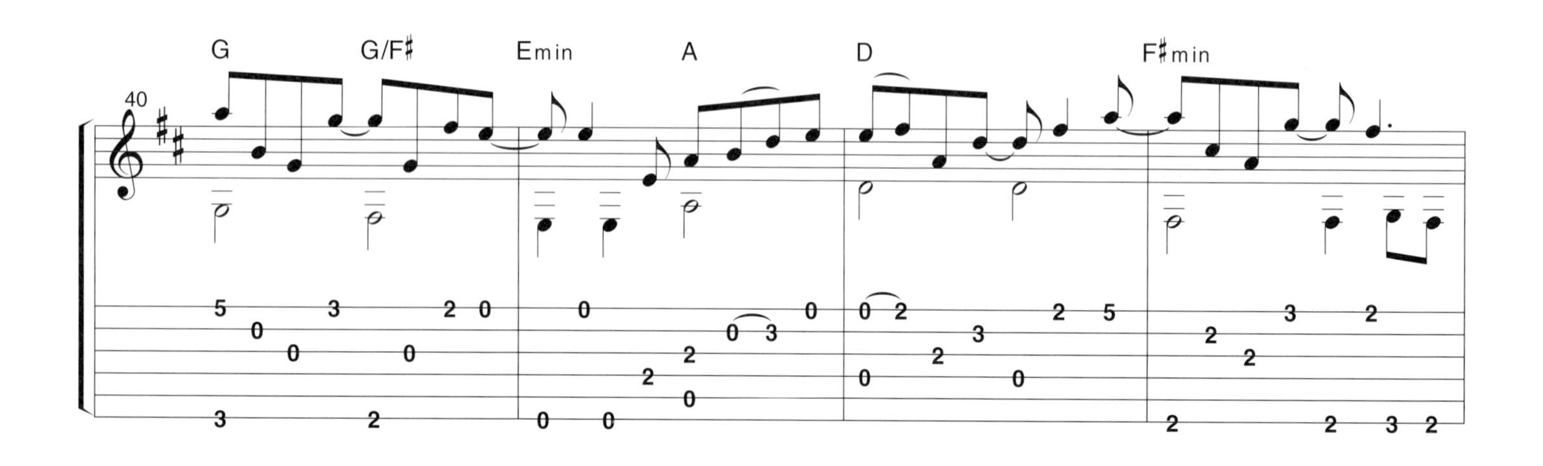
G
G/F♯
Emin
A
D
F♯min
40

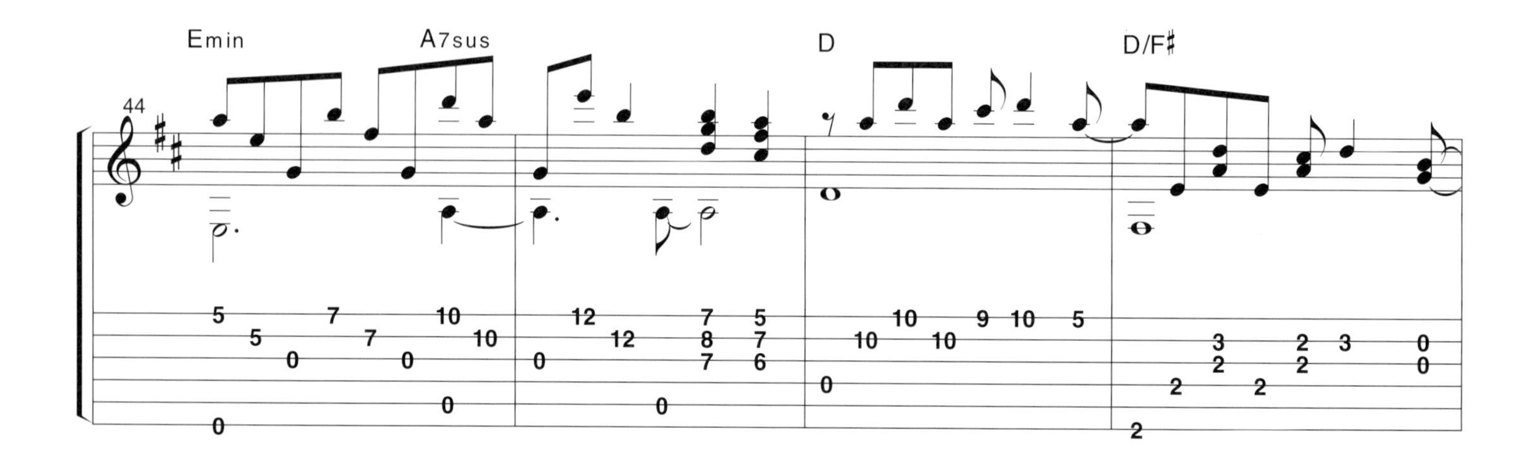
Emin
A7sus
D
D/F♯
44

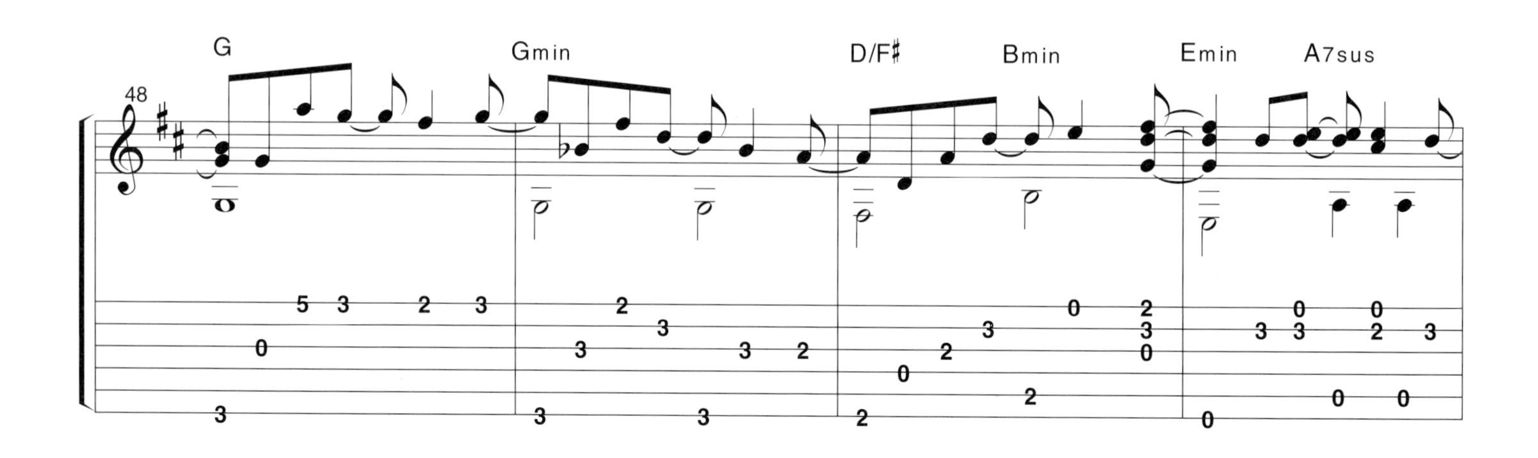
G
Gmin
D/F♯
Bmin
Emin
A7sus
48

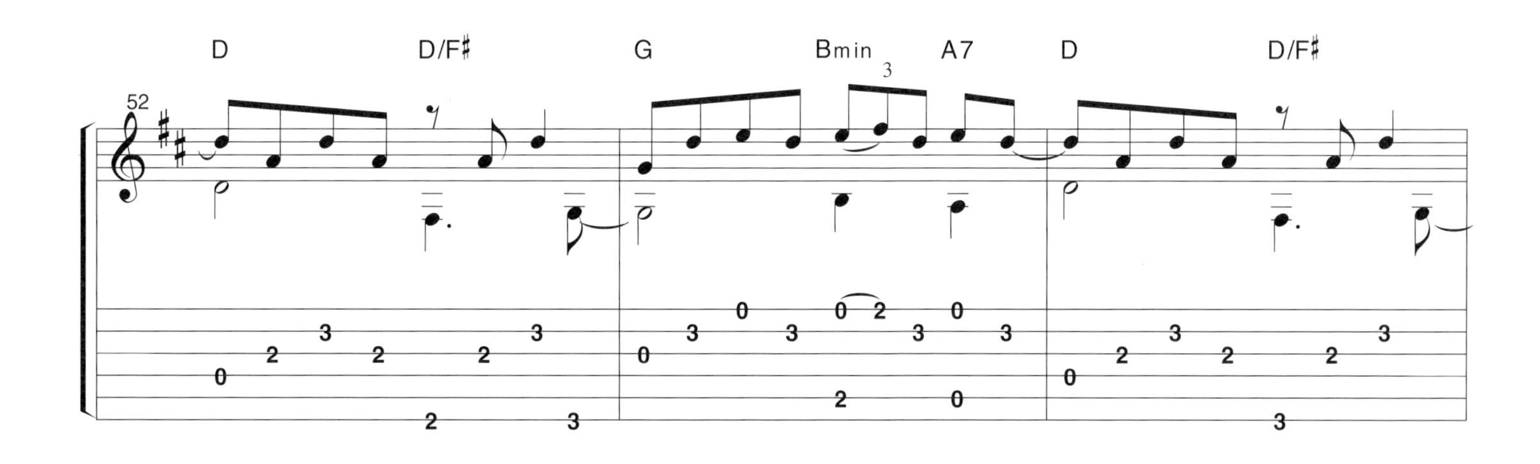

D
D/F♯
G
Bmin
A7
D
D/F♯
52

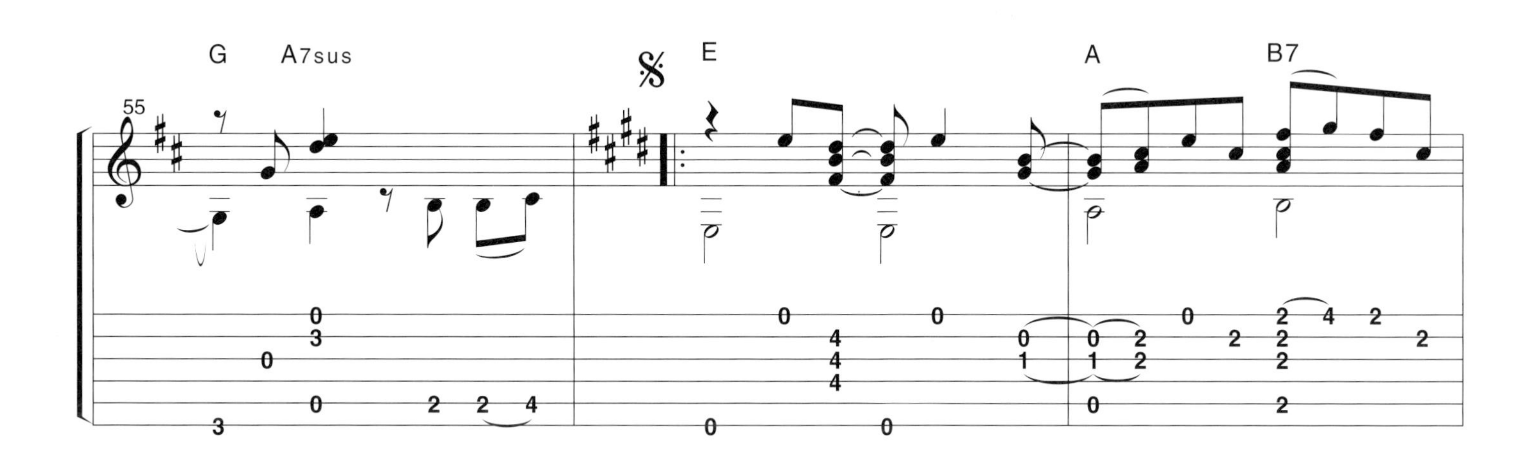

G
A7sus
E
A
B7
55

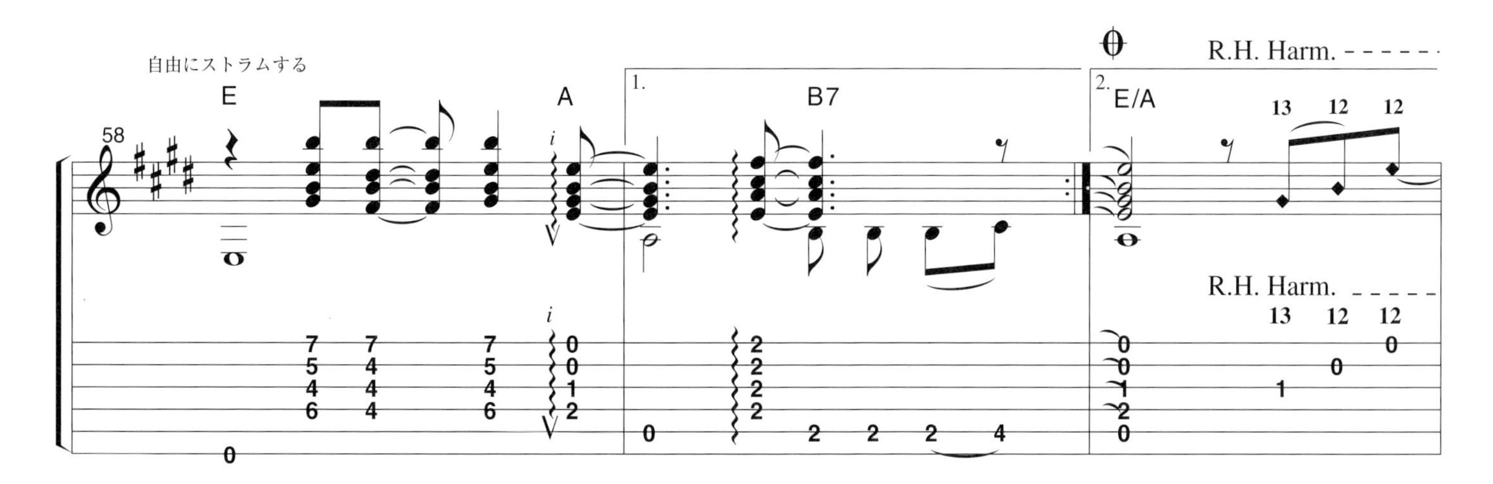

自由にストラムする
E
A
1.
B7
2.
E/A
R.H. Harm.
R.H. Harm.
58

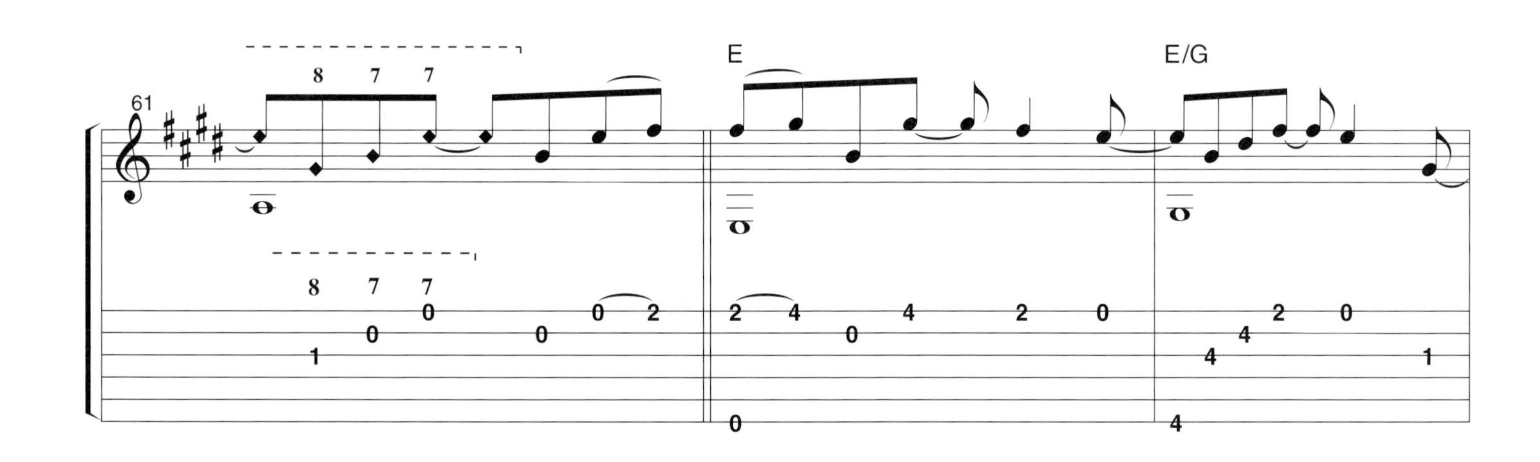

E
E/G
61

Amaj7
F♯min
B7sus
E
64

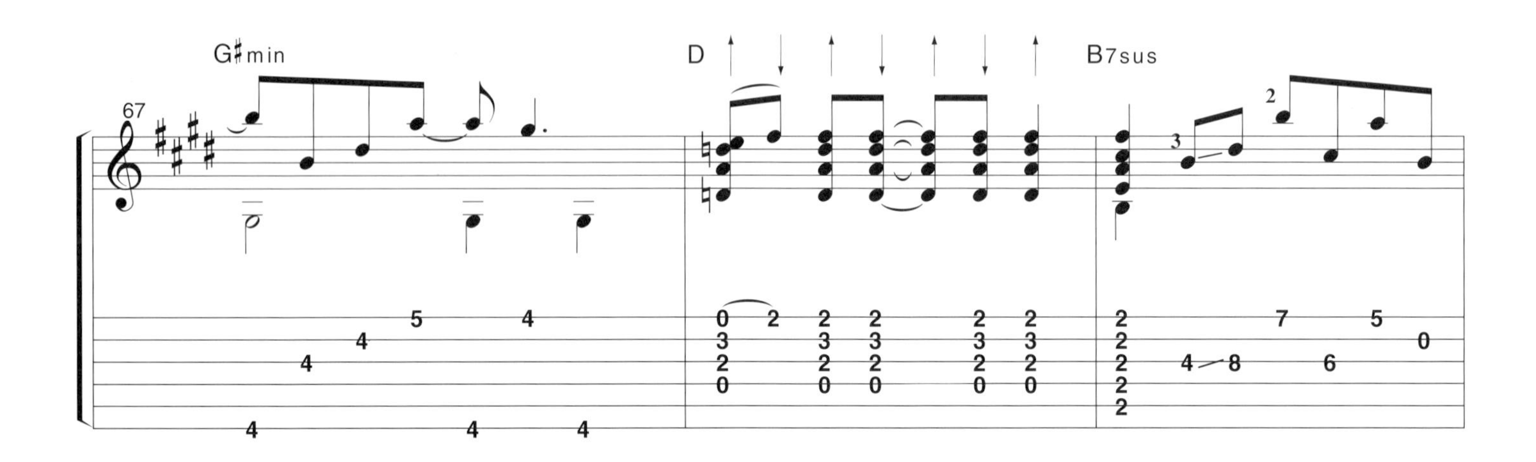
G♯min
D
B7sus
67

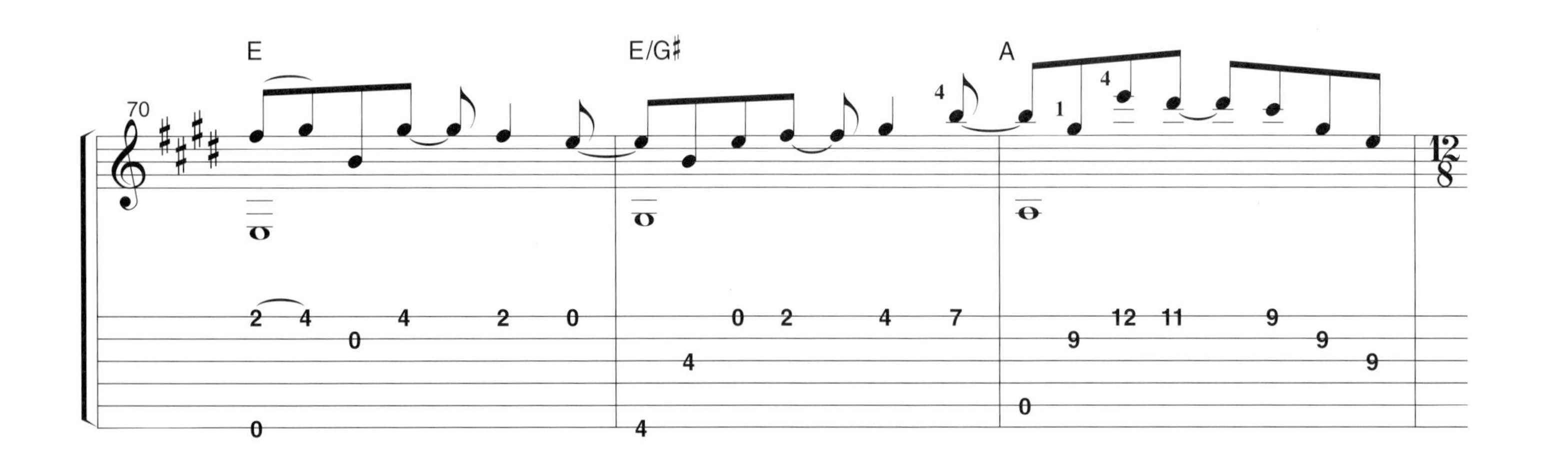
E
E/G♯
A
70

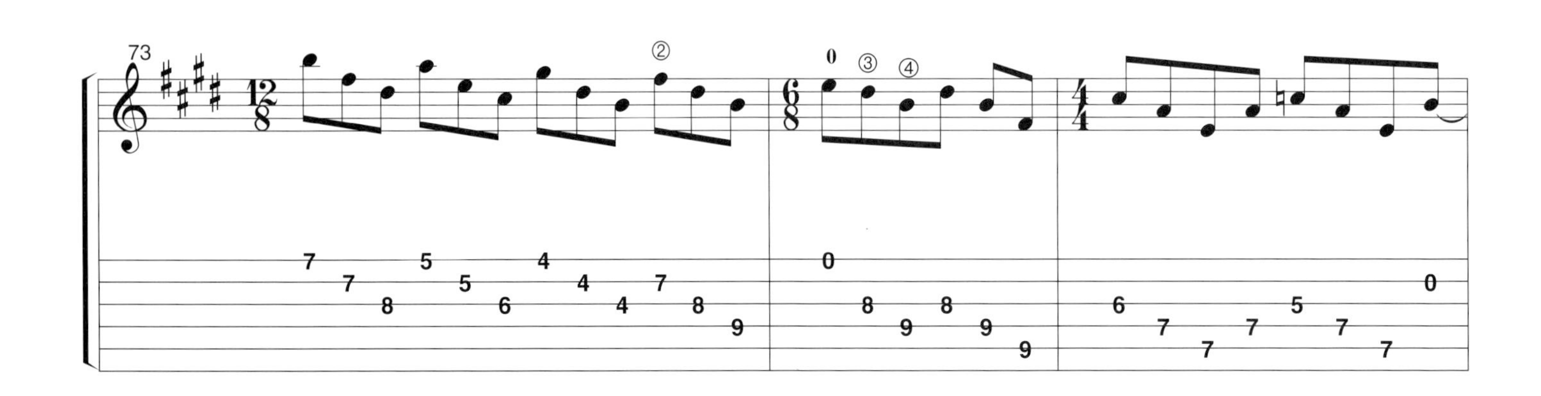
73

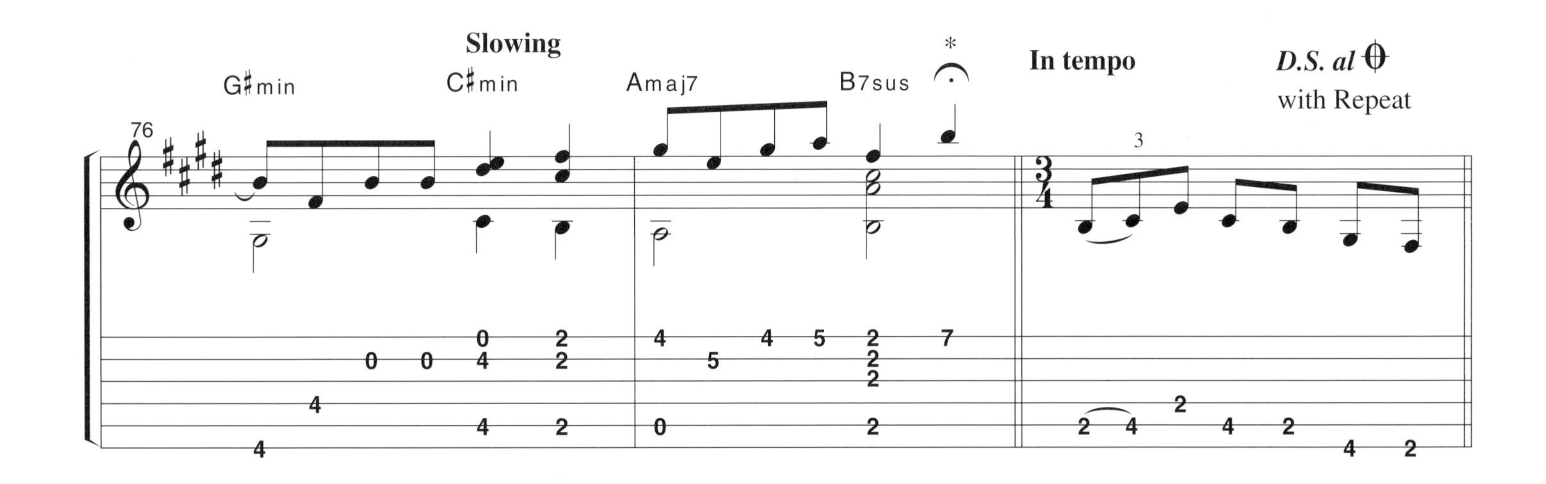

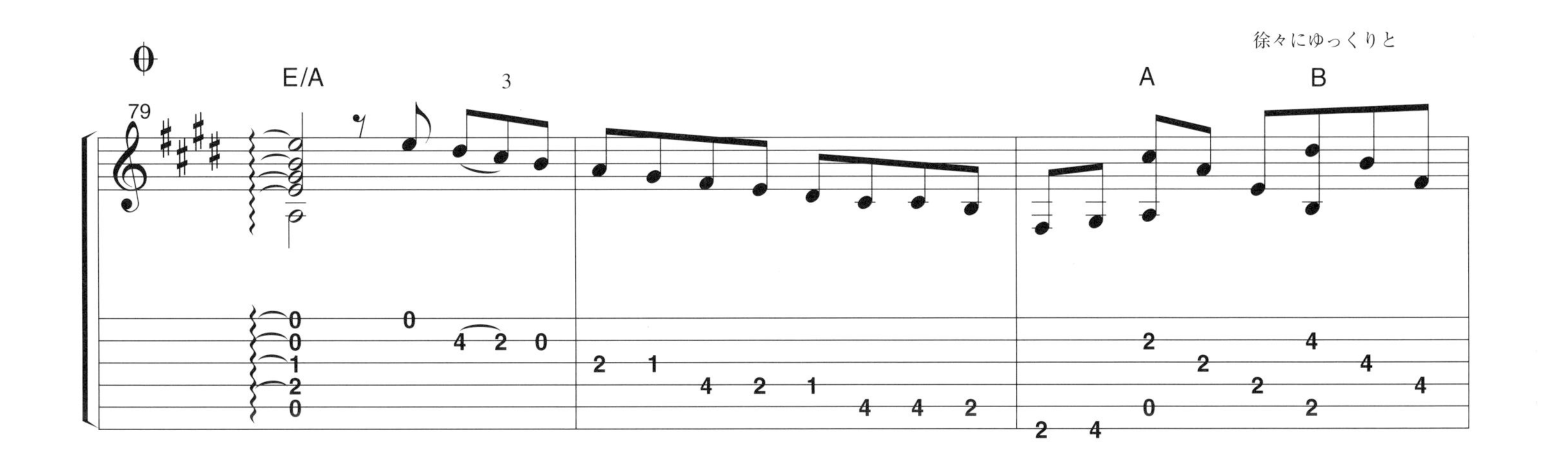

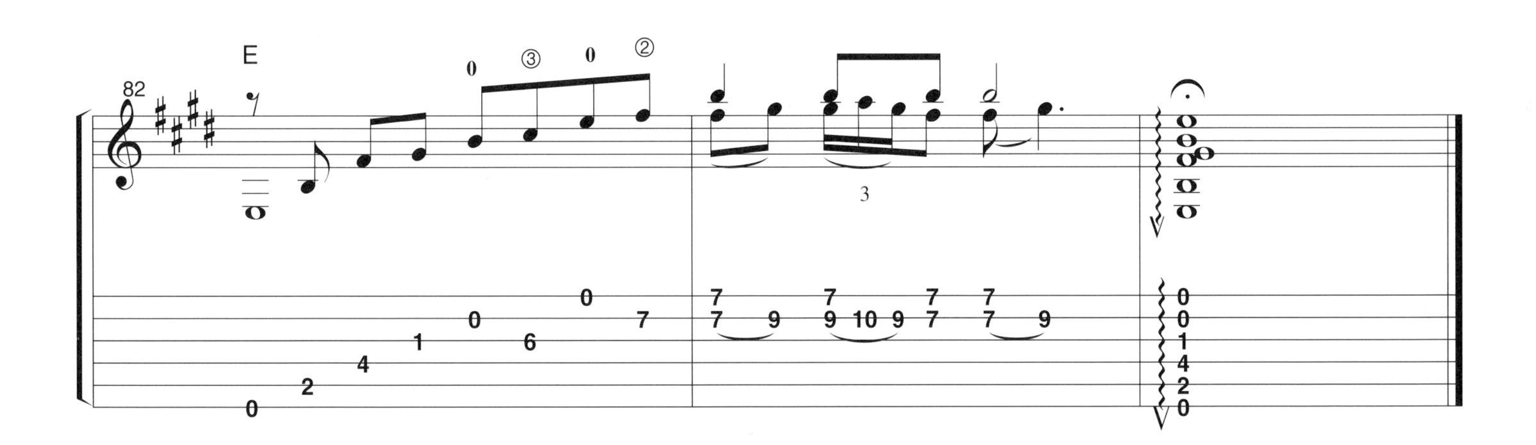

＊右手の人差し指で１弦７フレットを押さえ、そのまま右手の薬指で弾く

Little Joe the Wrangler

リトル・ジョー・ザ・ラングラー

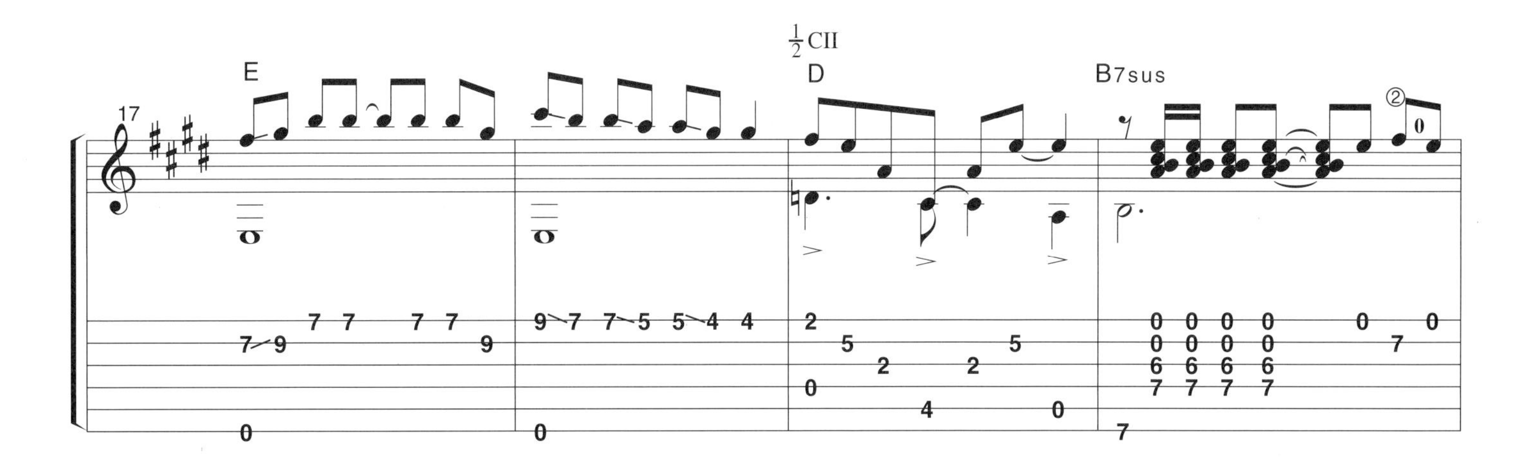
17
E
1/2 CII
D
B7sus

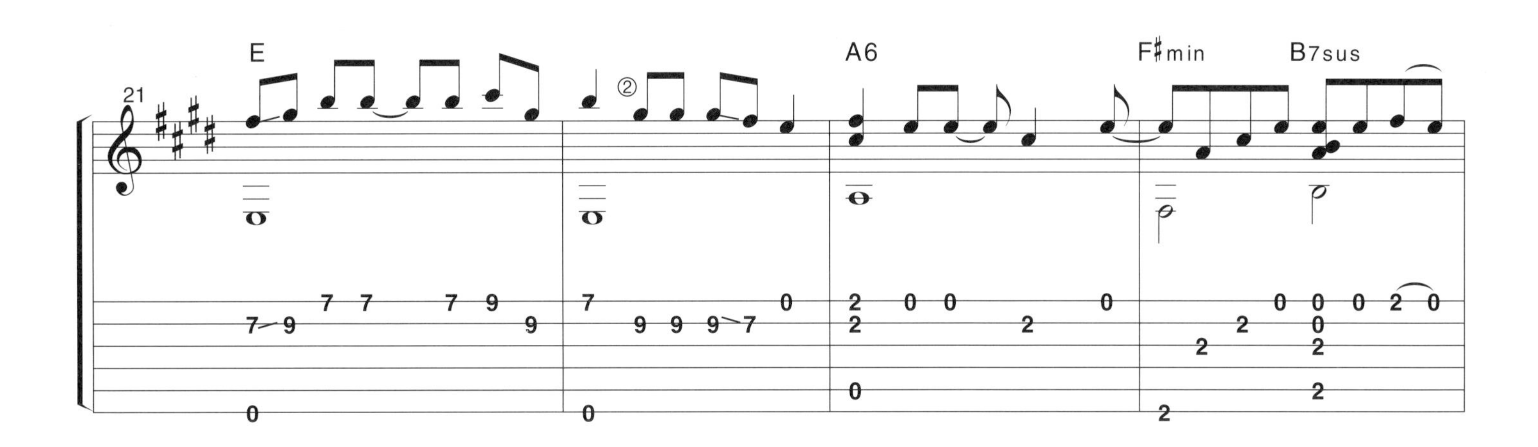
21
E
A6
F♯min
B7sus

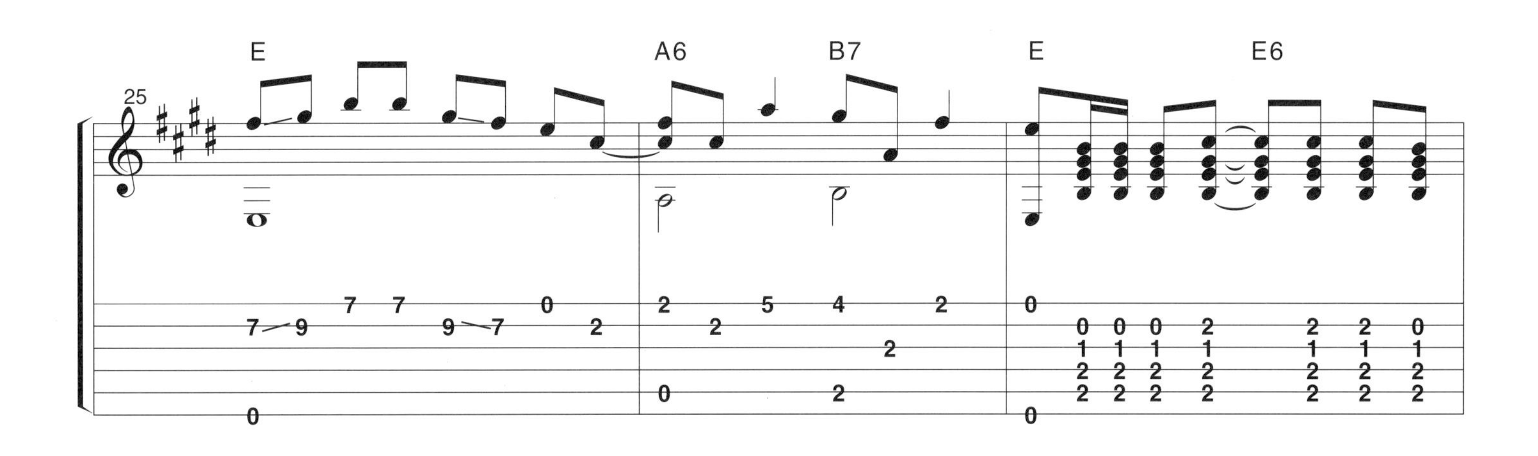
25
E
A6
B7
E
E6

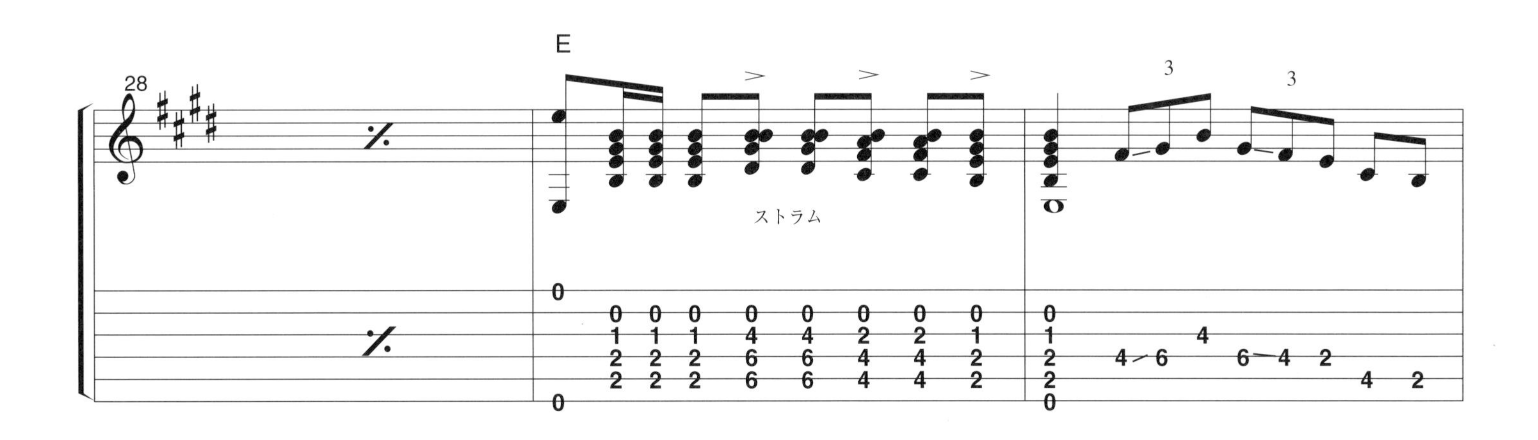
28
E
ストラム

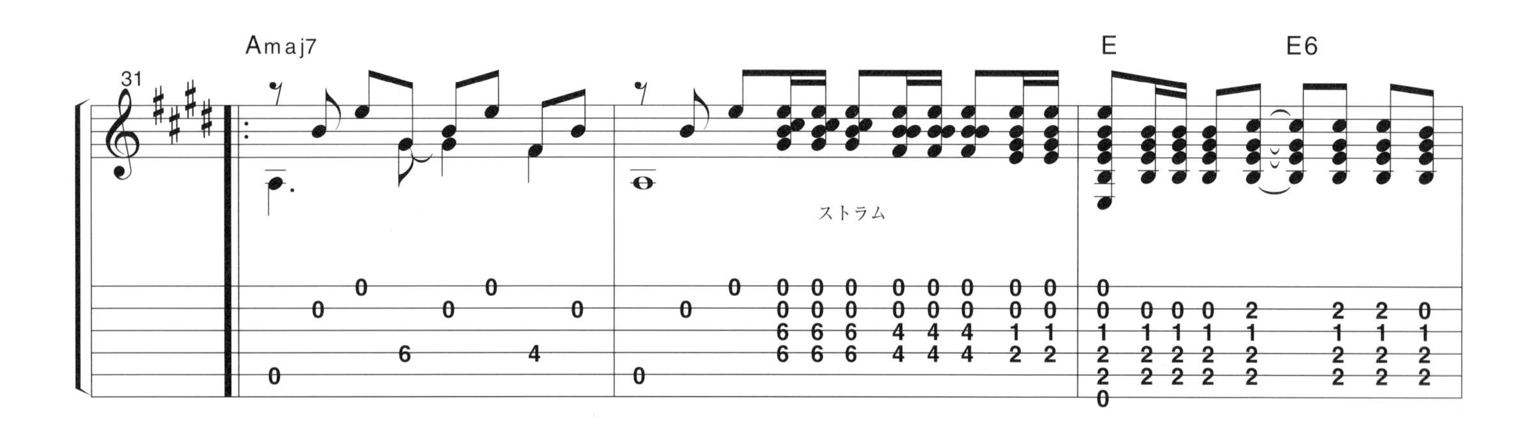
Amaj7
E
E6
ストラム

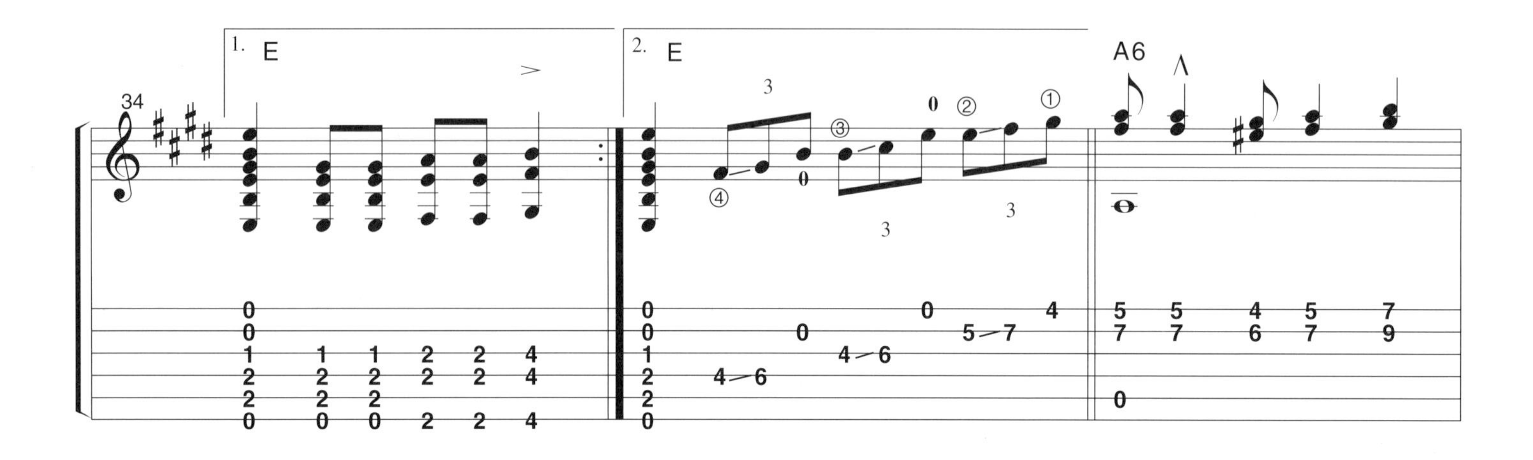
1. E
2. E
A6

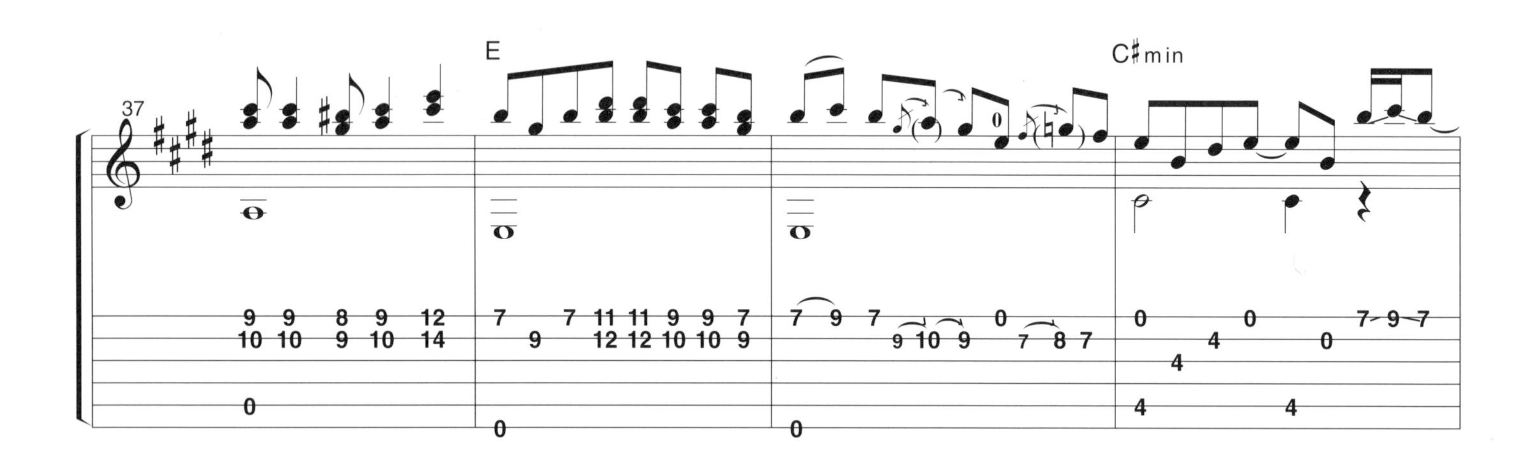
E
C♯min

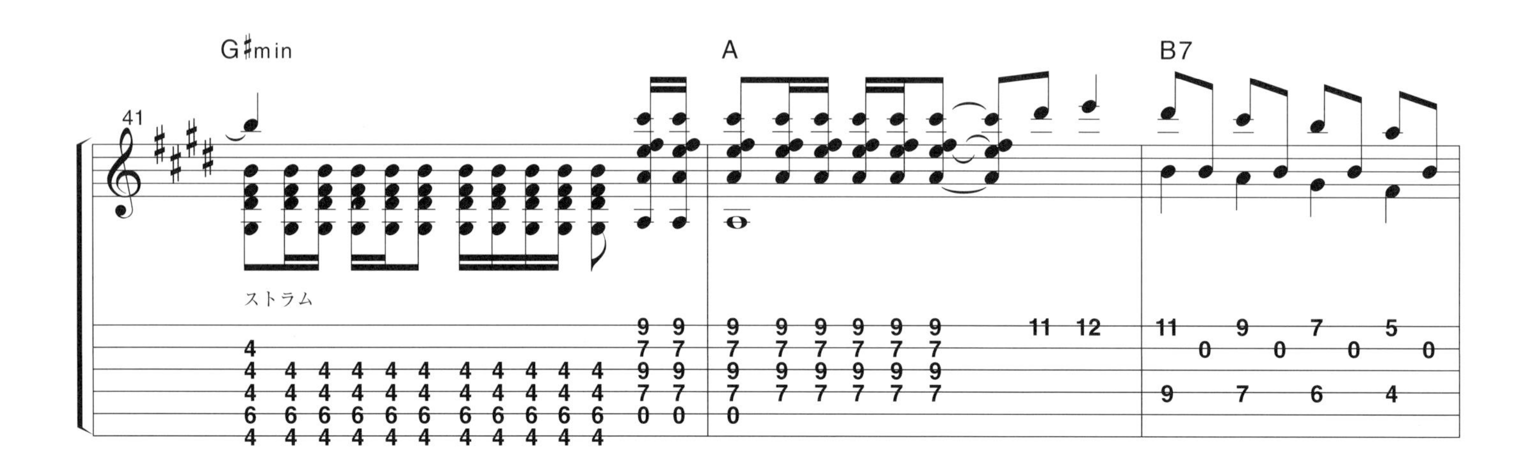
G♯min
A
B7
ストラム

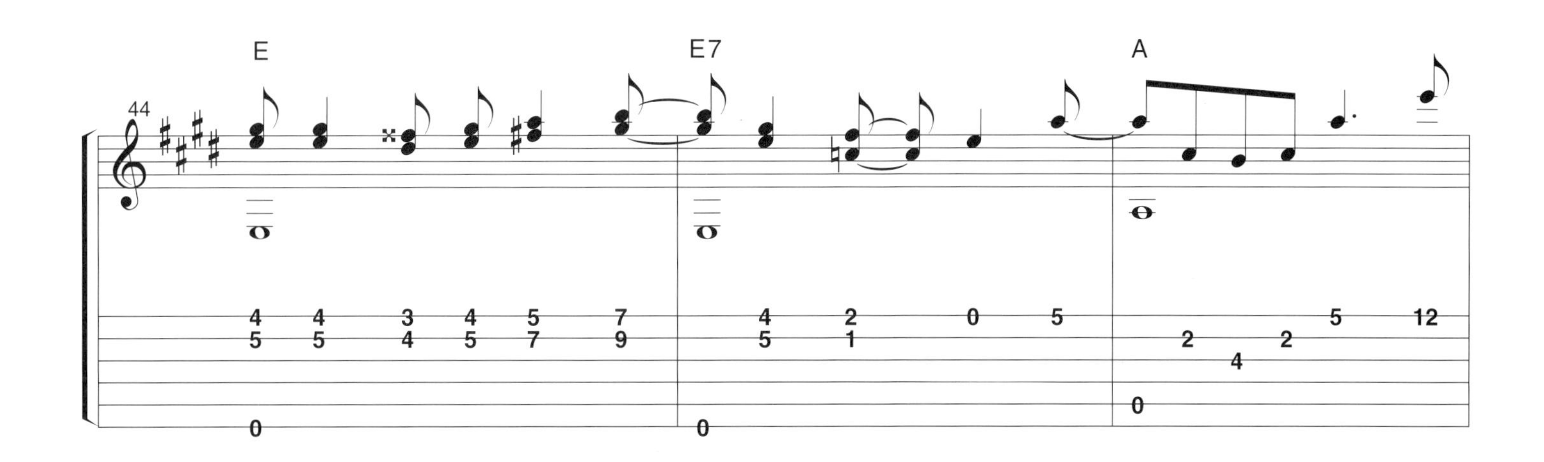

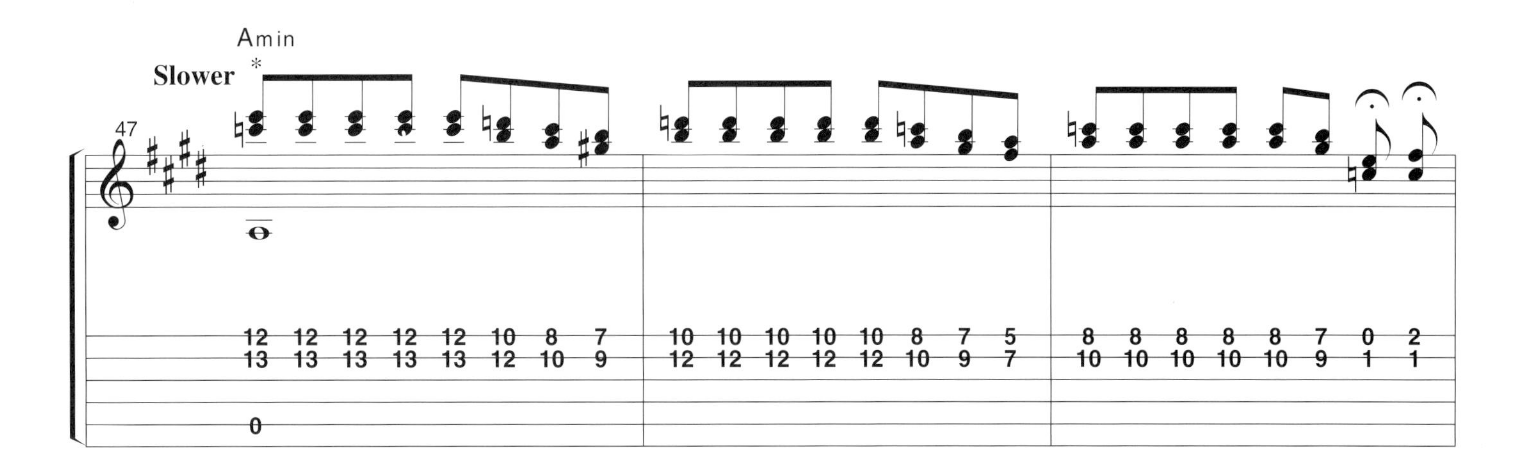

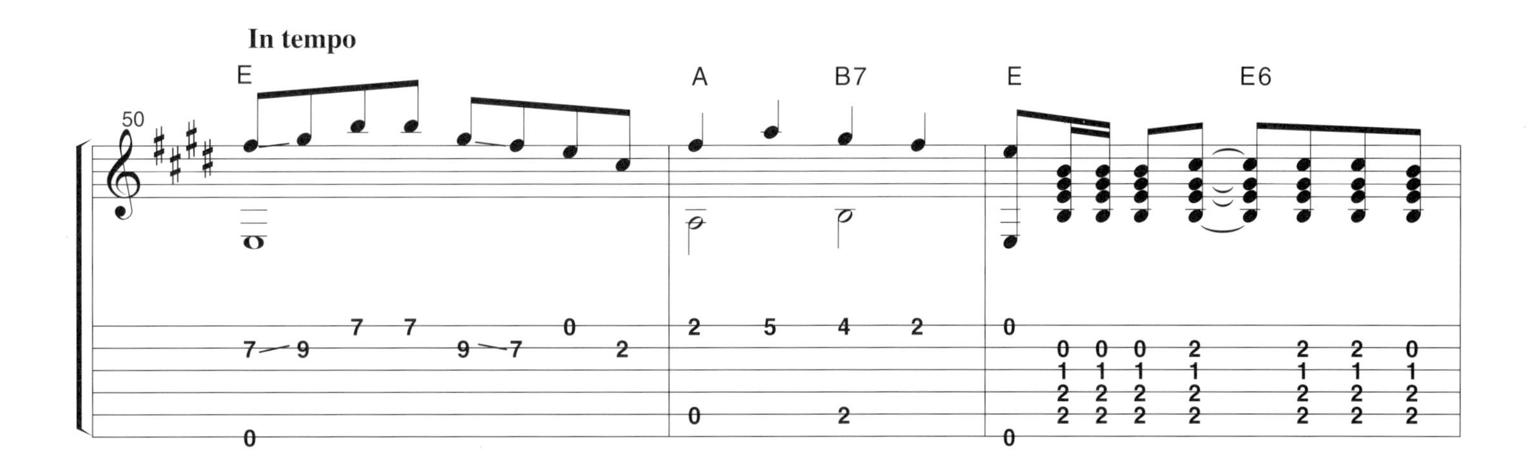

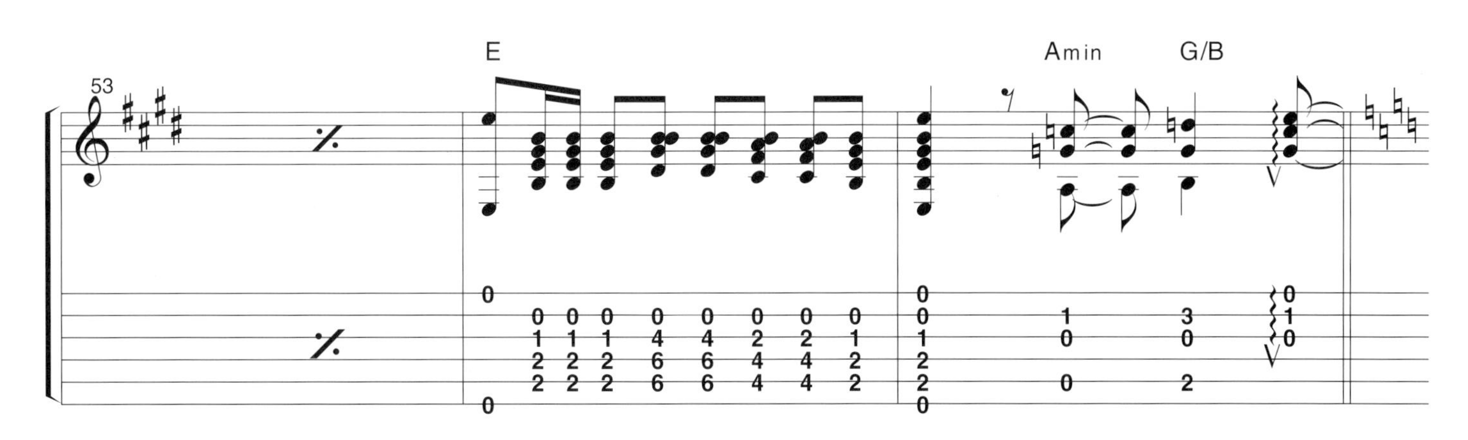

＊１弦をトレモロで演奏してもよい

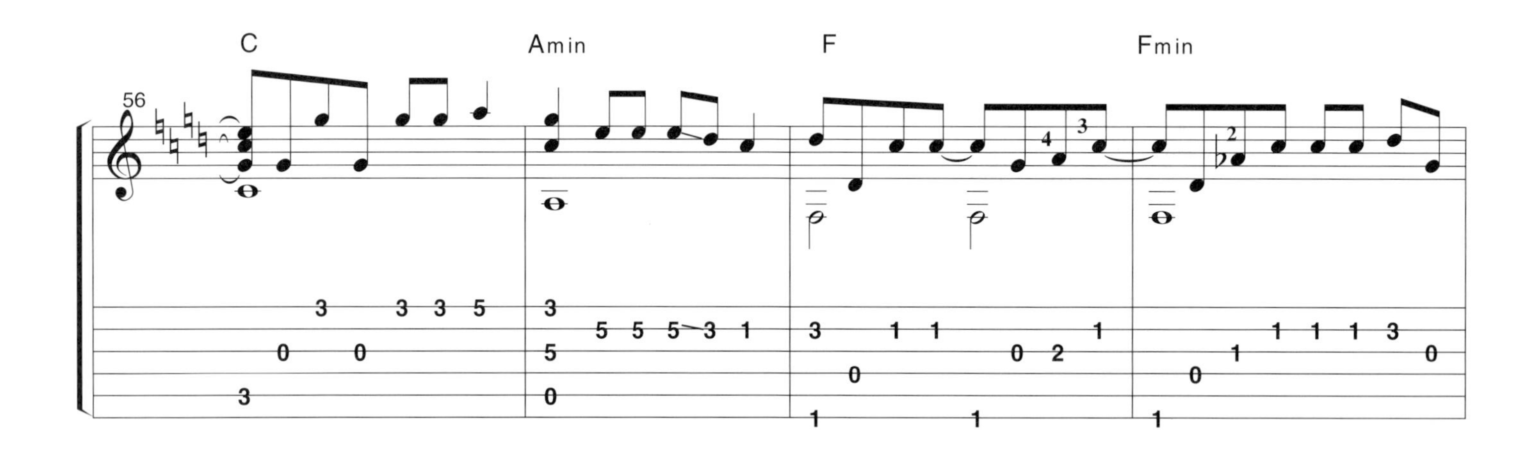
C
Amin
F
Fmin
56

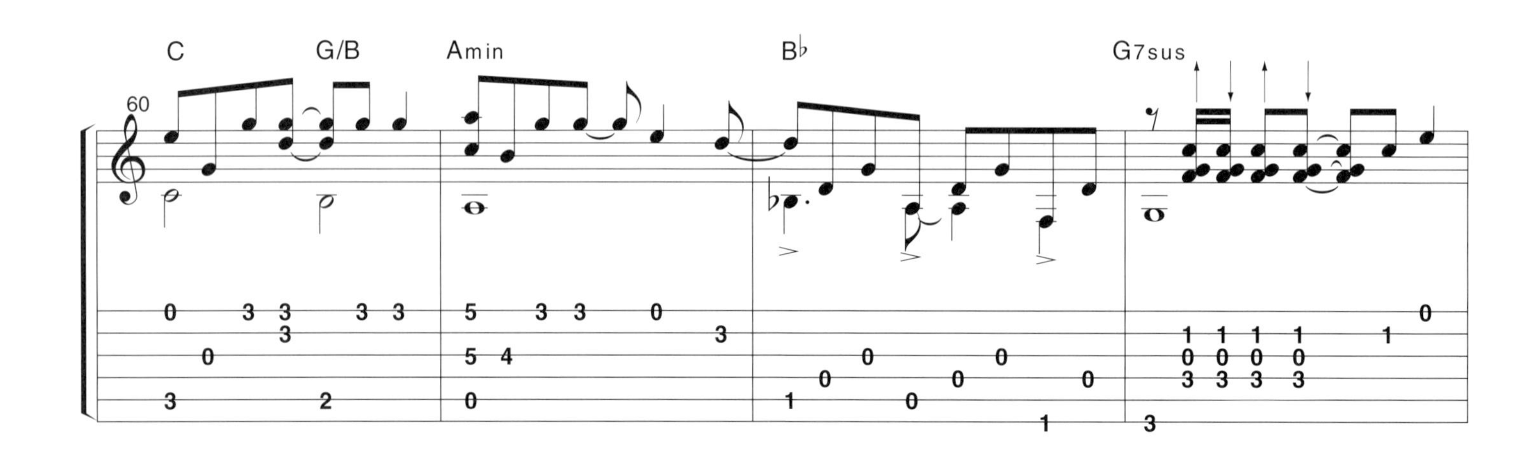
C
G/B
Amin
B♭
G7sus
60

C 6/9
Amin7
F6
Fmin6
64

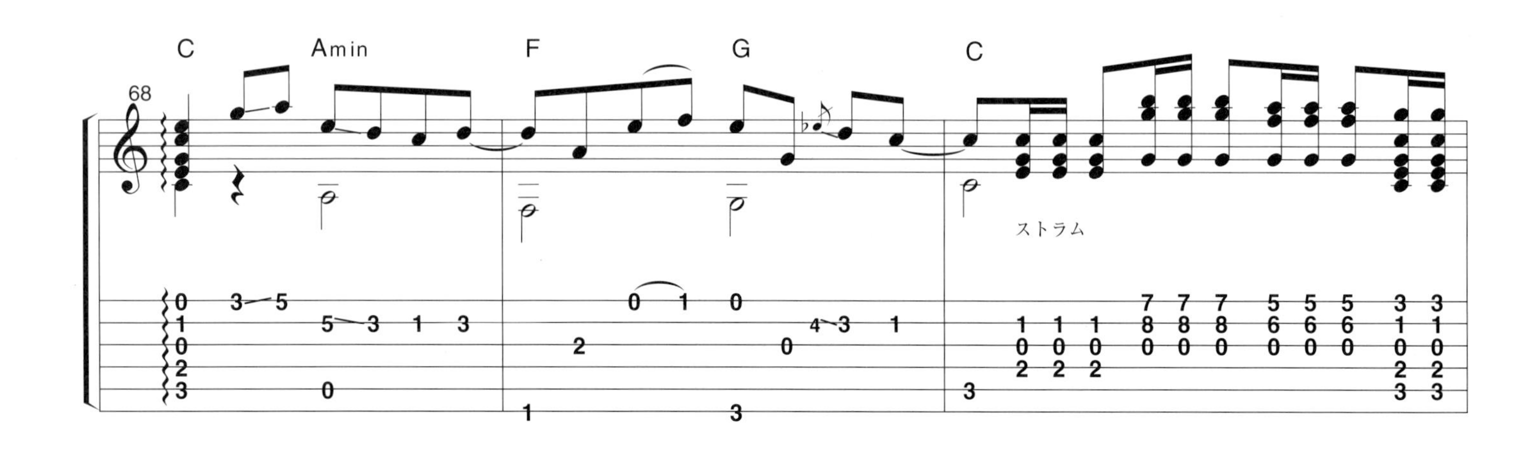
C
Amin
F
G
C
68
ストラム

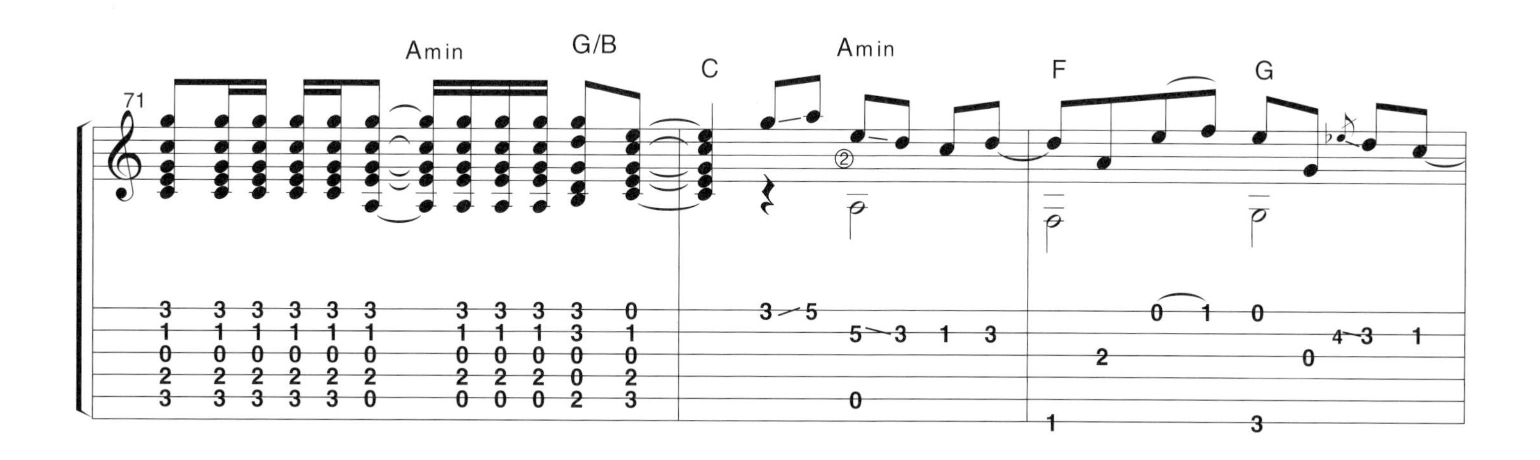

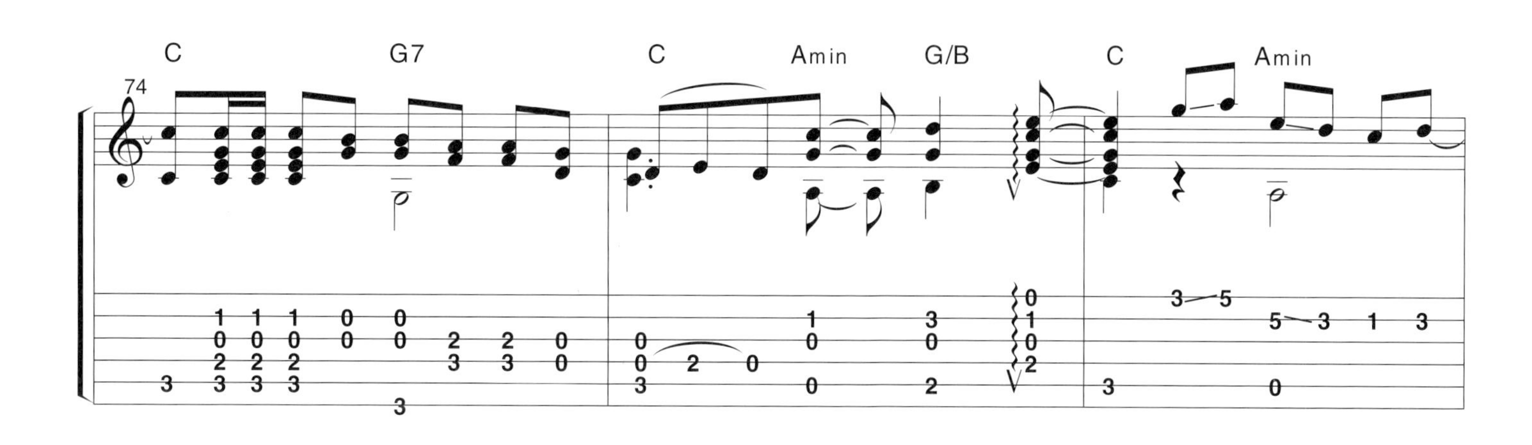

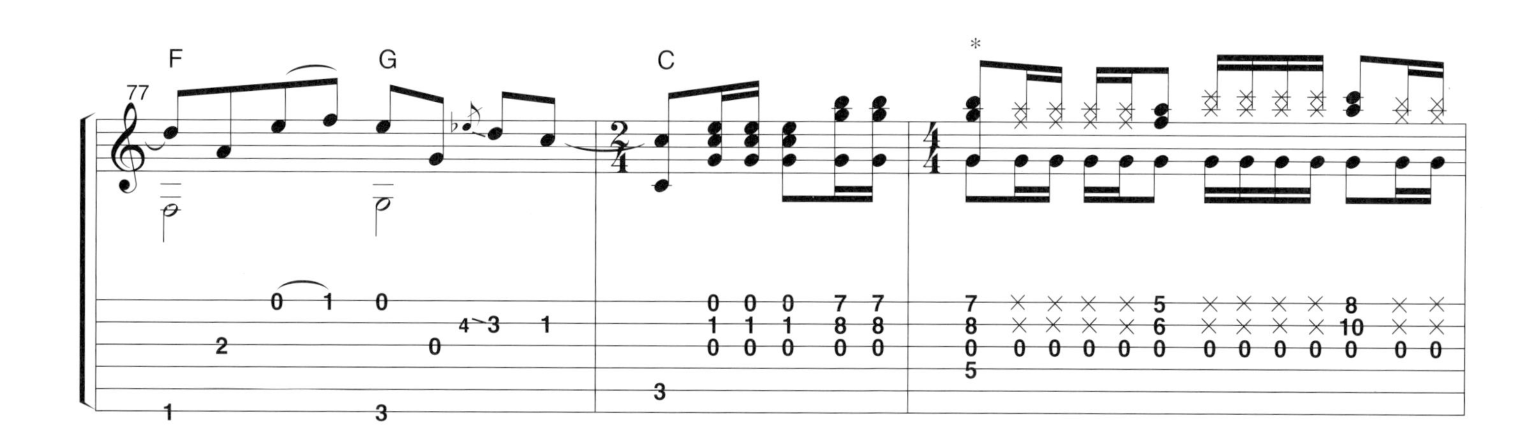

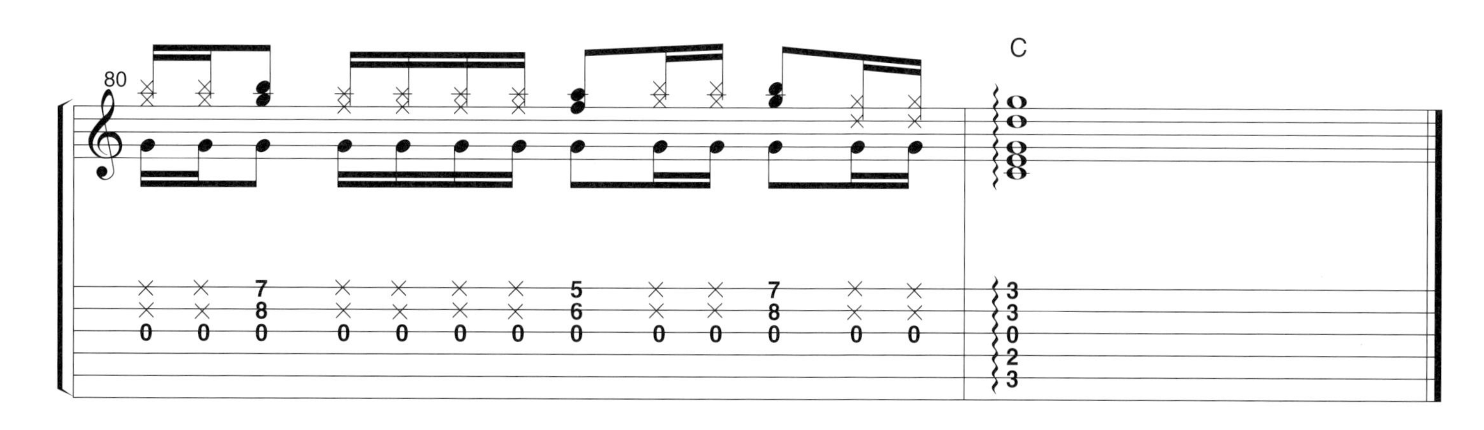

*自由にストラムする。×印は、左手を弦に軽く触れてミュートする

The Railroad Corral

レイルロード･コーラル

チューニング
CGDEGC

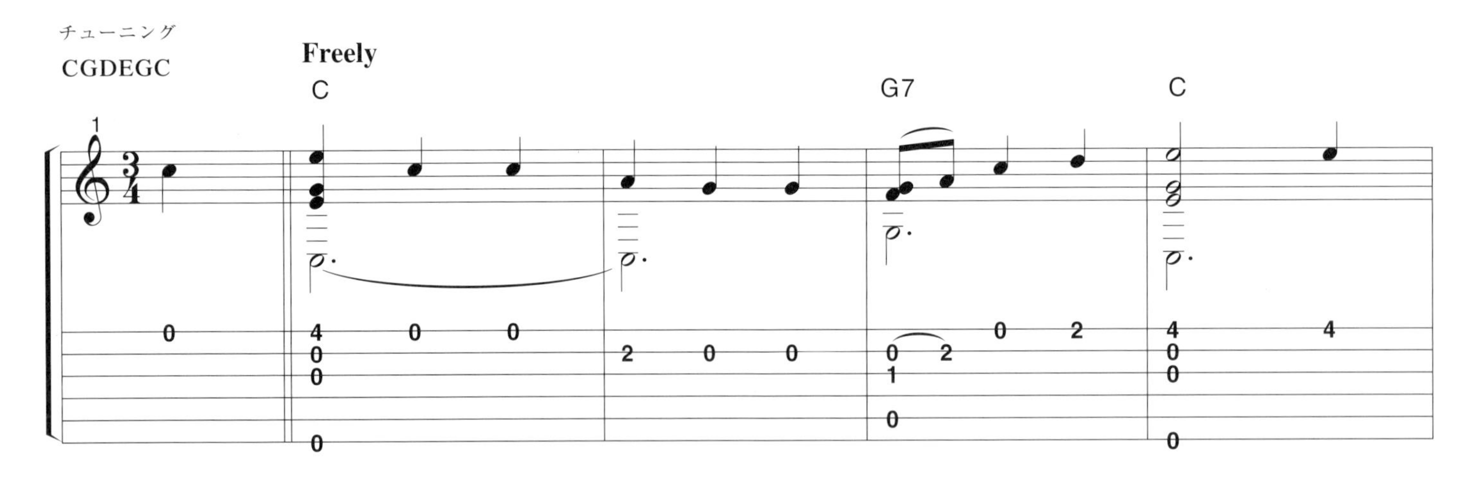

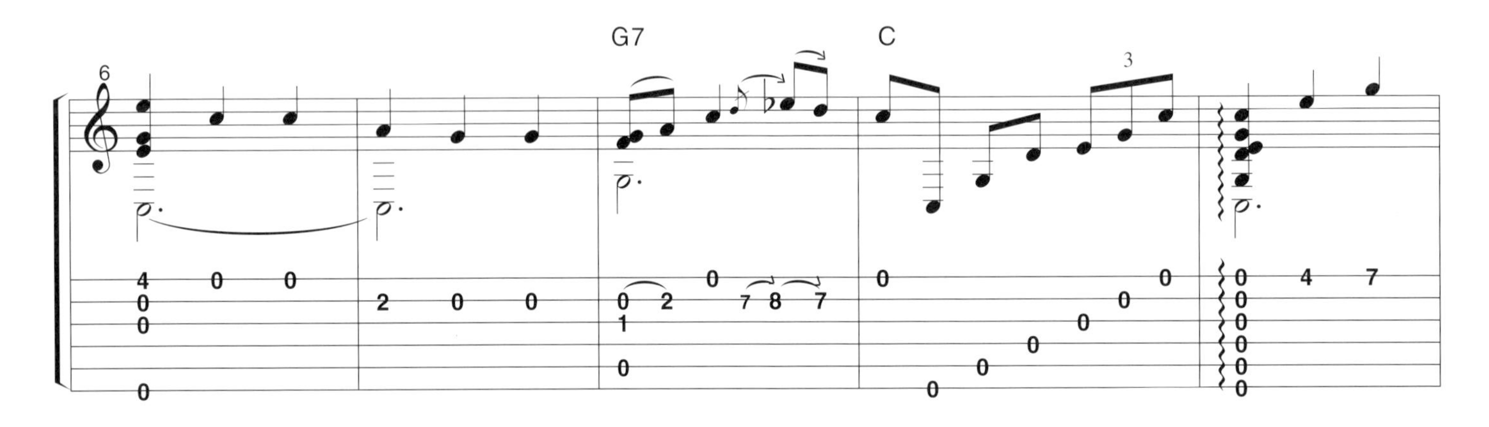

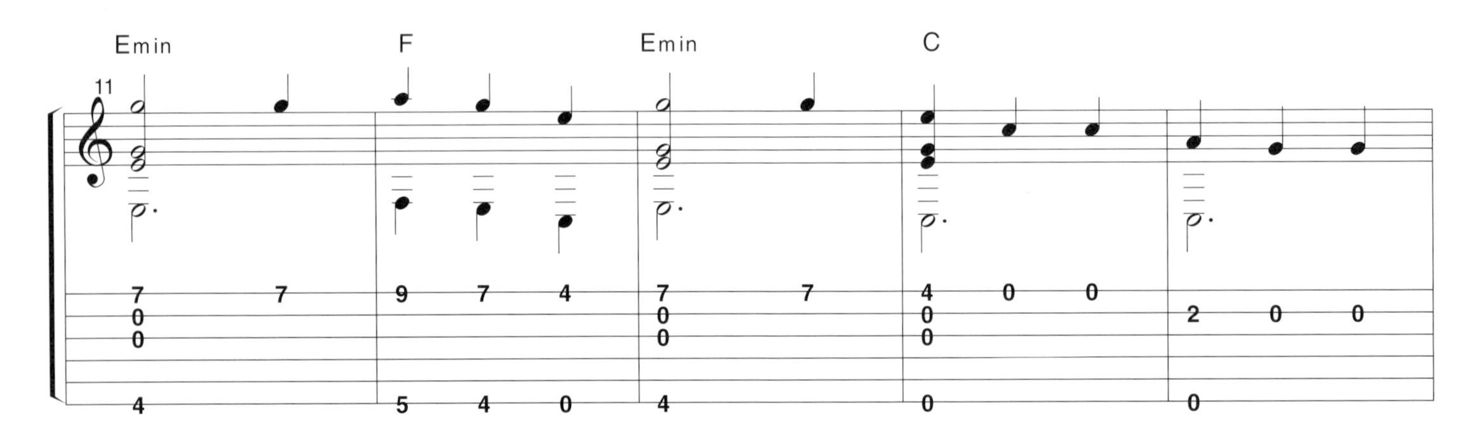

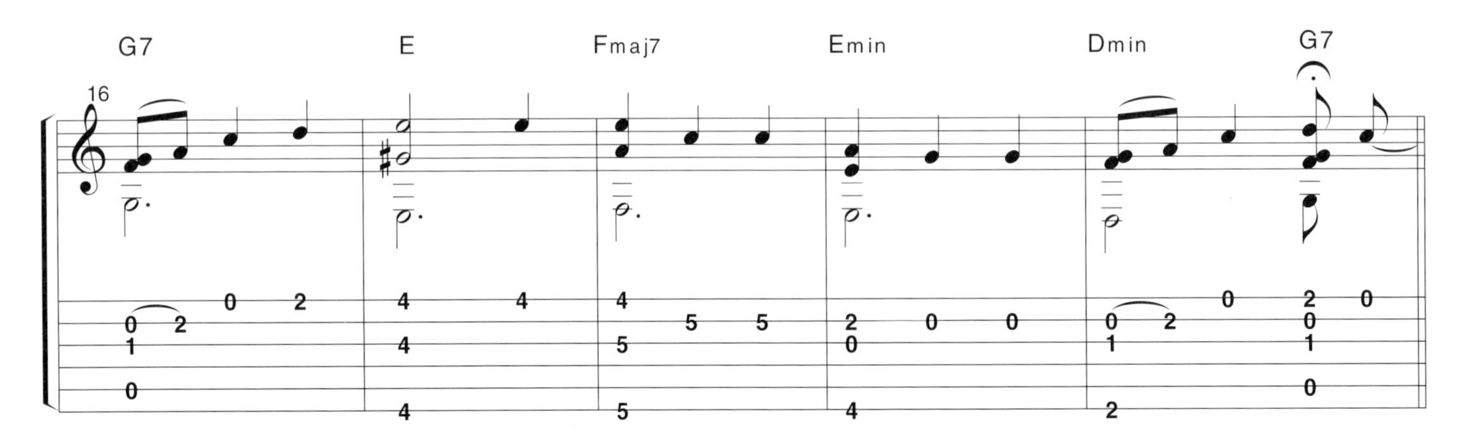

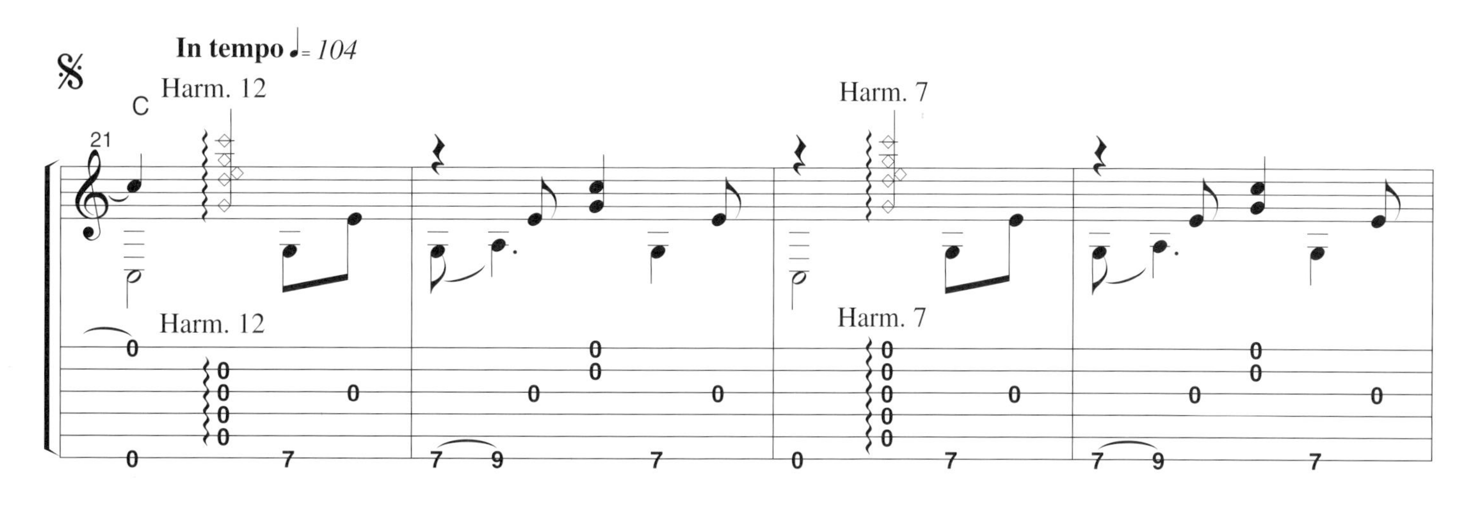
In tempo ♩= 104
C
Harm. 12
Harm. 7
Harm. 12
Harm. 7

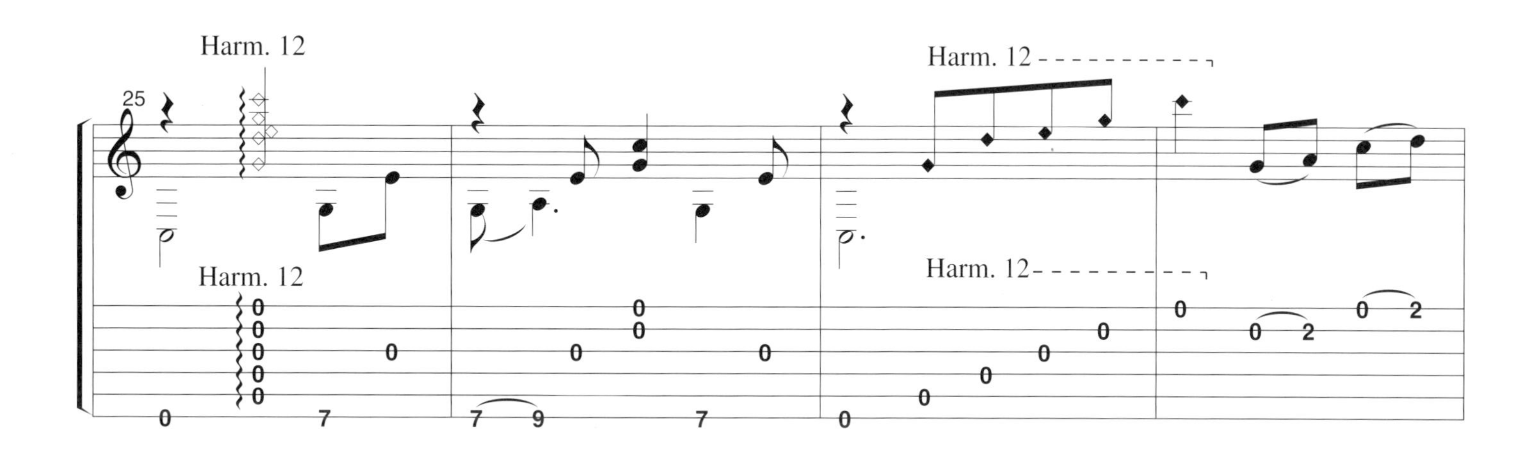
Harm. 12
Harm. 12
Harm. 12
Harm. 12

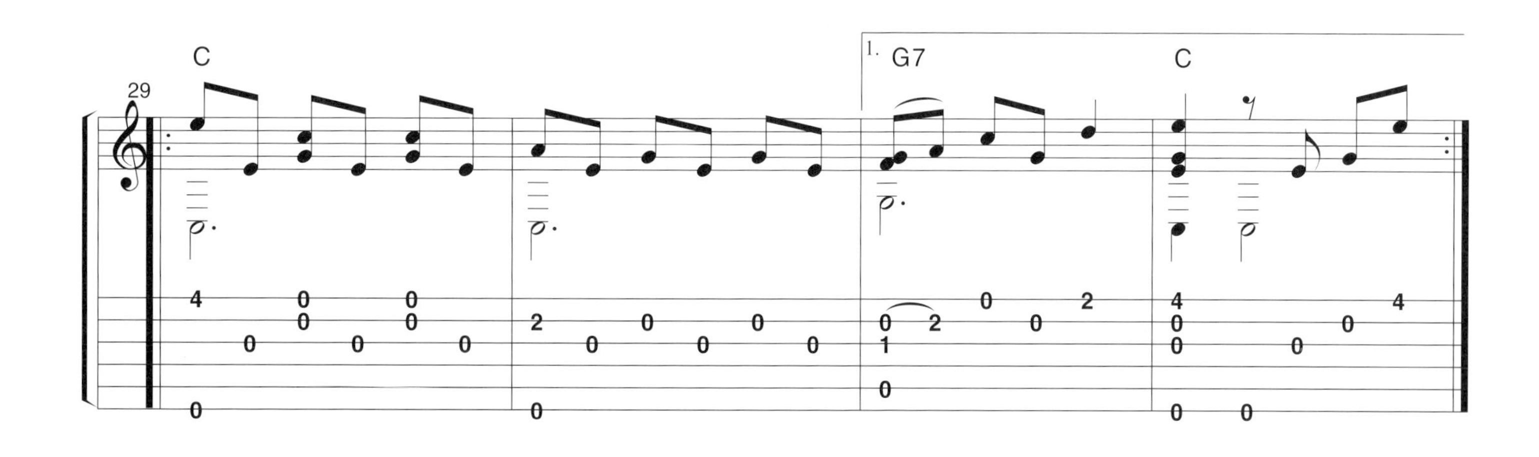
C
1.
G7
C

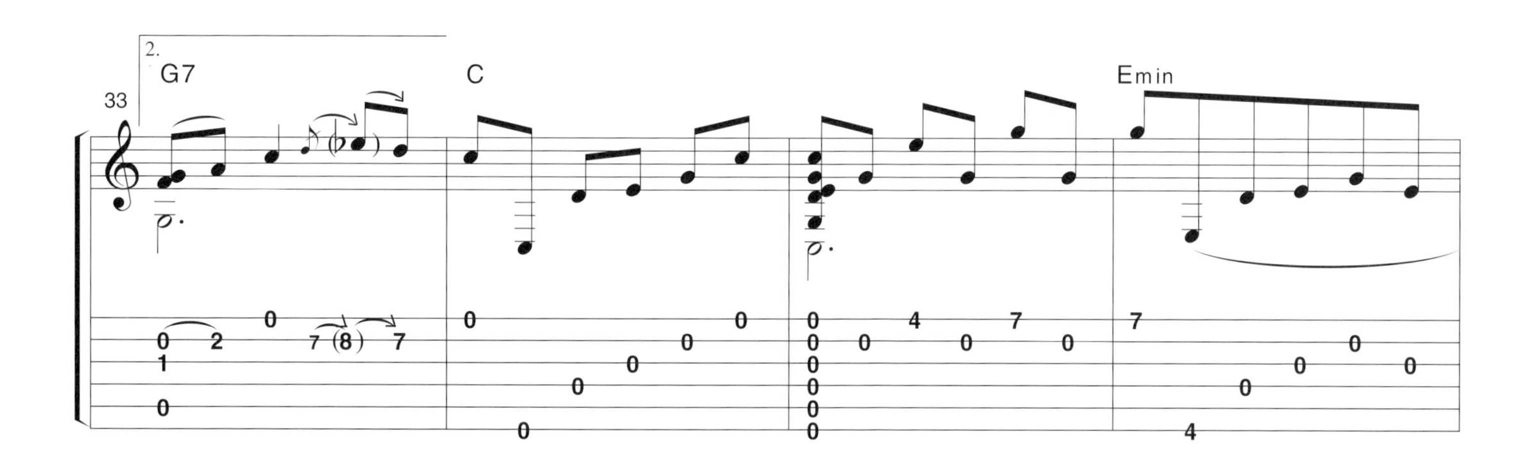
2.
G7
C
Emin

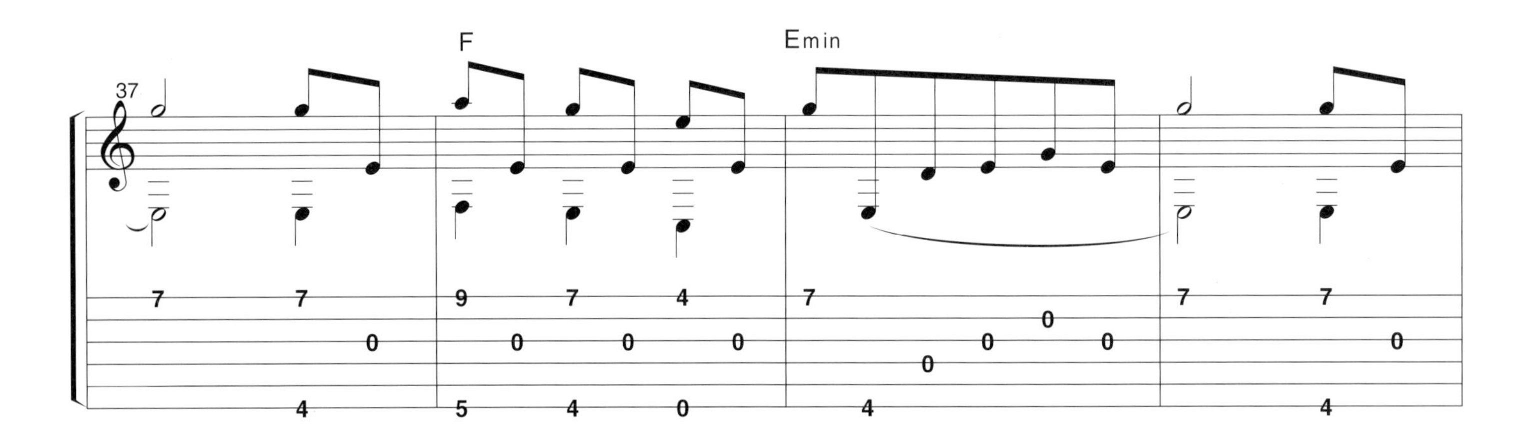
F
Emin
37

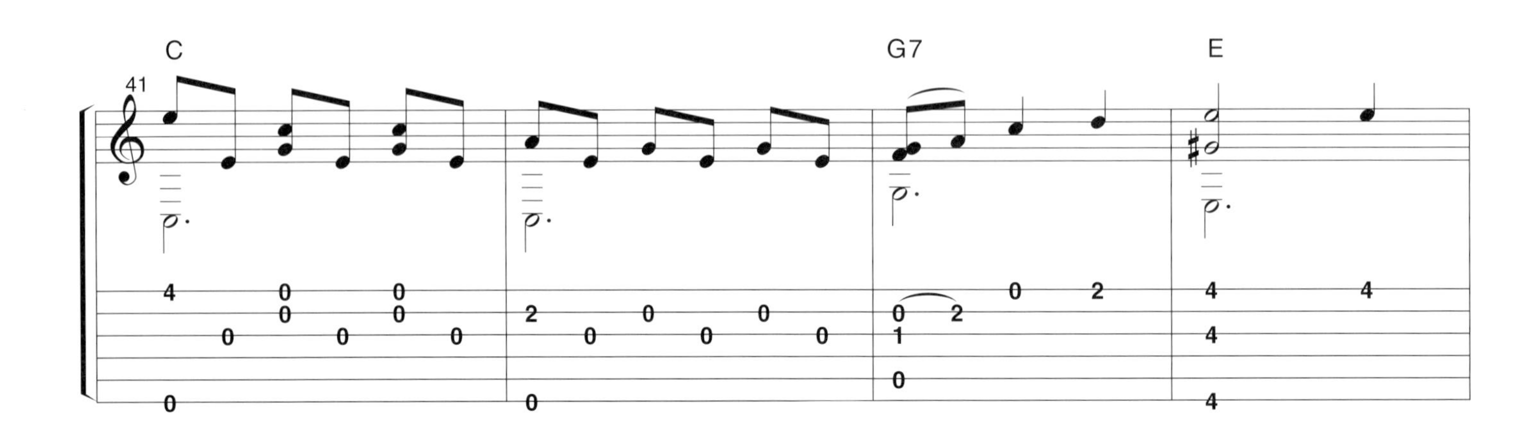
C
G7
E
41

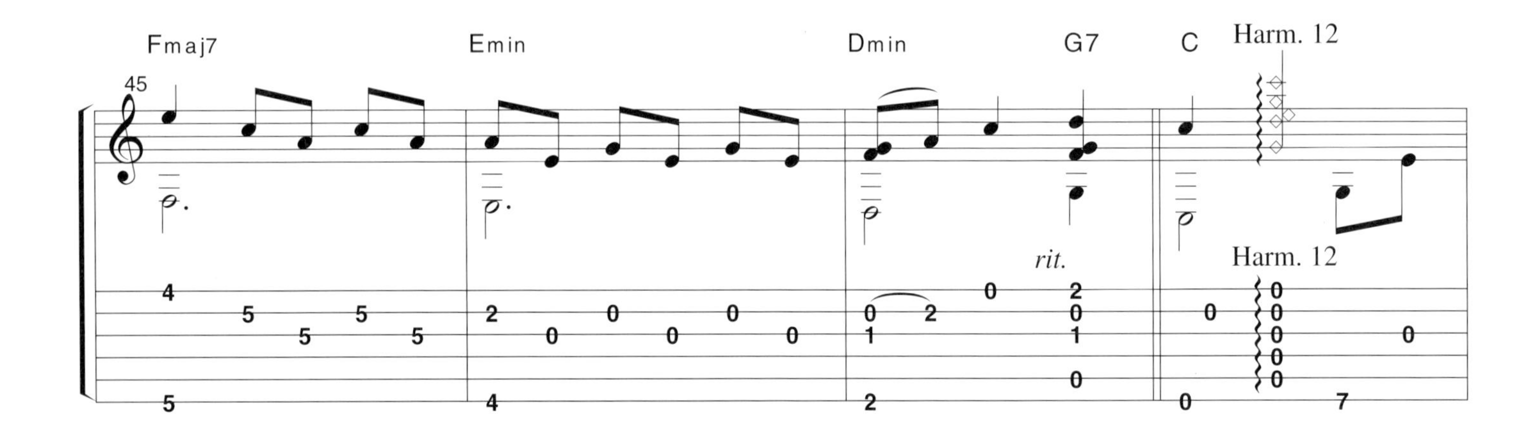
Fmaj7
Emin
Dmin
G7
C
Harm. 12
45
rit.
Harm. 12

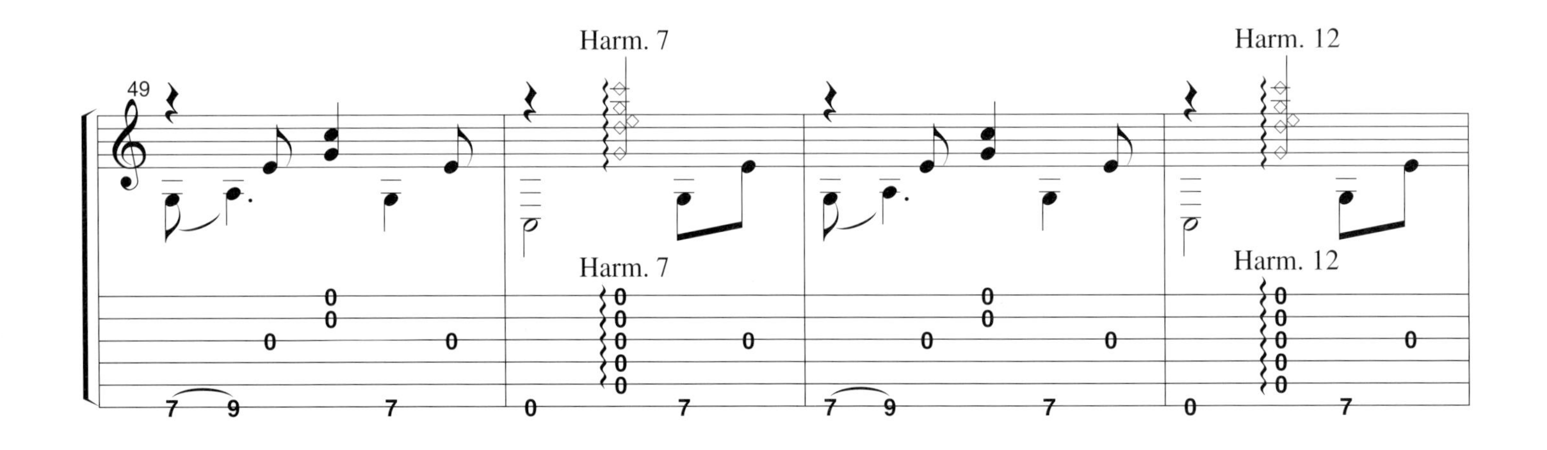
49
Harm. 7
Harm. 12
Harm. 7
Harm. 12

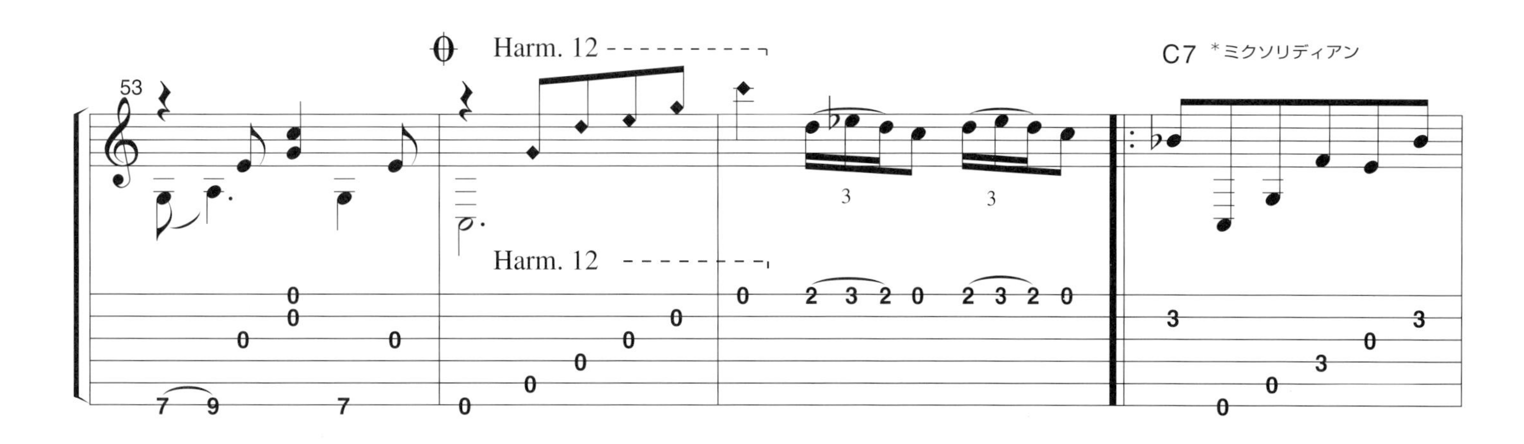

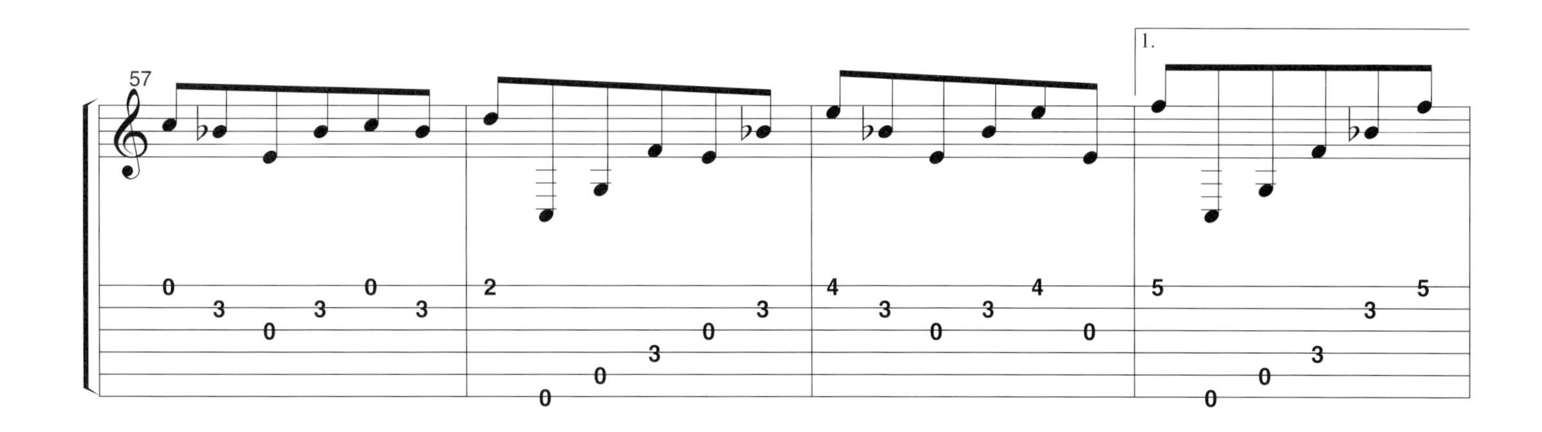

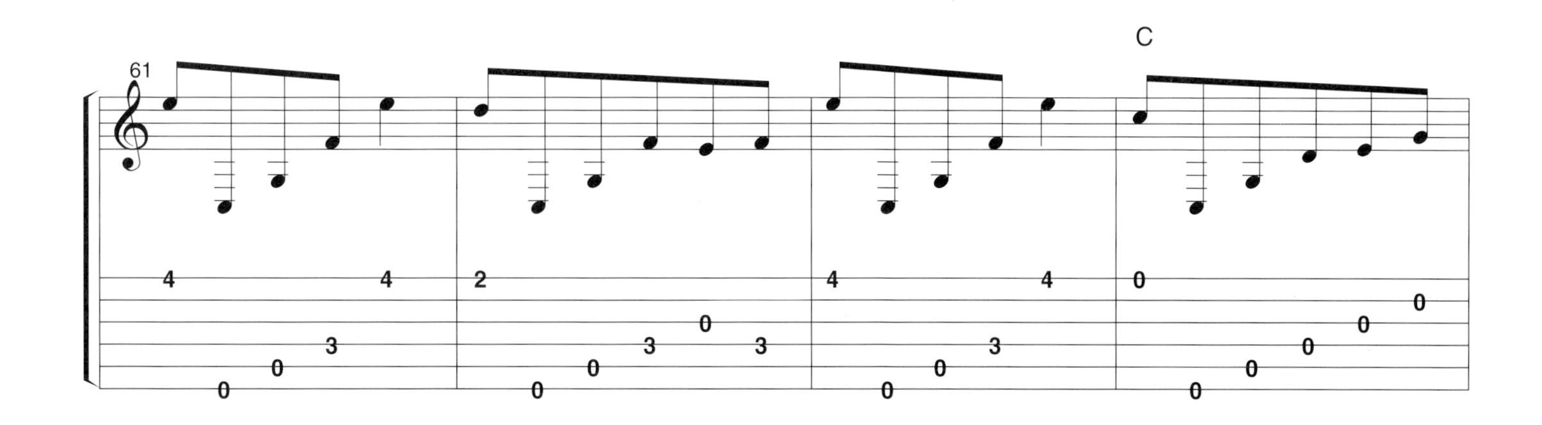

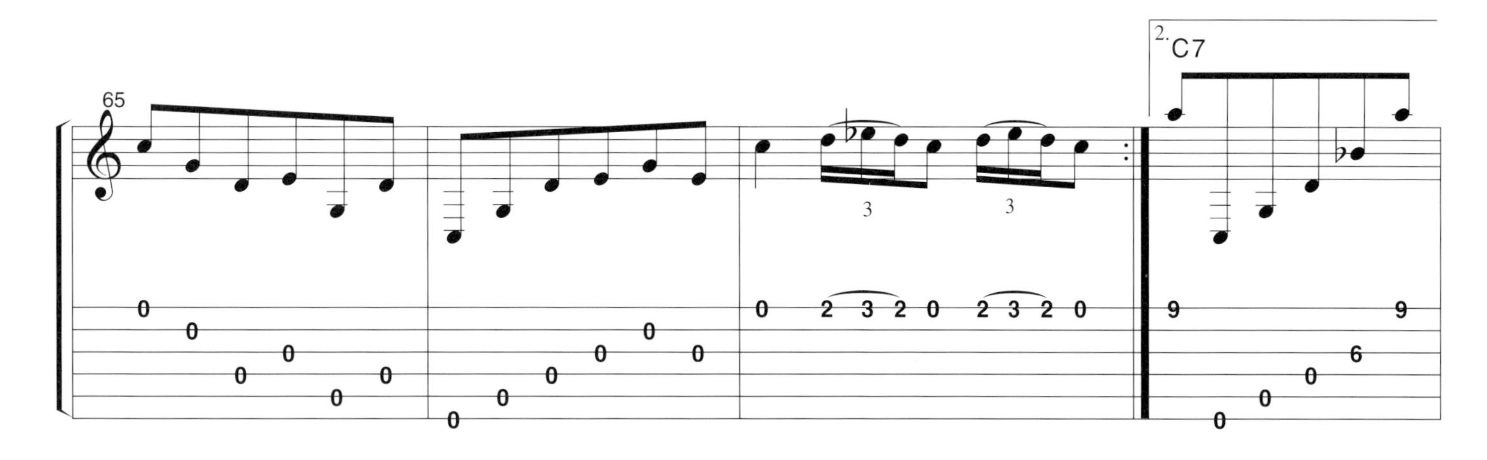

* Mixolydian：メジャー･スケールの５番めにできるモード。ここでは、Fメジャー･スケールを５番めのC音から１オクターヴ(C, D, E, F, G, A, B♭, C)演奏すると、Cミクソリディアン･モードになる

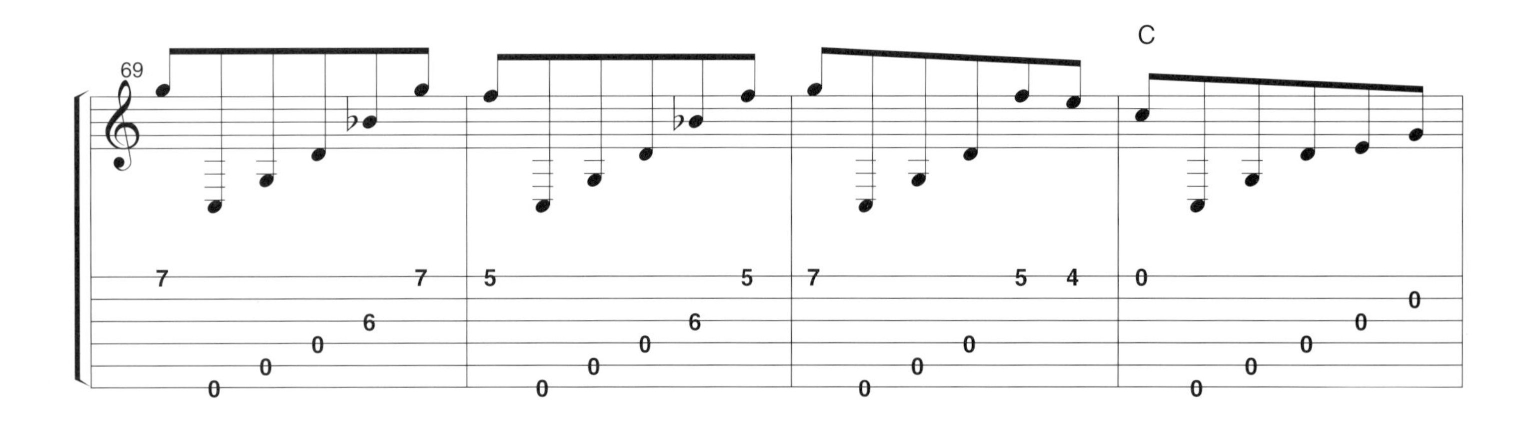
69
C
7 7 5 5 7 5 4 0
6 6 0
0 0 0 0 0
0 0 0 0
0 0 0 0

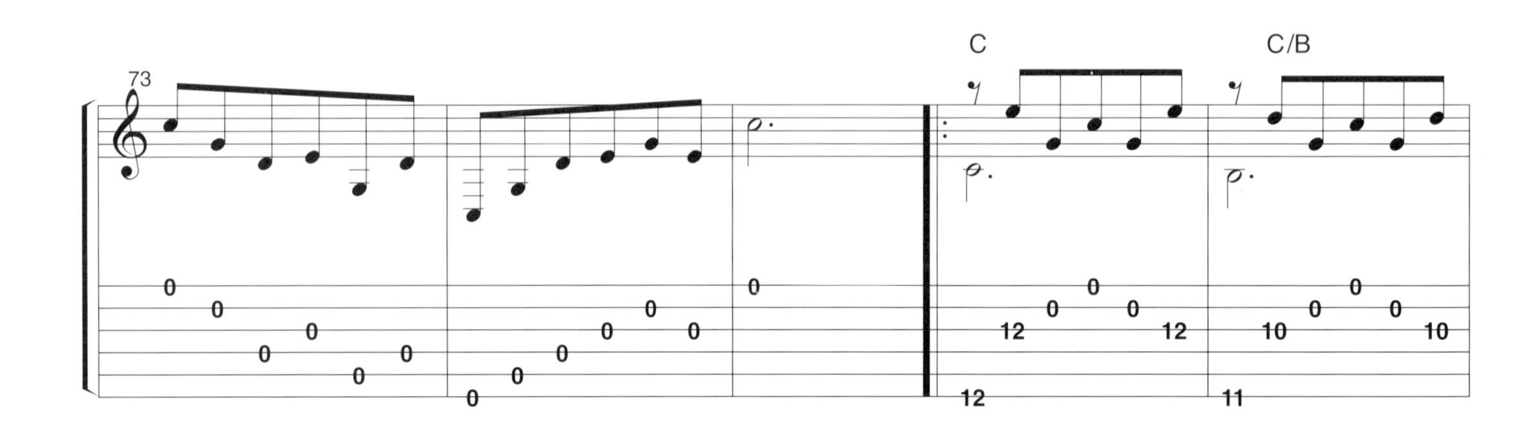
73
C
C/B
0 0 0
0 0 0 0 0
0 0 0 12 12 10 10
0 0 0
0 0 12 11
0

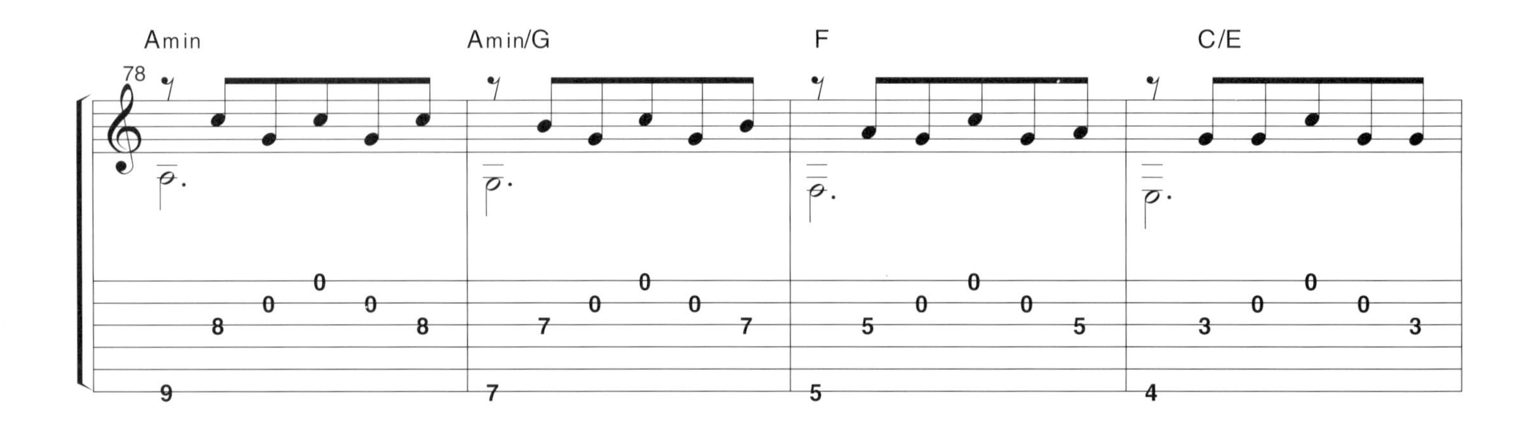
Amin
Amin/G
F
C/E
78
0 0 0 0
0 0 0 0 0 0 0 0
8 8 7 7 5 5 3 3
9 7 5 4

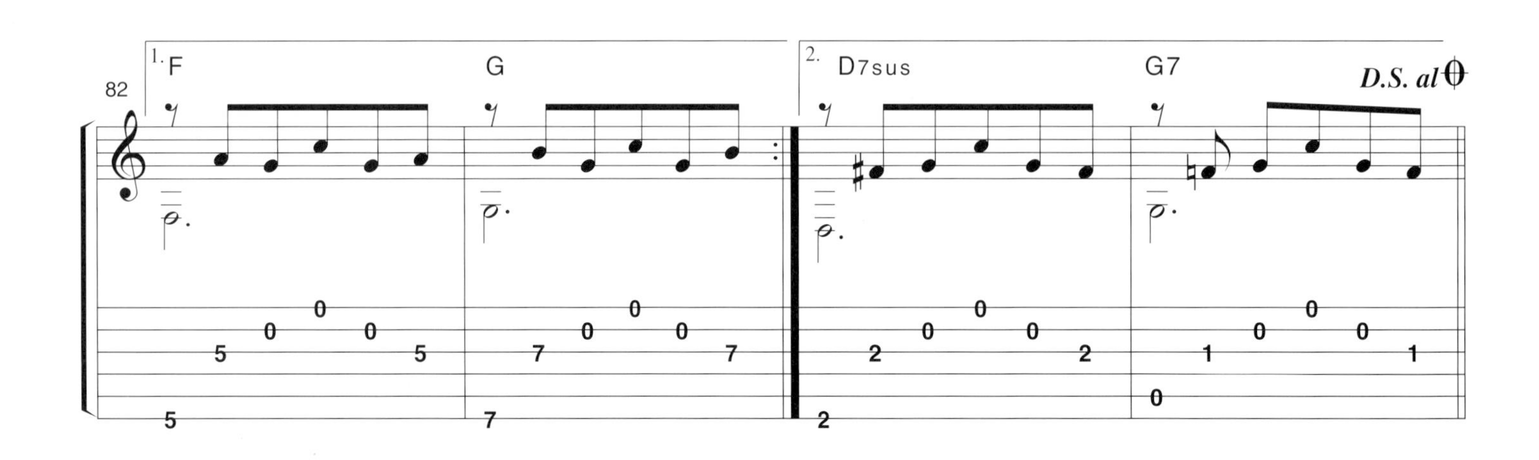
82
1. F
G
2. D7sus
G7
D.S. al
0 0 0 0
0 0 0 0 0 0 0 0
5 5 7 7 2 2 1 1
0
5 7 2

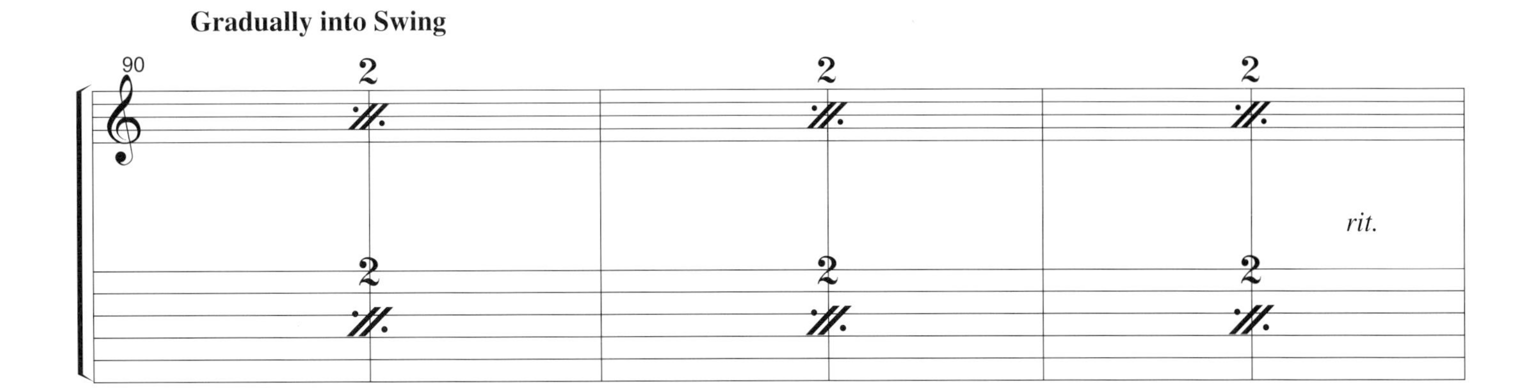

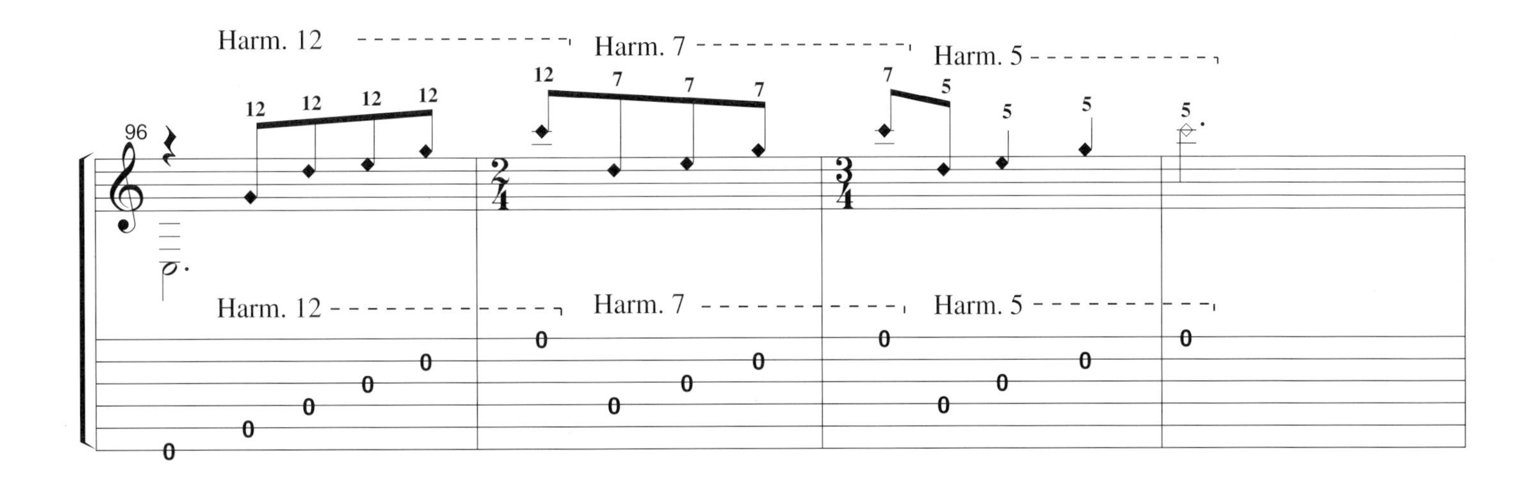

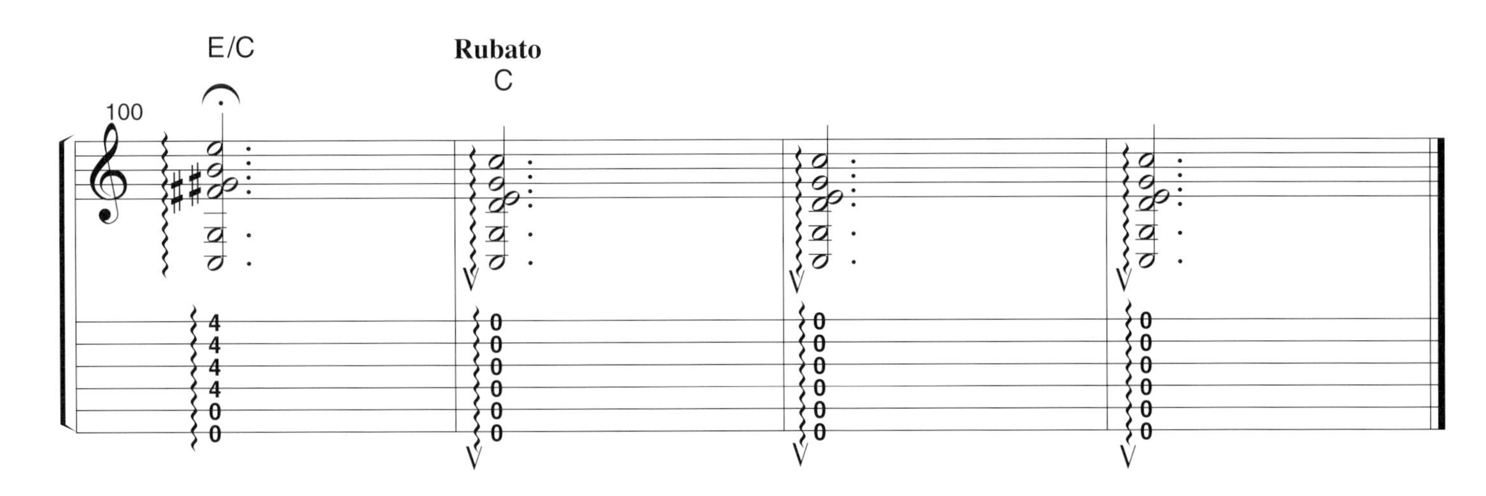

＊右手でタッピングした音は１拍分延ばし、そのあとプル･オフして開放弦を鳴らす

The Streets of Laredo
ストリート・ラレド

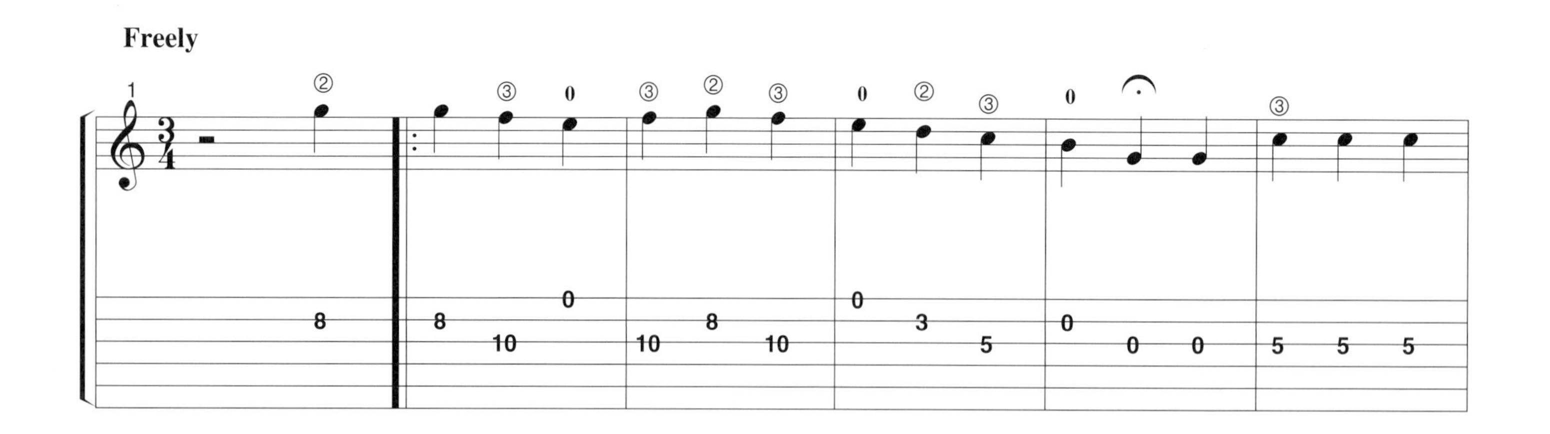

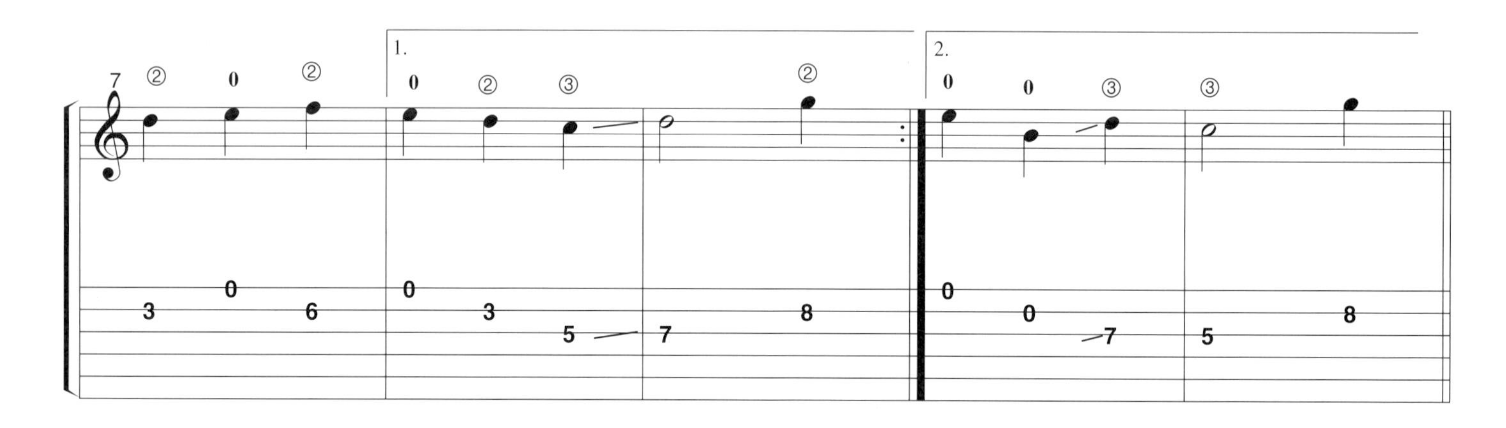

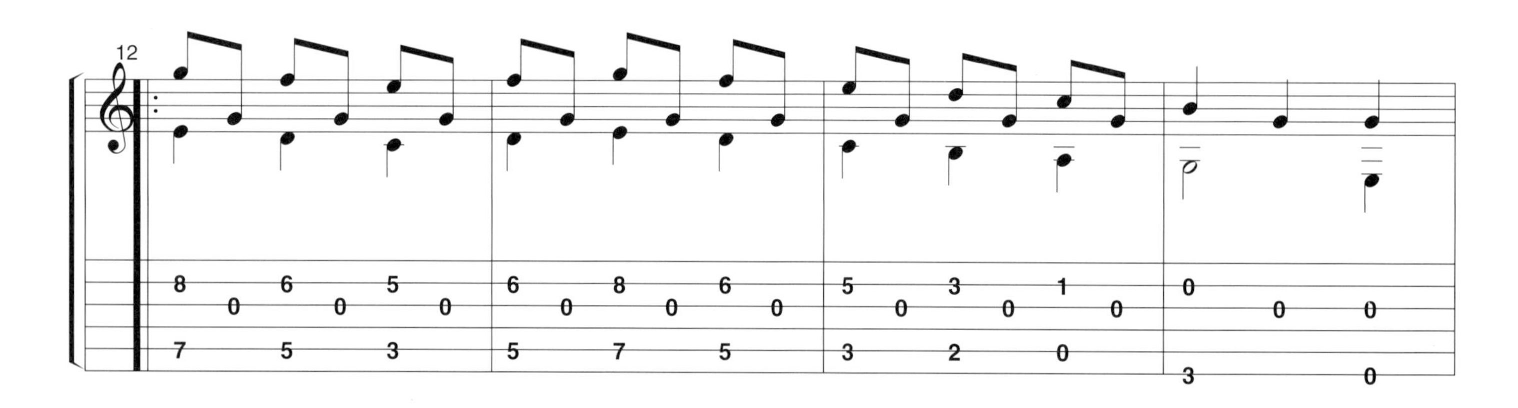

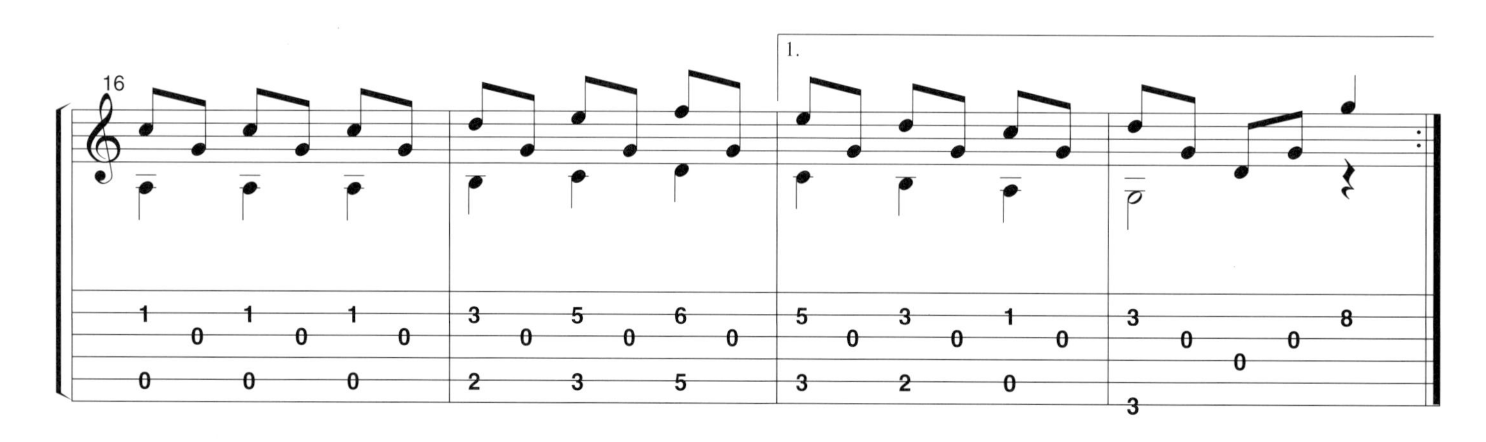

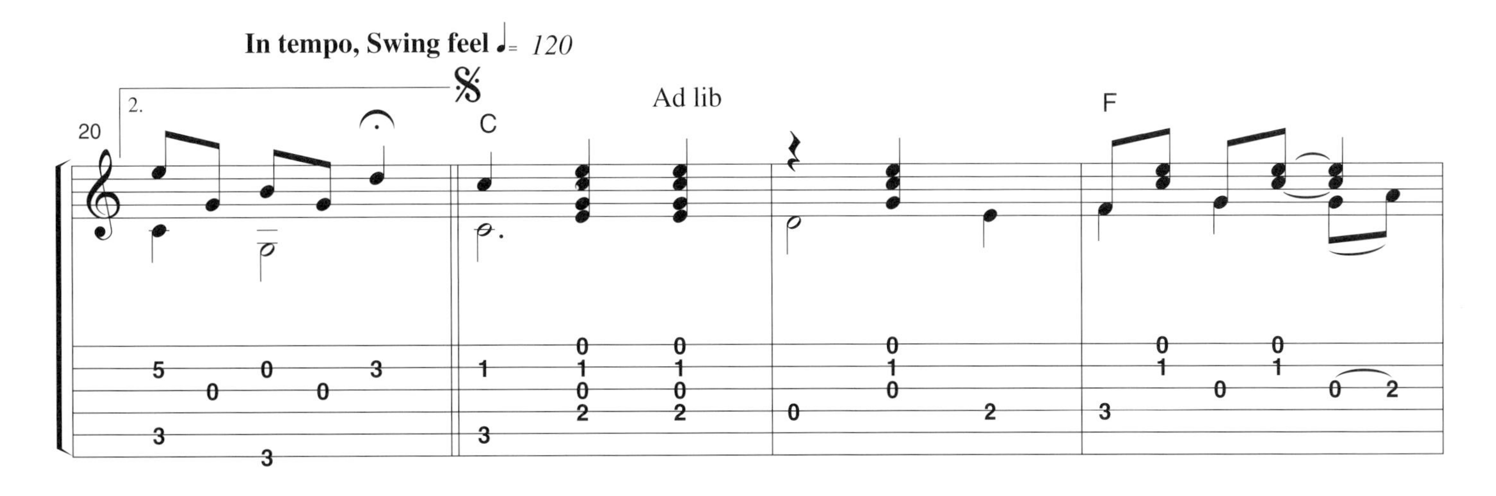

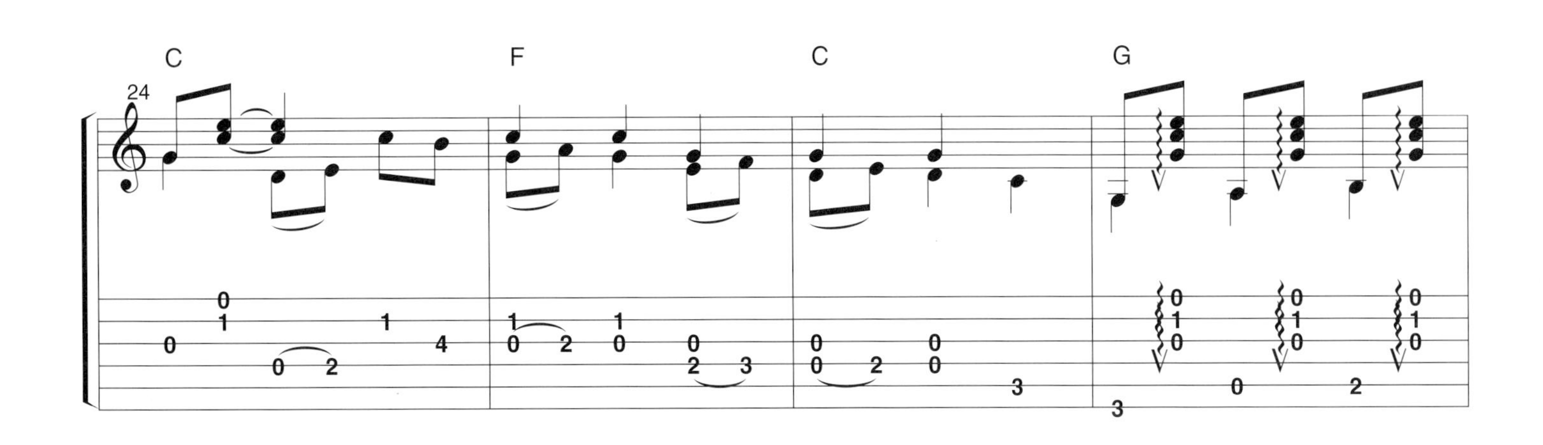

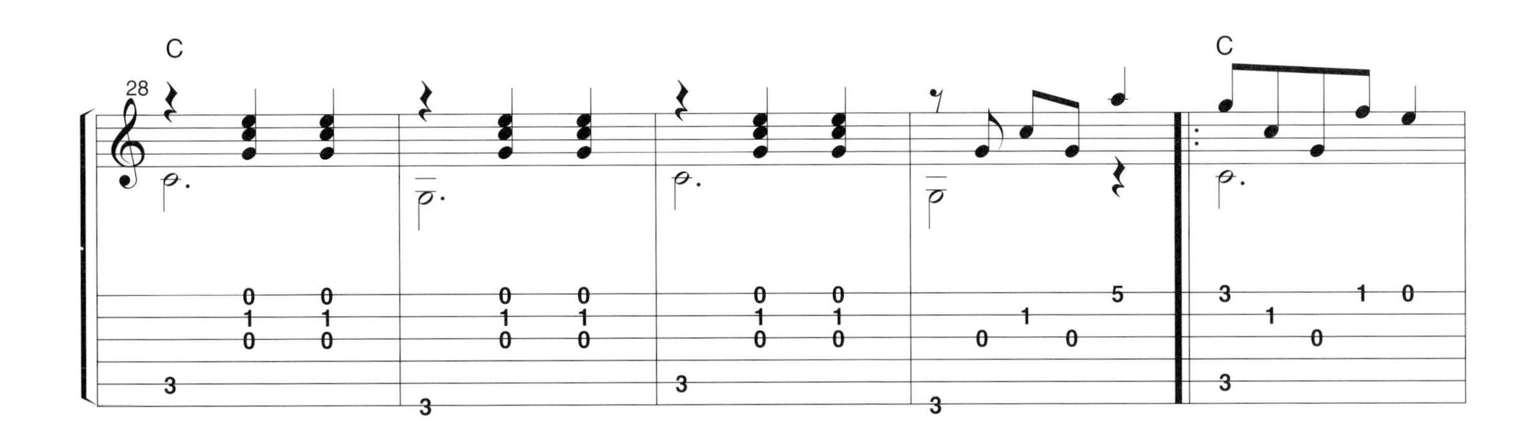

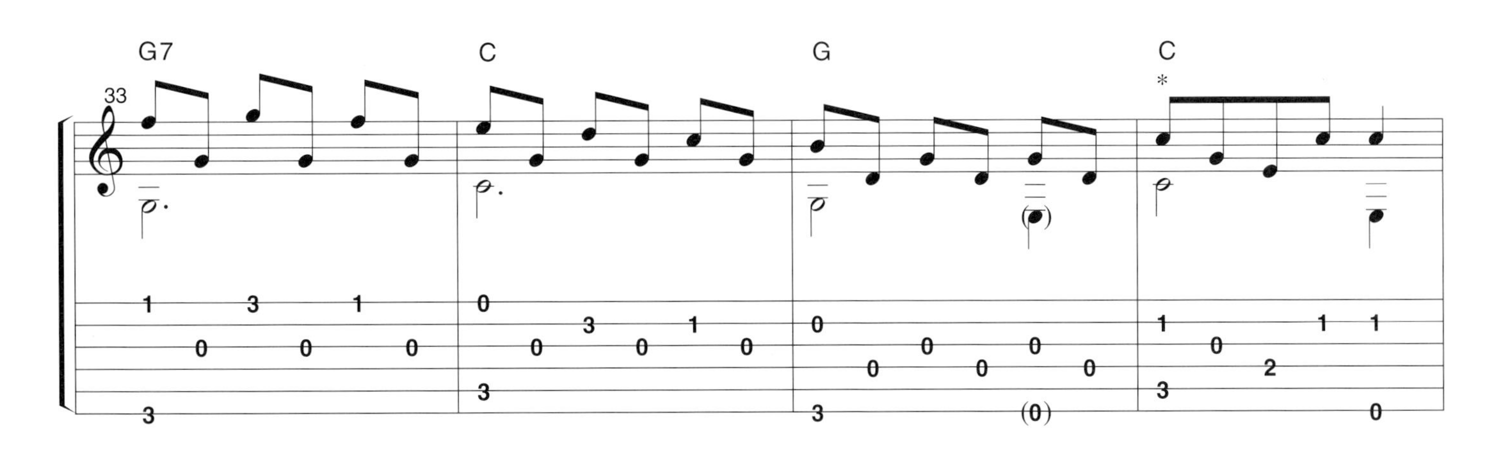

*Cの代理コードで、Aminを使ってもよい

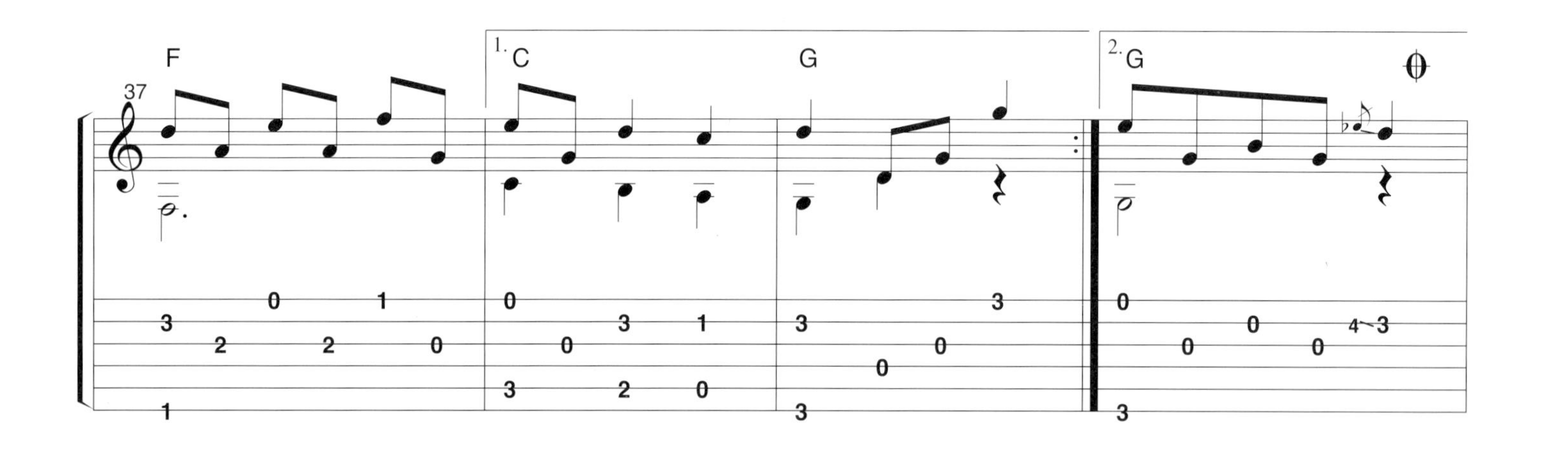
F
1. C
G
2. G
37

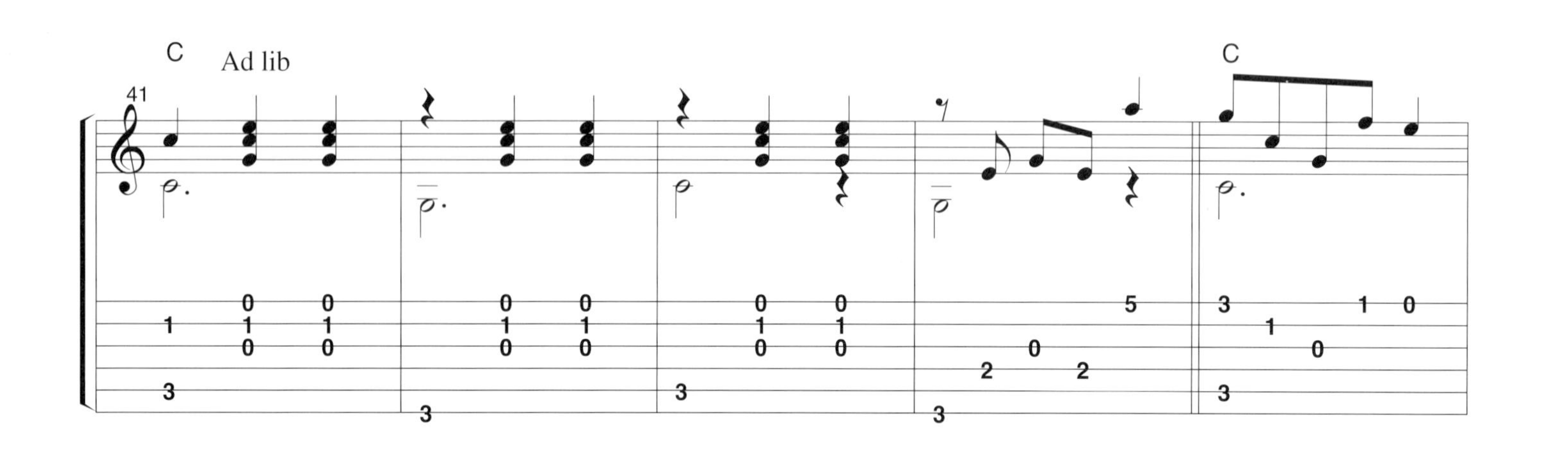
C
Ad lib
C
41

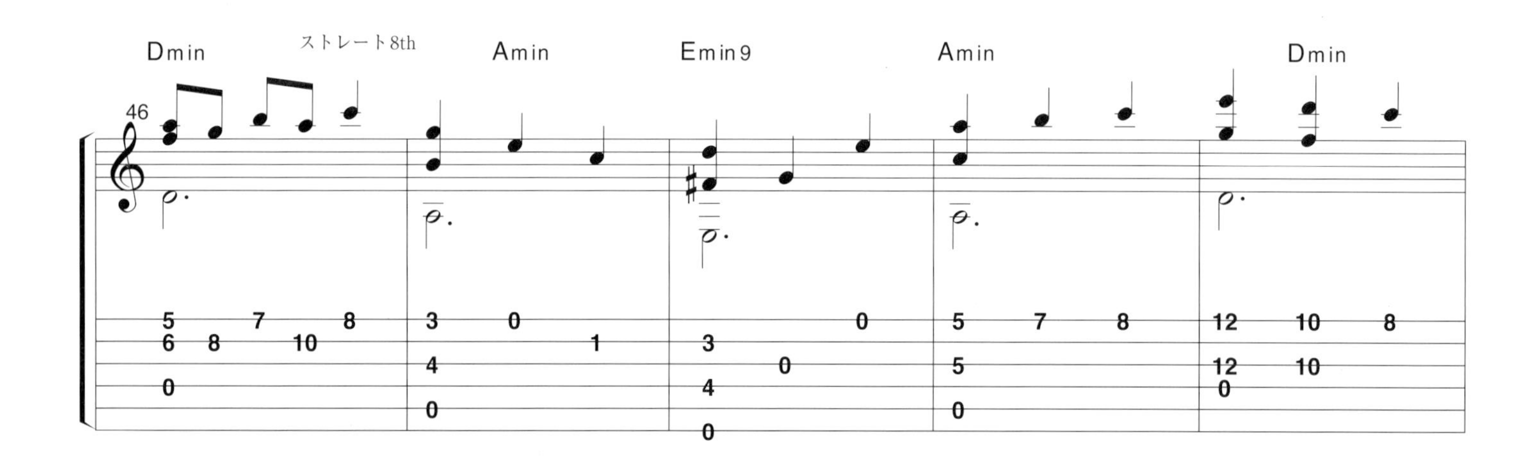
Dmin
ストレート8th
Amin
Emin9
Amin
Dmin
46

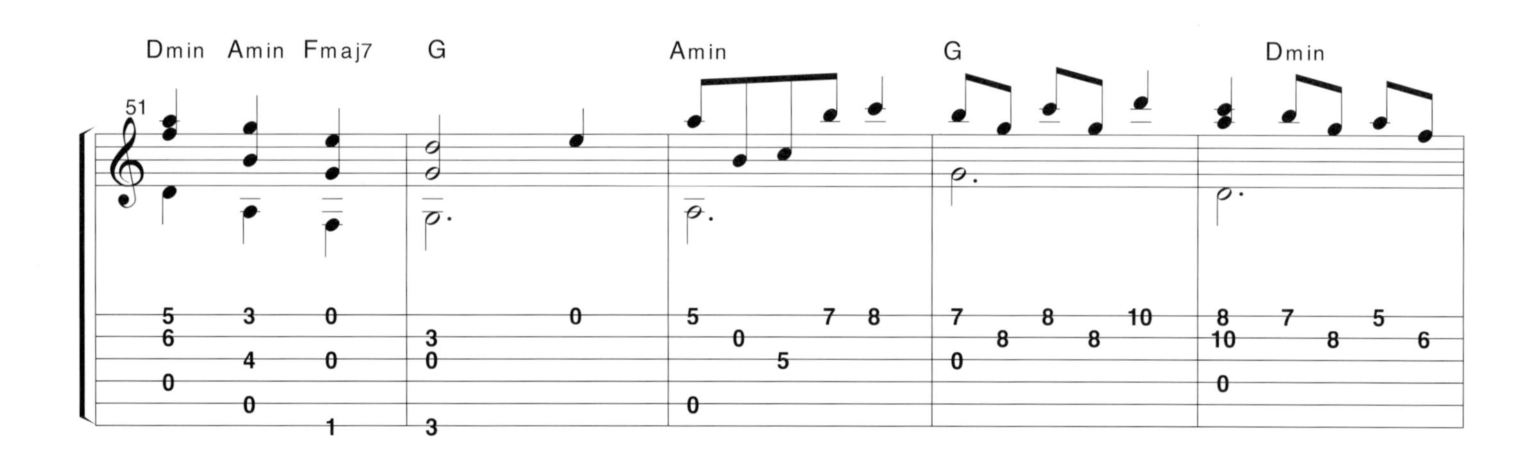
Dmin
Amin
Fmaj7
G
Amin
G
Dmin
51

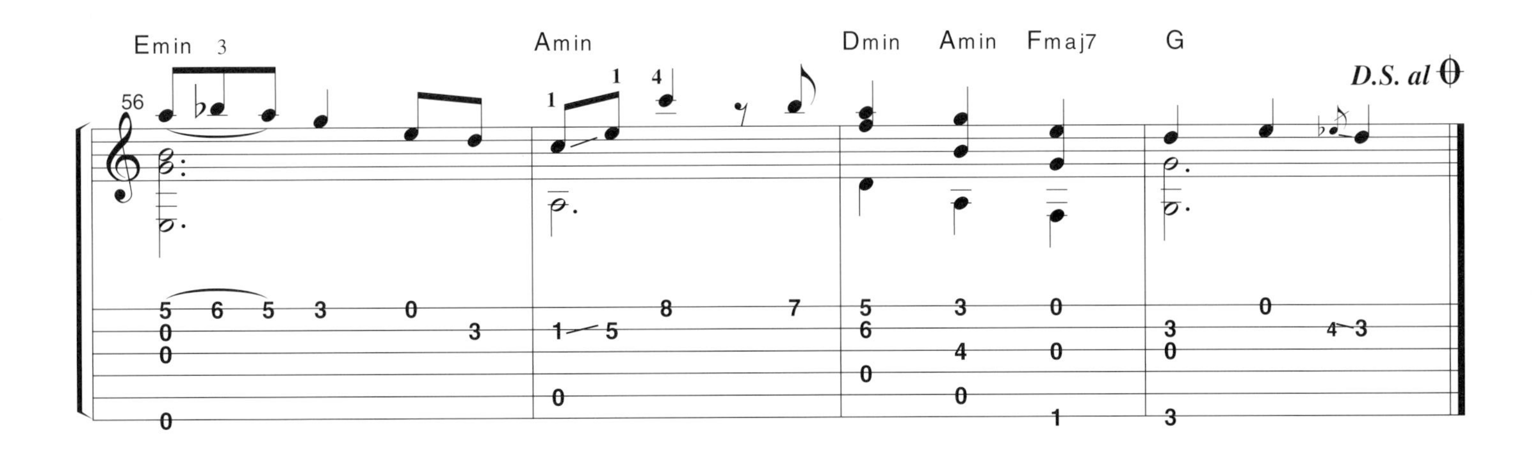
Emin
Amin
Dmin
Amin
Fmaj7
G
D.S. al

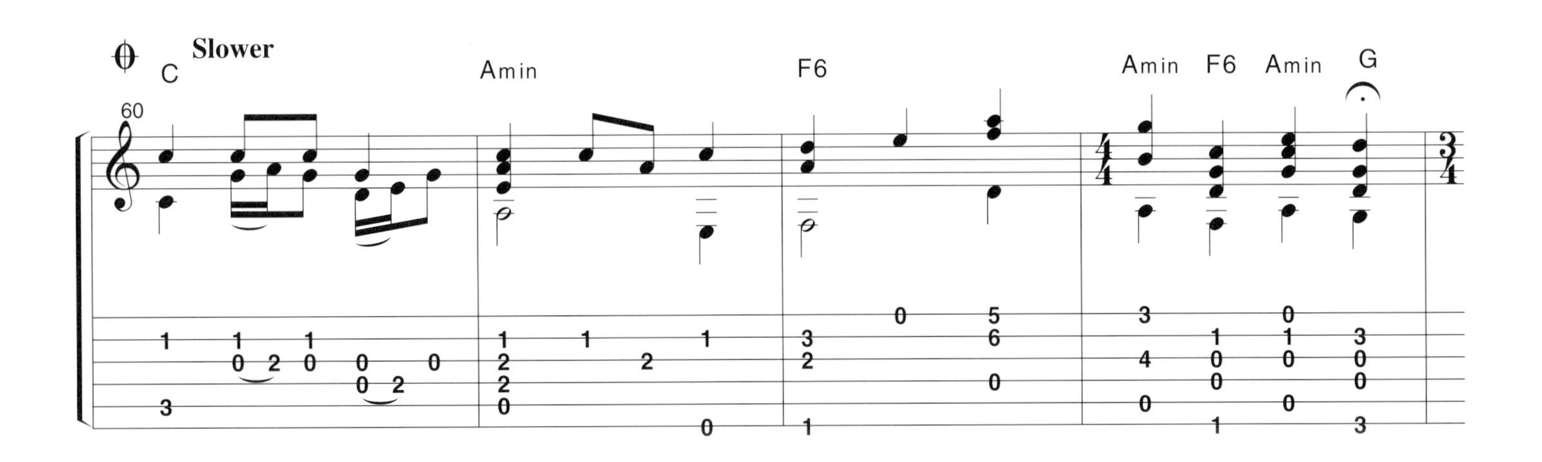
Slower
C
Amin
F6
Amin
F6
Amin
G

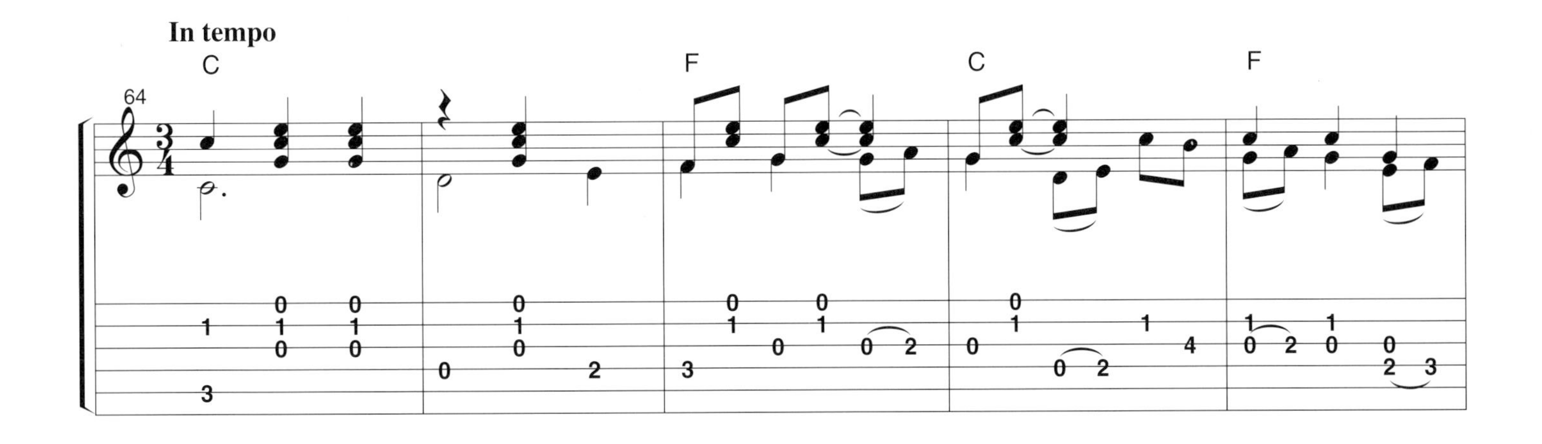
In tempo
C
F
C
F

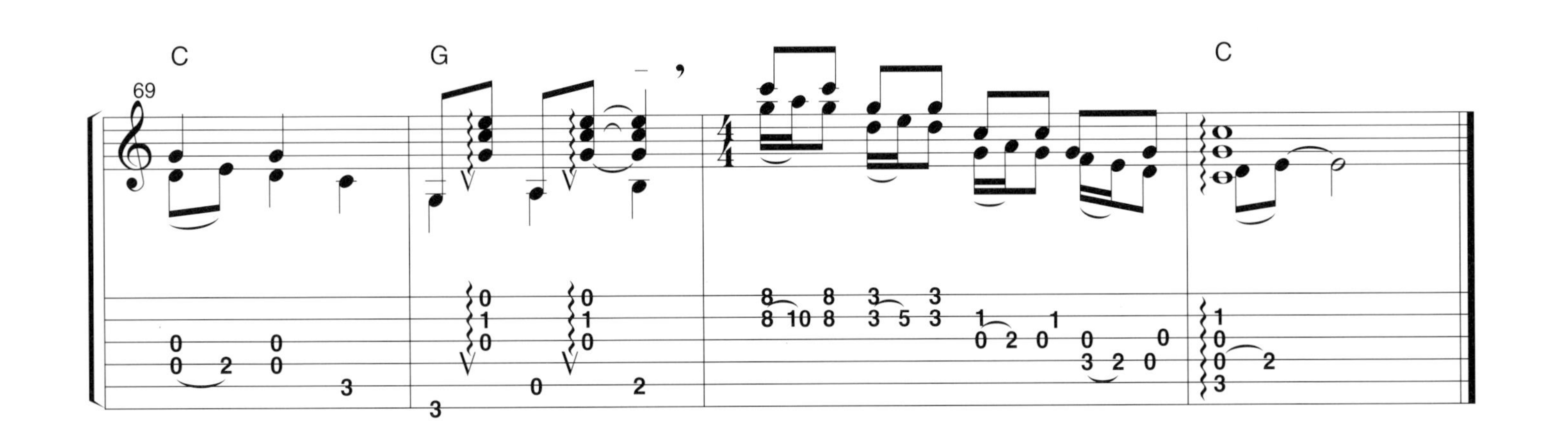
C
G
C

Night Herding Song

ナイト・ハーディング・ソング

＊くり返し後の２回めは、p.78の**オプション １**を演奏してもよい。付属CDの模範演奏ではp.78の**オプション １**を演奏している

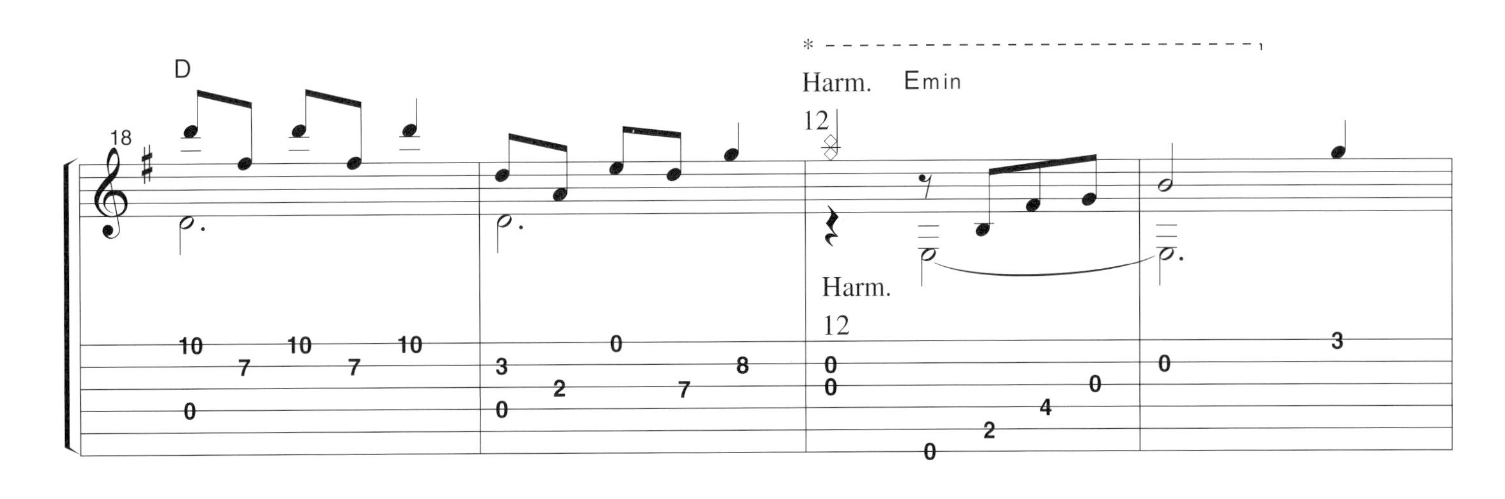

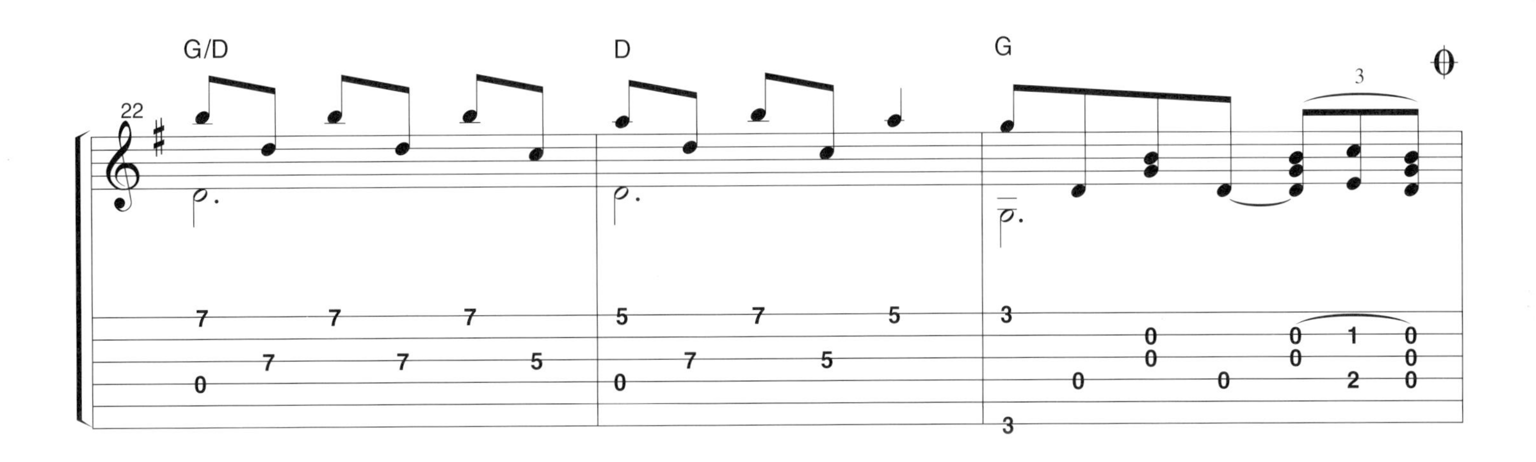

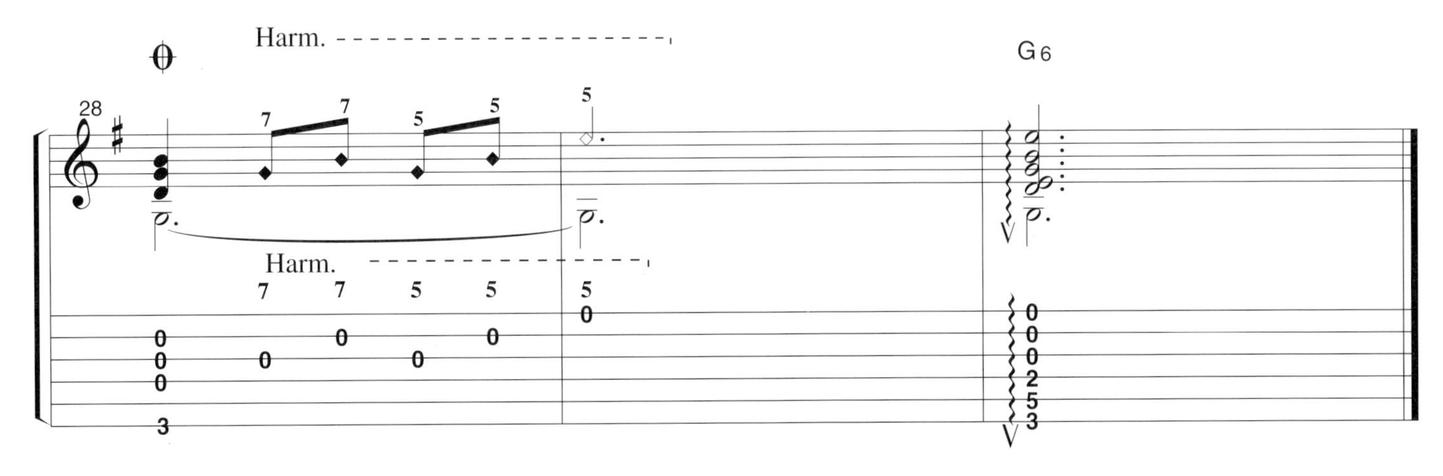

＊くり返し後の２回めは、p.78のオプション２を演奏してもよい。付属CDの模範演奏ではp.78のオプション２を演奏している

オプション 1

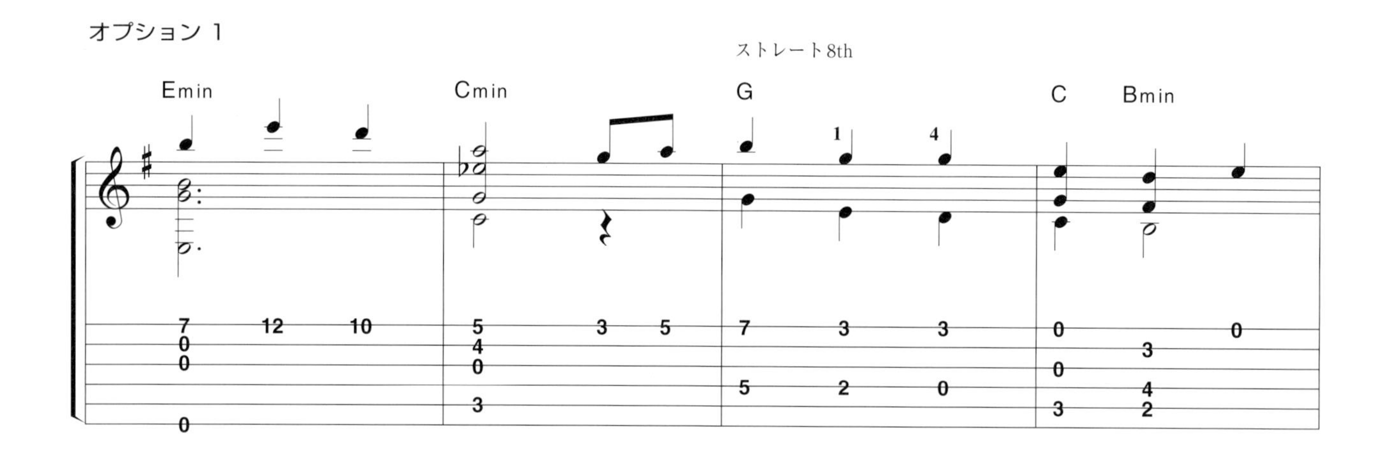

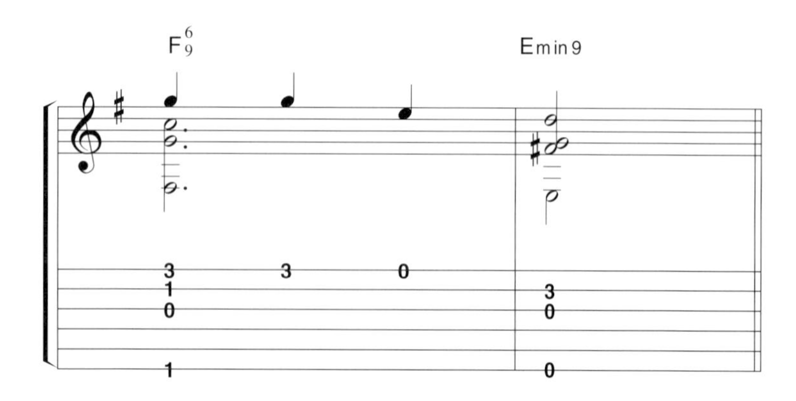

オプション 2

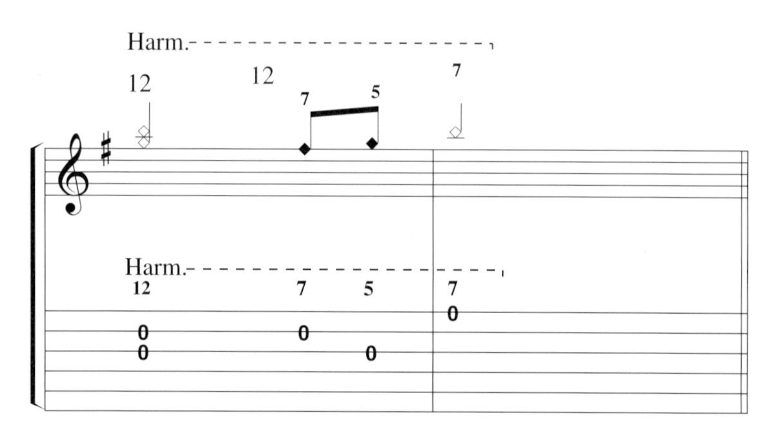

The Trail to Mexico

トレイル・トゥ・メキシコ

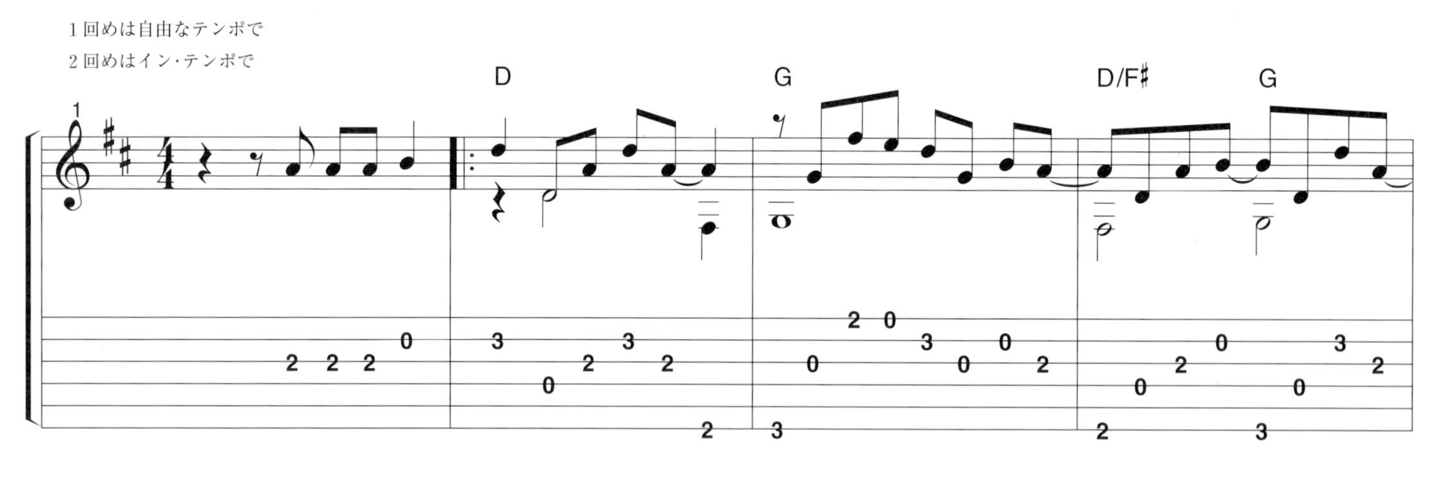

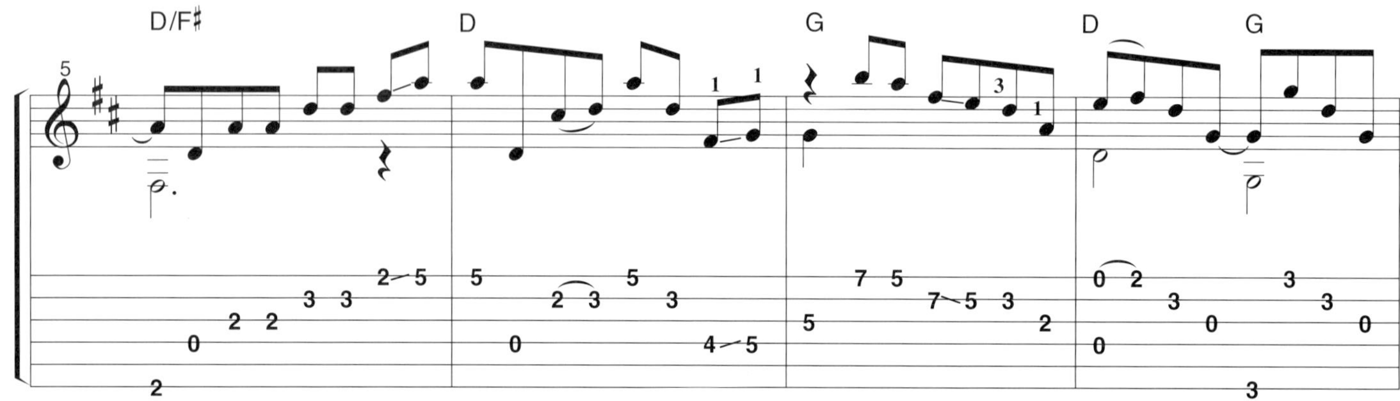

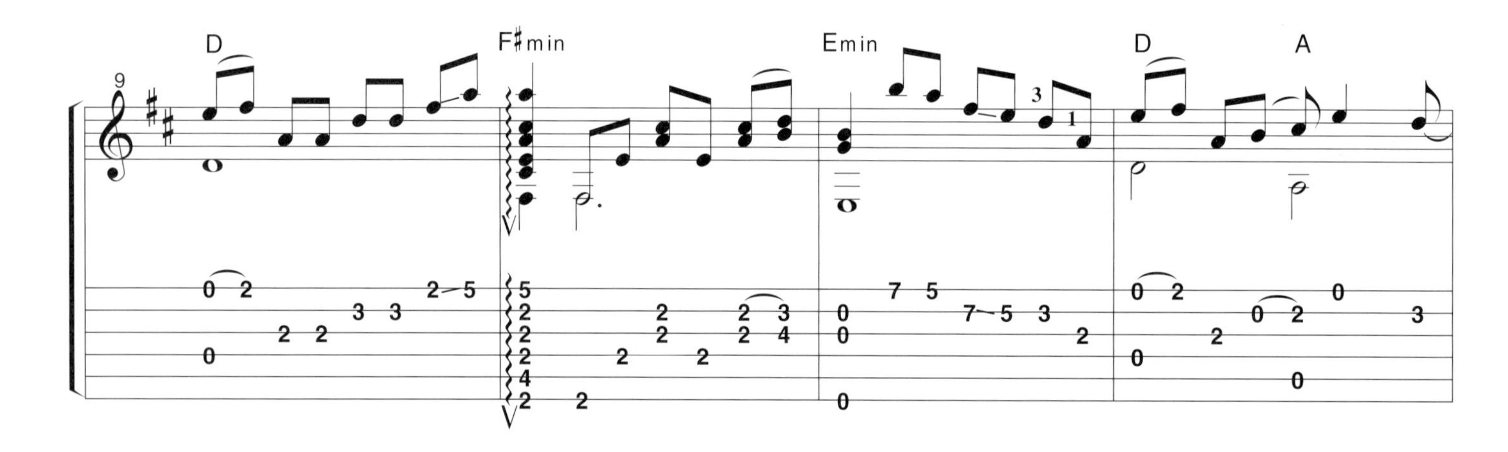

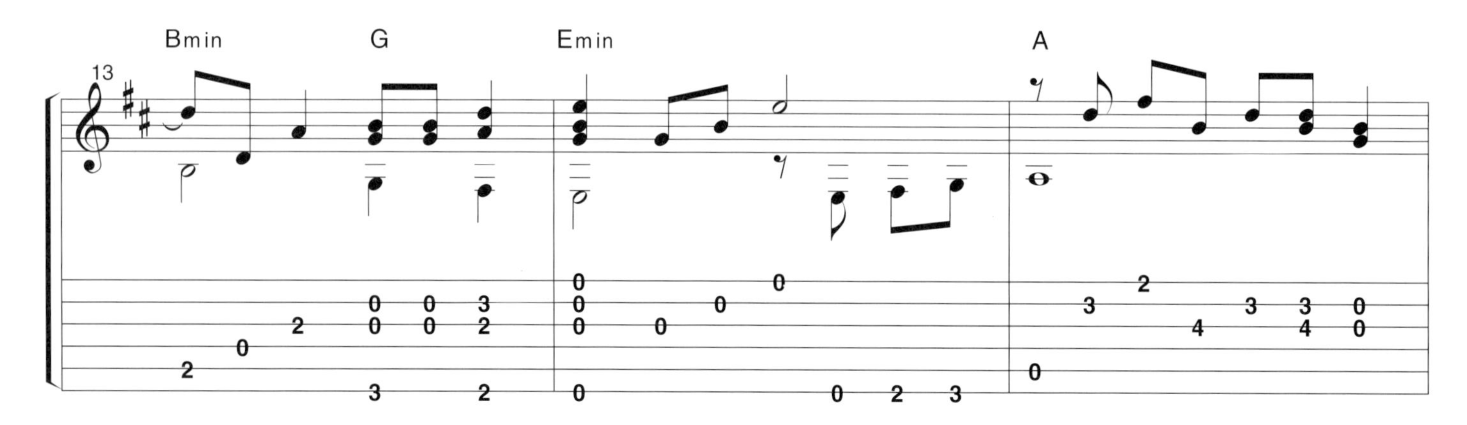

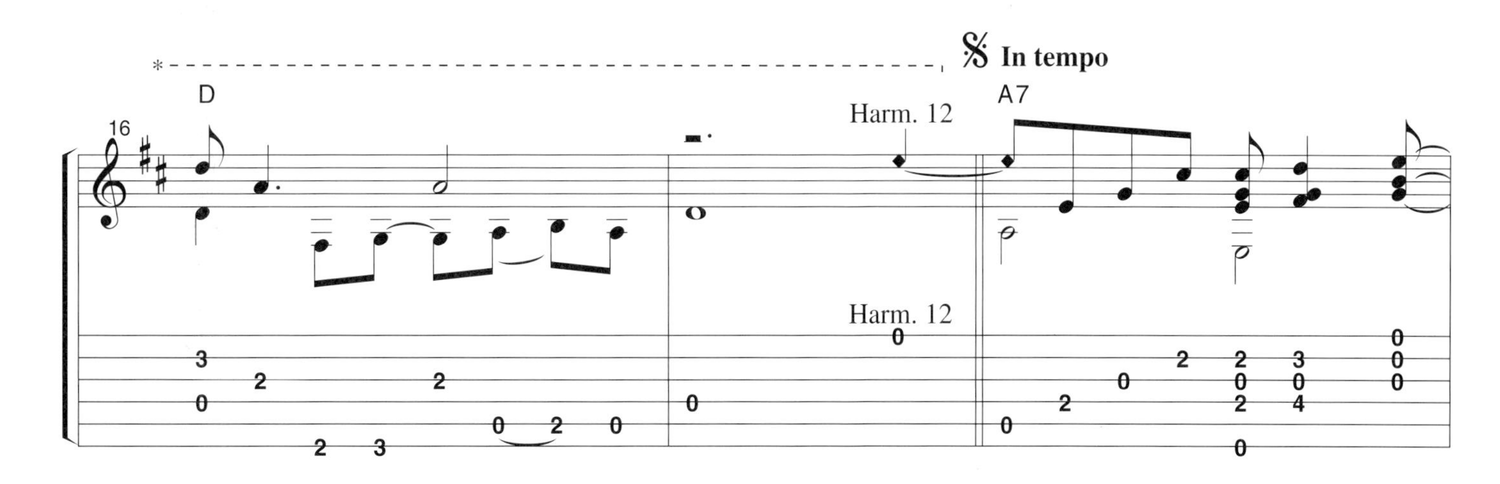

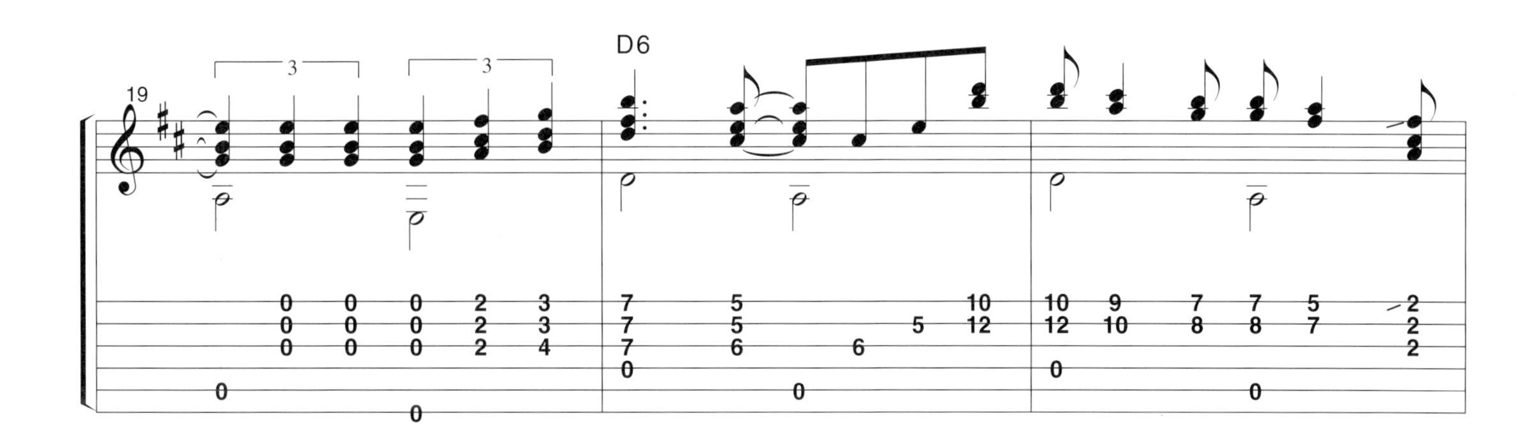

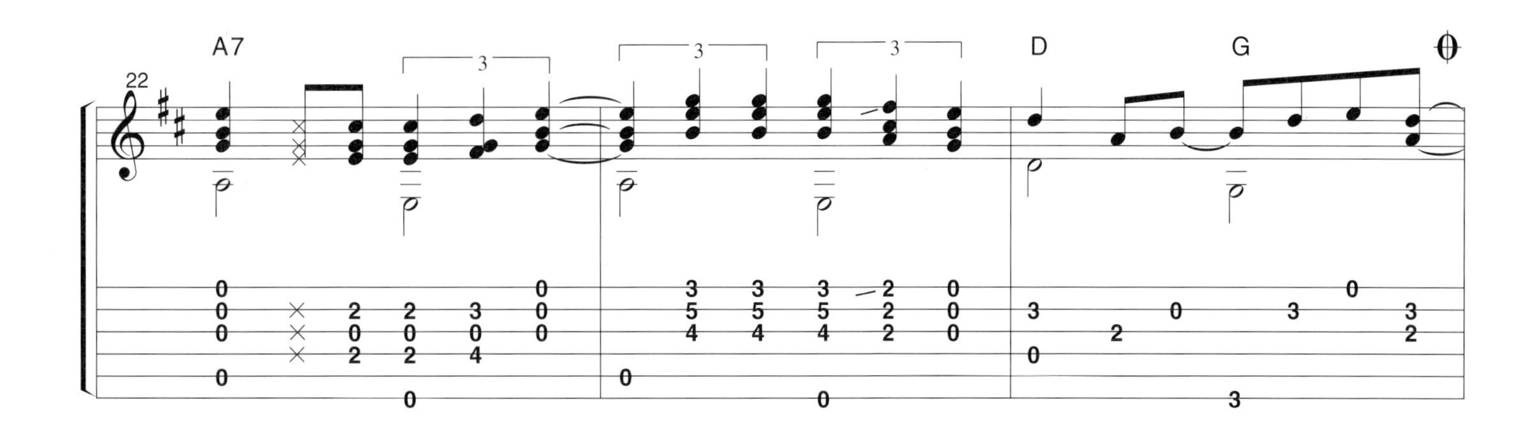

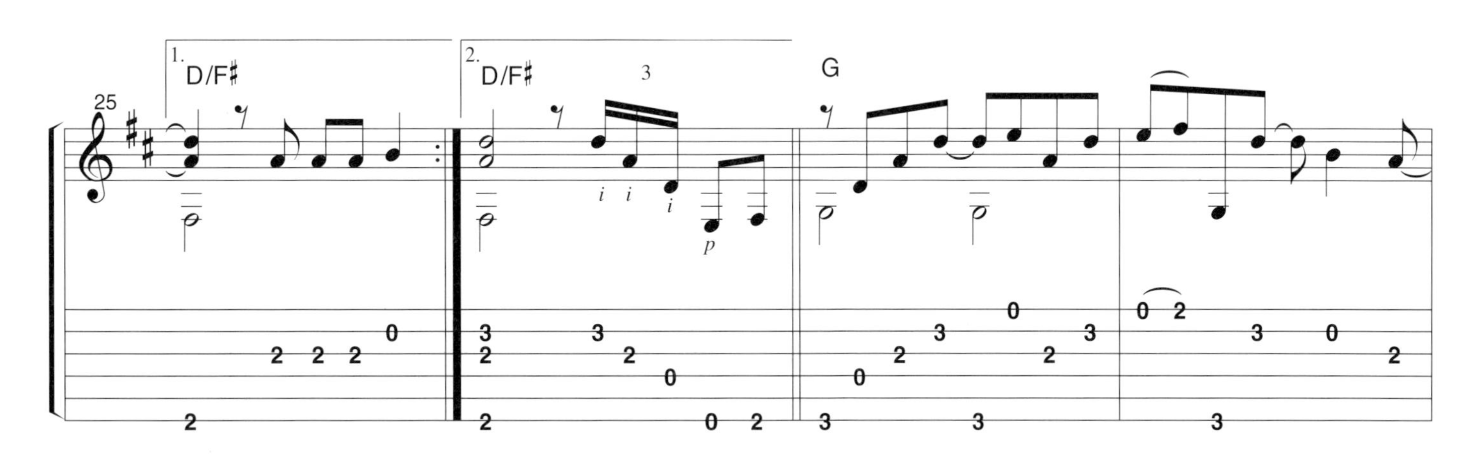

* *D.S.*後のくり返しの時は、p.83のオプションを演奏する

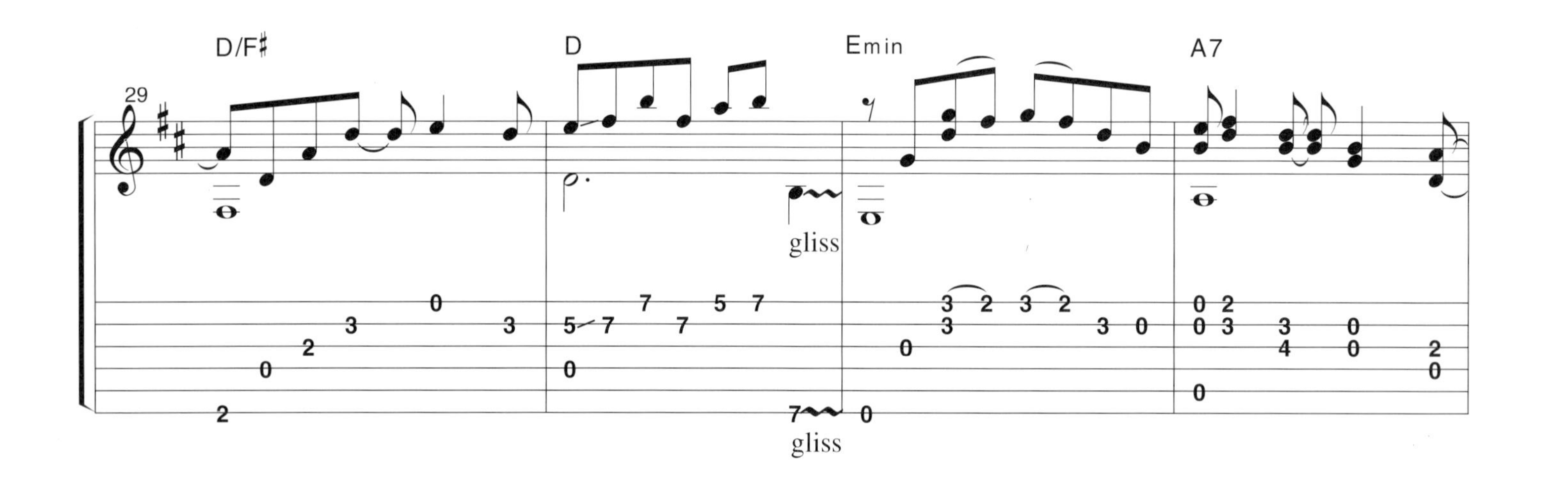
29
D/F♯
D
Emin
A7
gliss
gliss

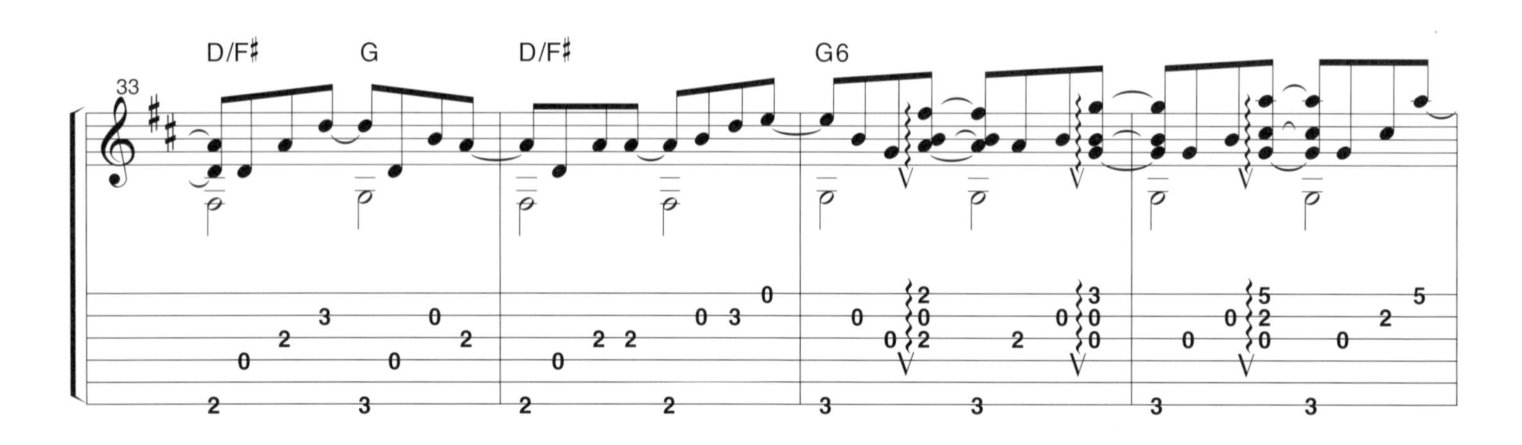
33
D/F♯
G
D/F♯
G6

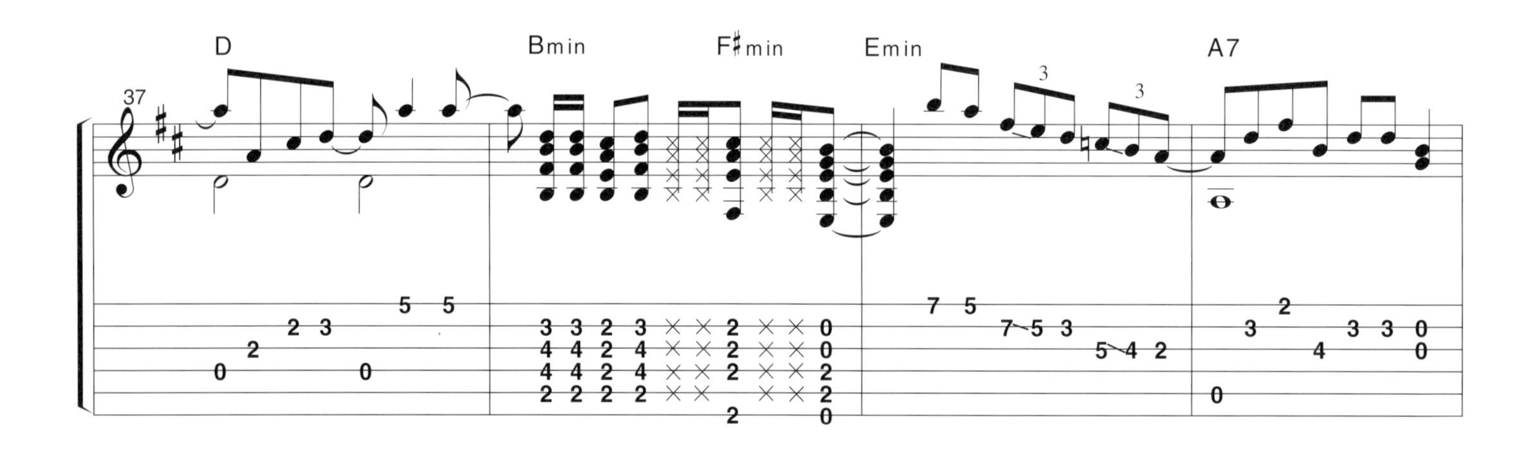
37
D
Bmin
F♯min
Emin
A7

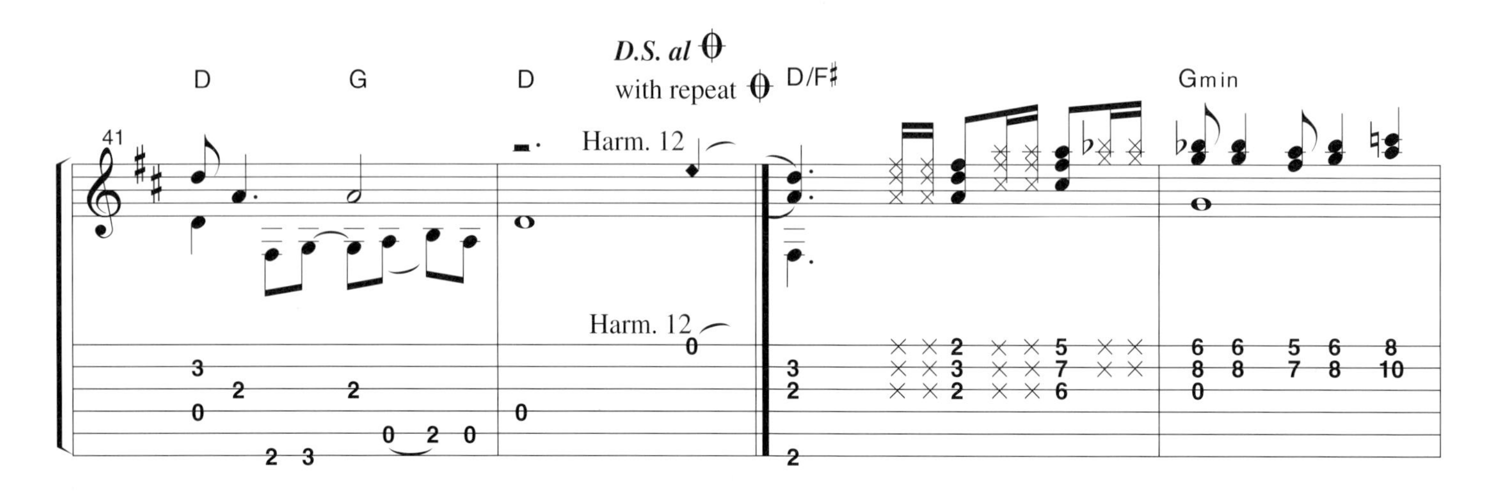
41
D
G
D
D.S. al ⊕
with repeat ⊕
D/F♯
Gmin
Harm. 12
Harm. 12

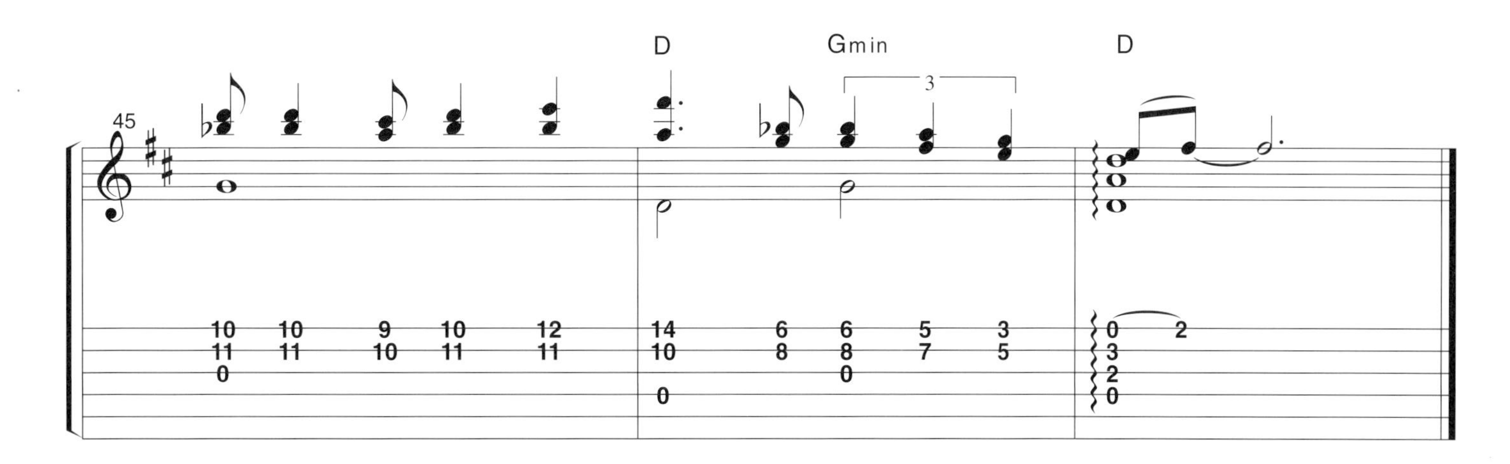
D
Gmin
D

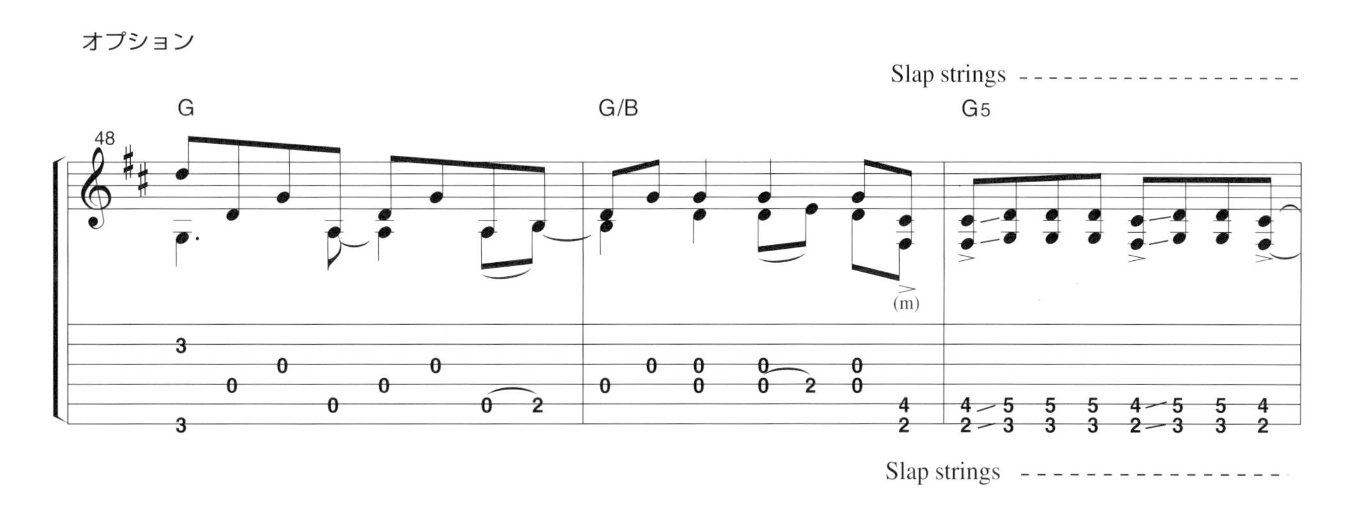
オプション
Slap strings
G
G/B
G5
(m)
Slap strings

R.H.
Harm. 12
R.H.
Harm. 12

The Old Paint Medley

Goodbye Old Paint / I Ride an Old Paint

オールド・ペイント・メドレー

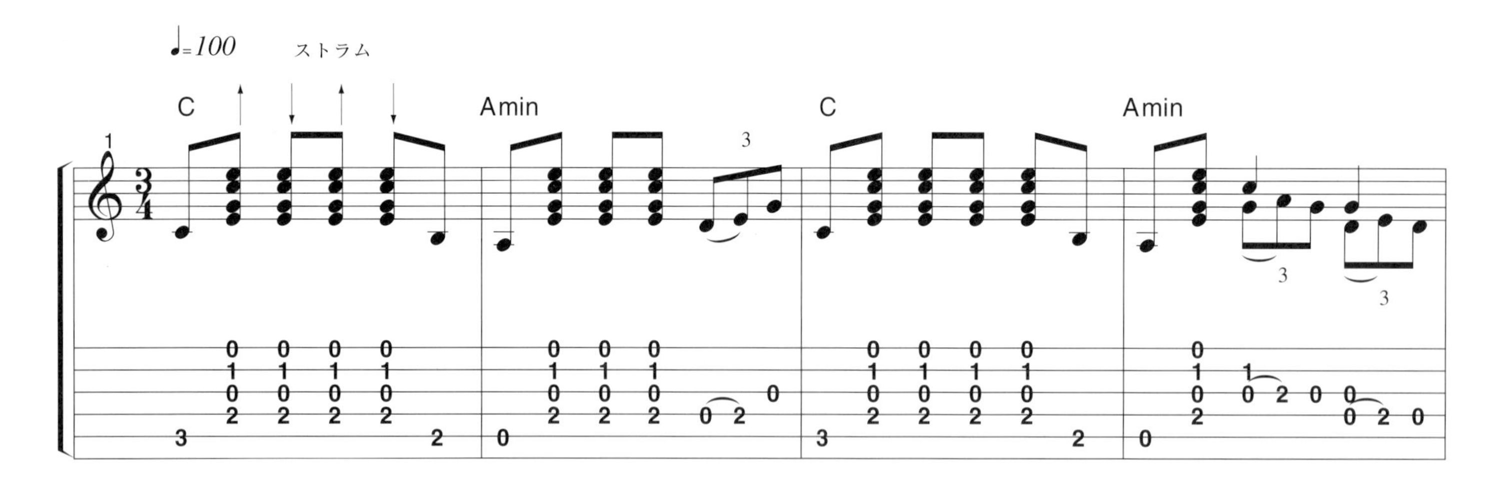

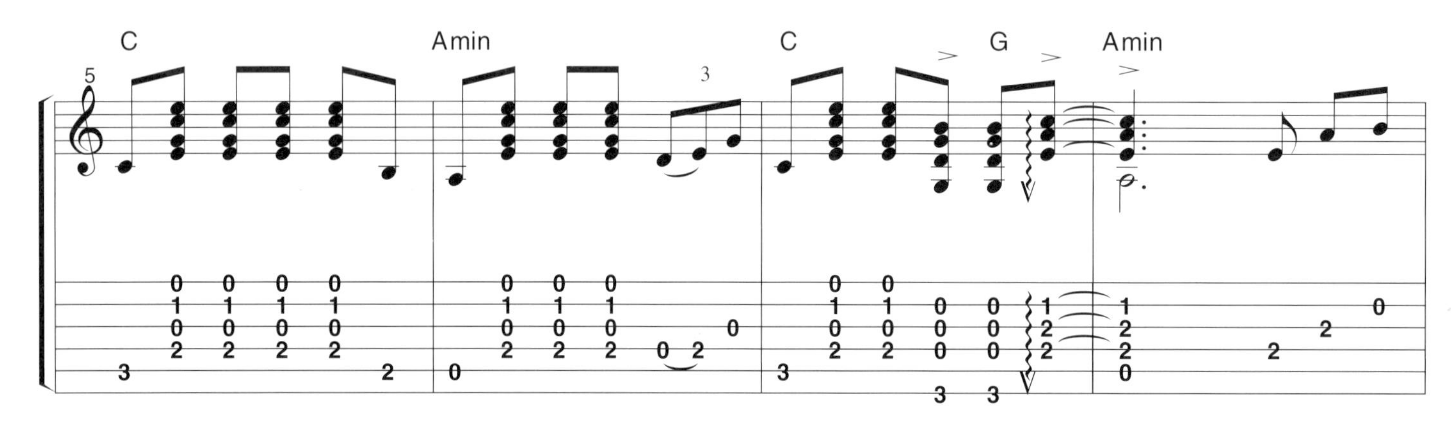

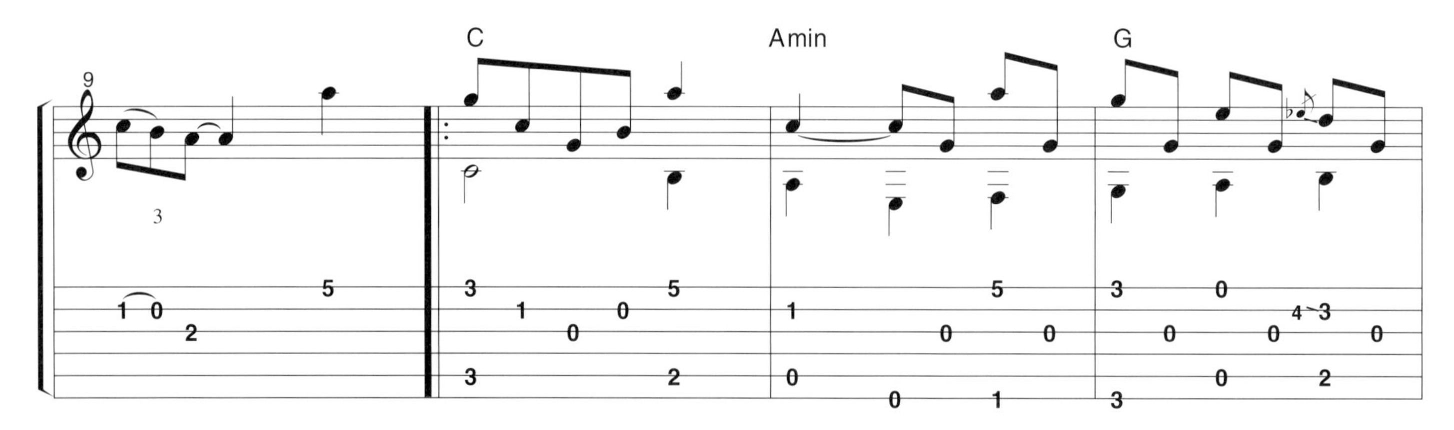

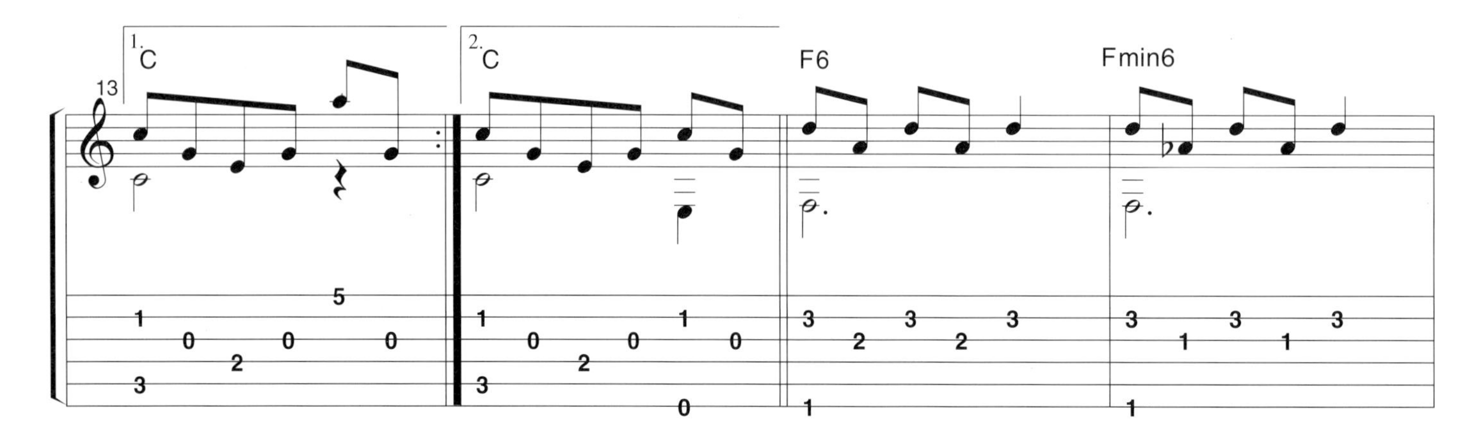

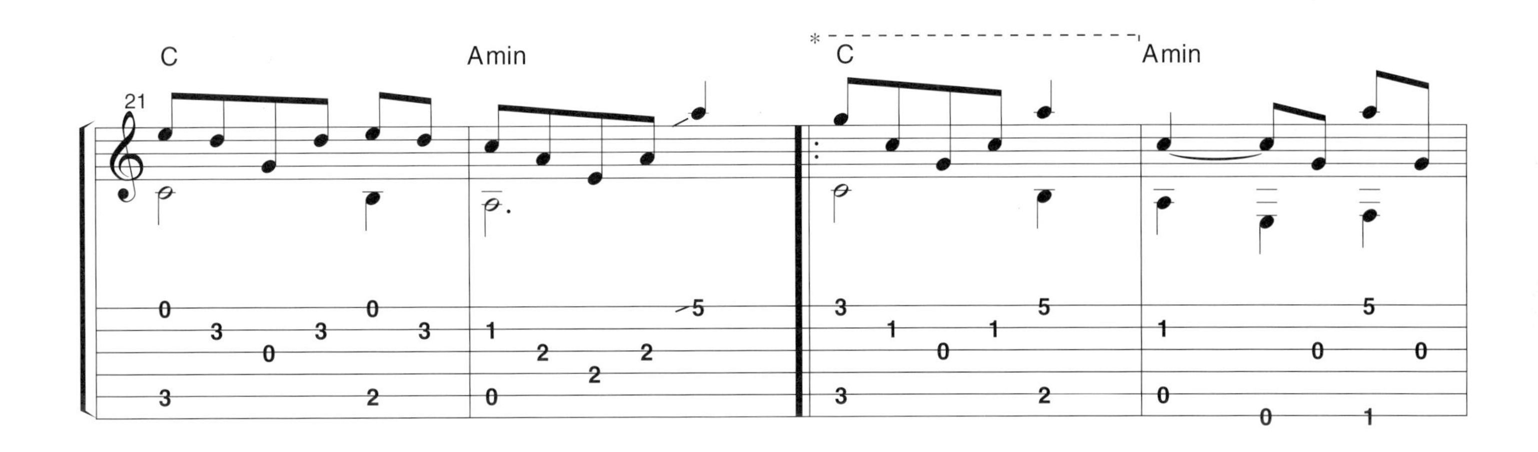

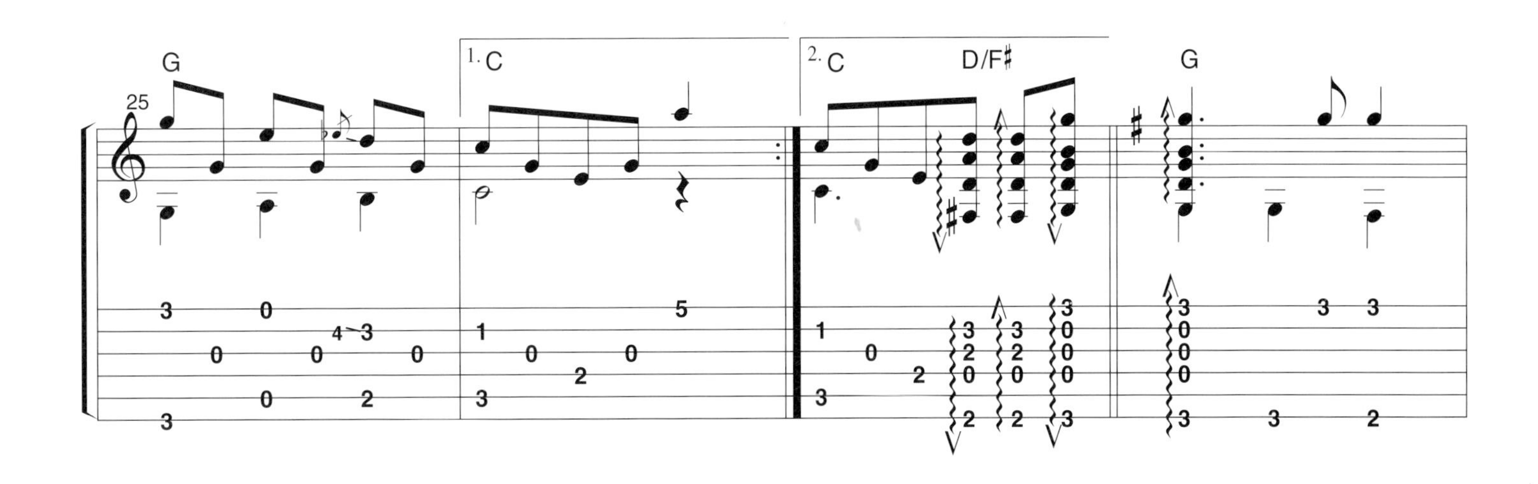

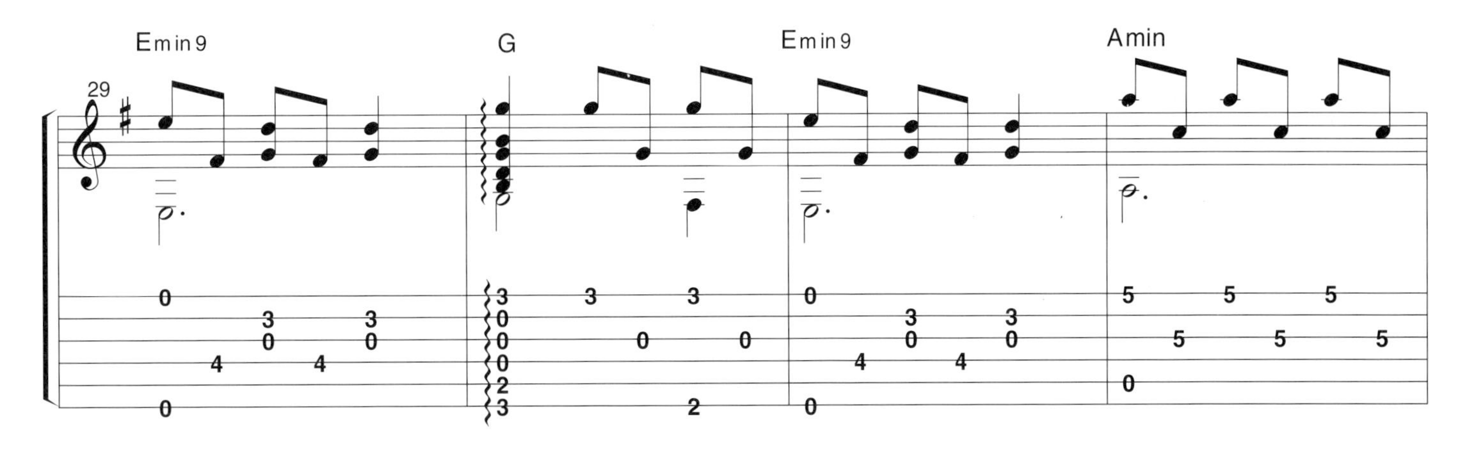

＊くり返しの後は、p.89のオプションを演奏する

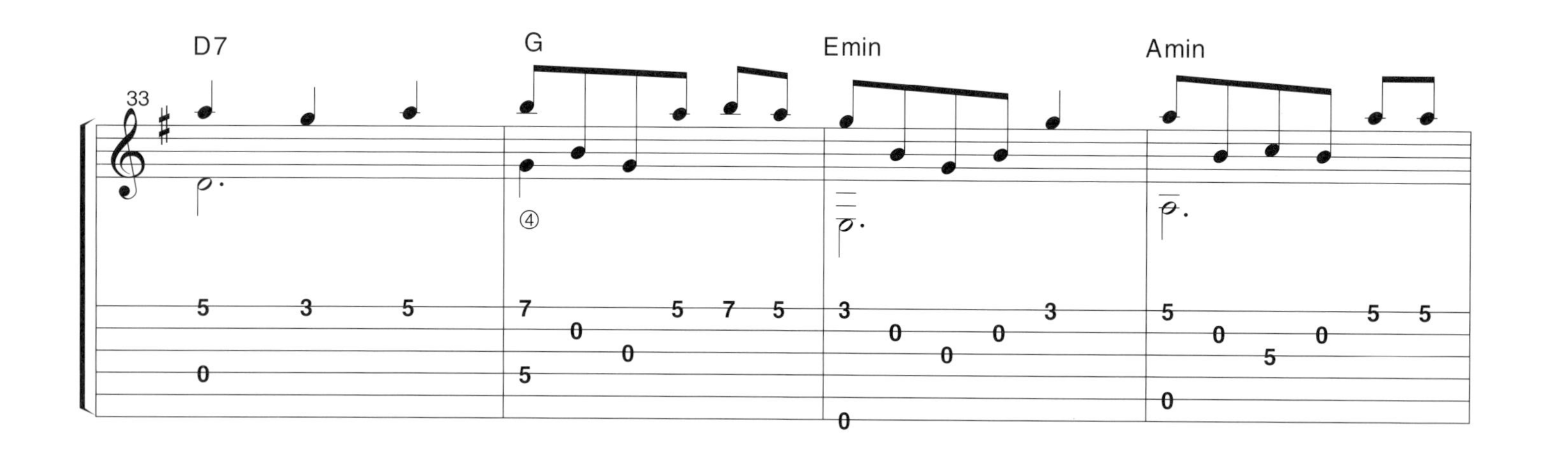
D7
G
Emin
Amin
33

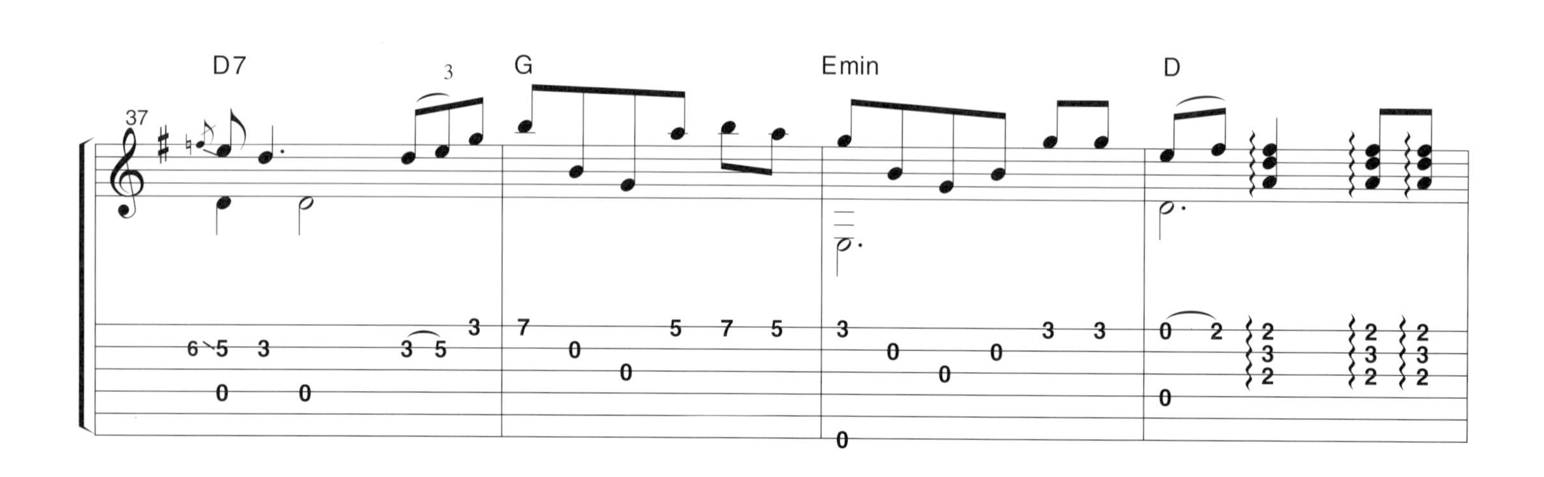
D7
G
Emin
D
37

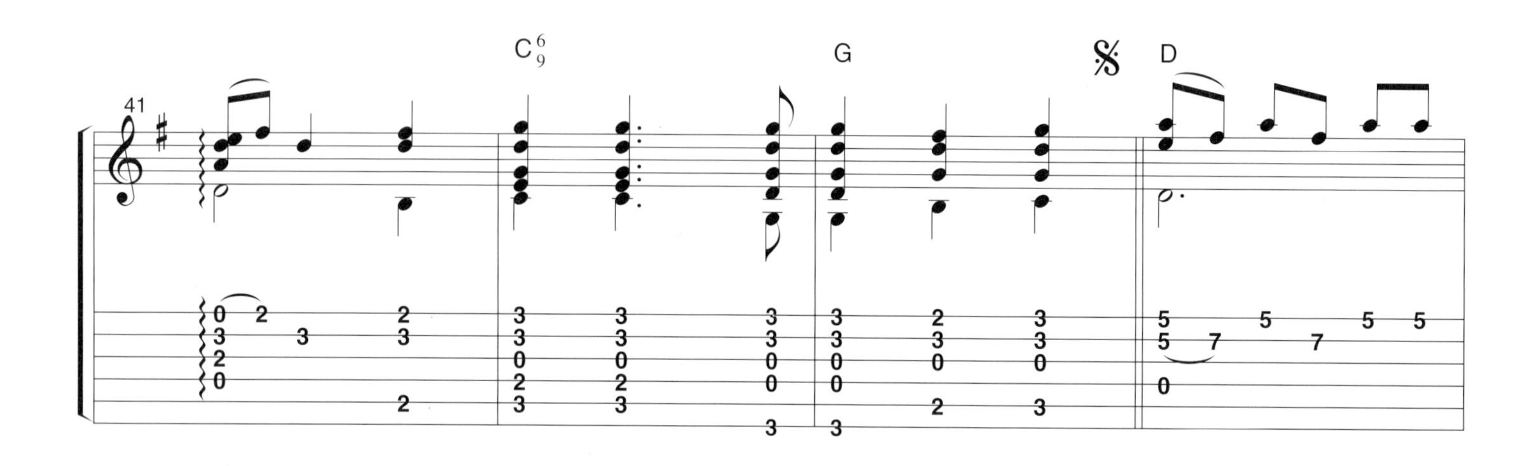
C6/9
G
D
41

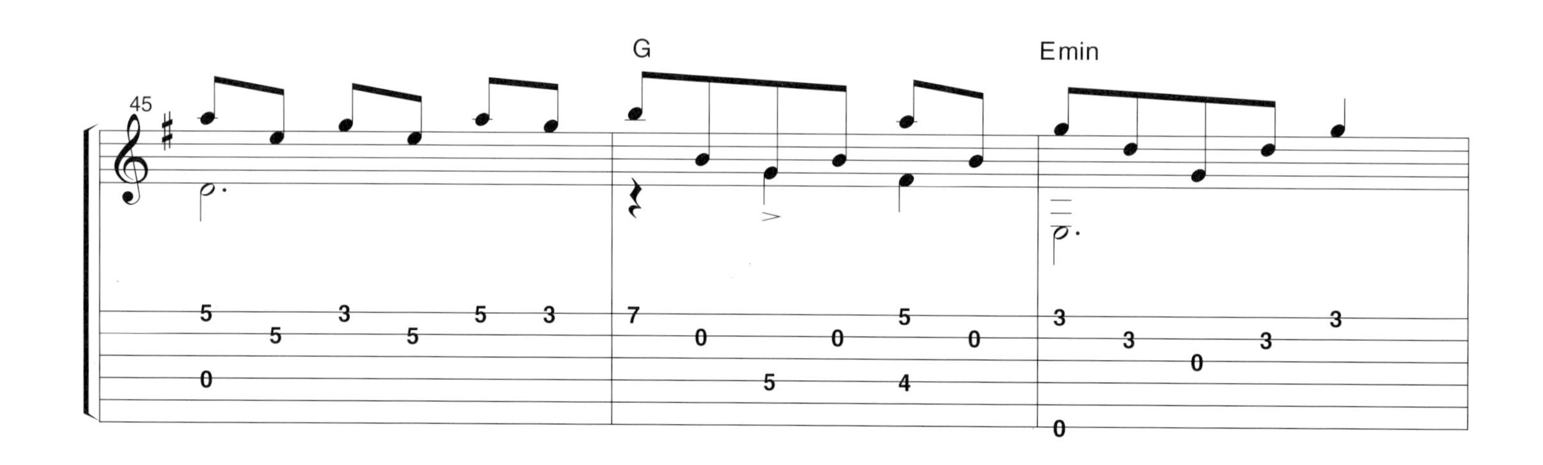
G
Emin
45

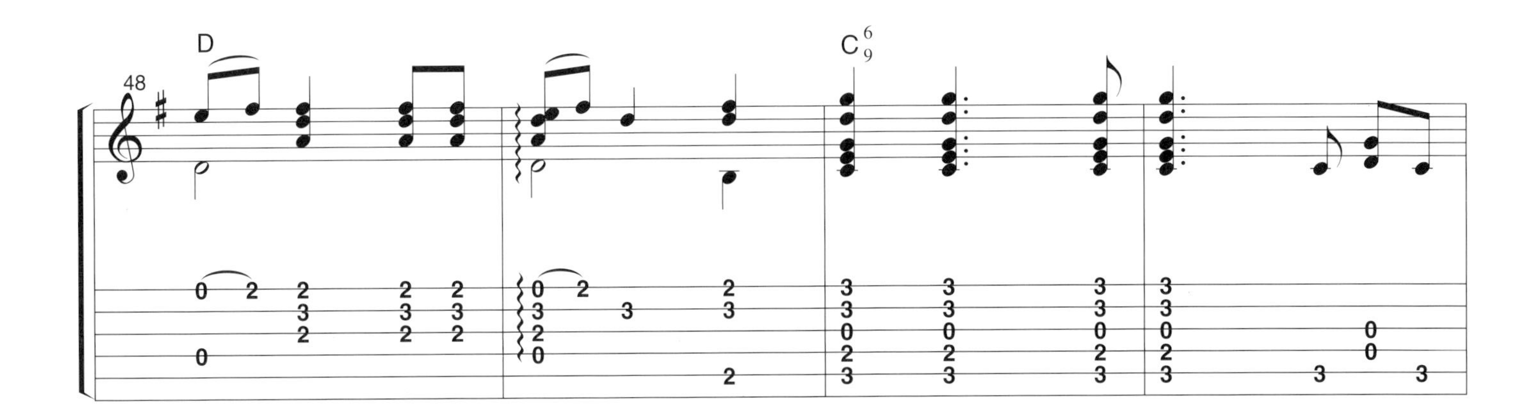
D
C 6 9
48

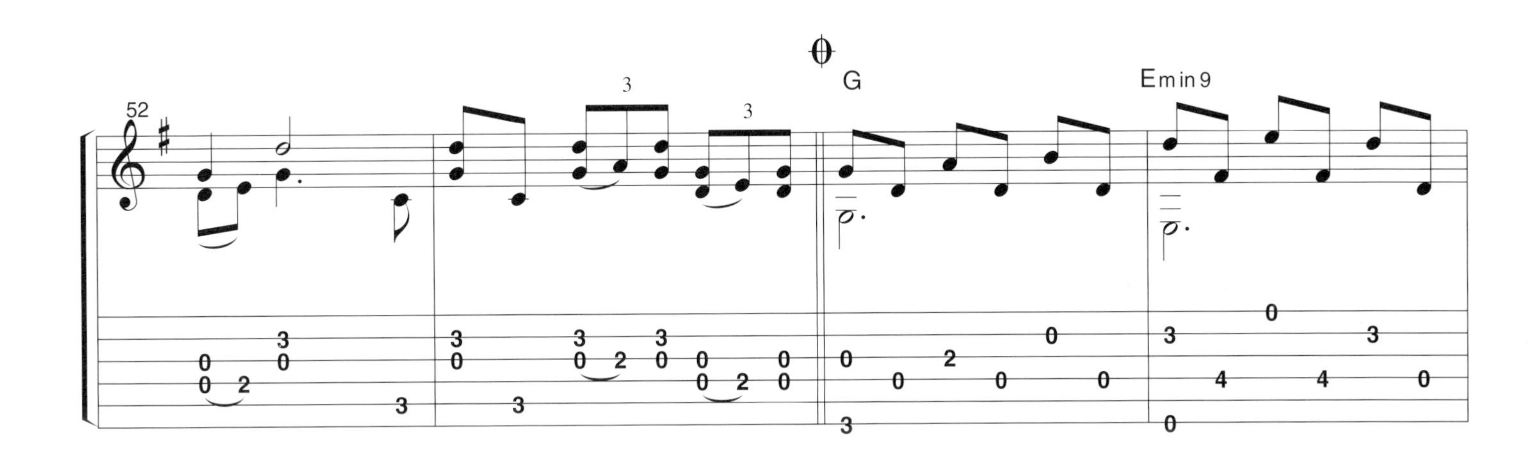
52
G
Emin9

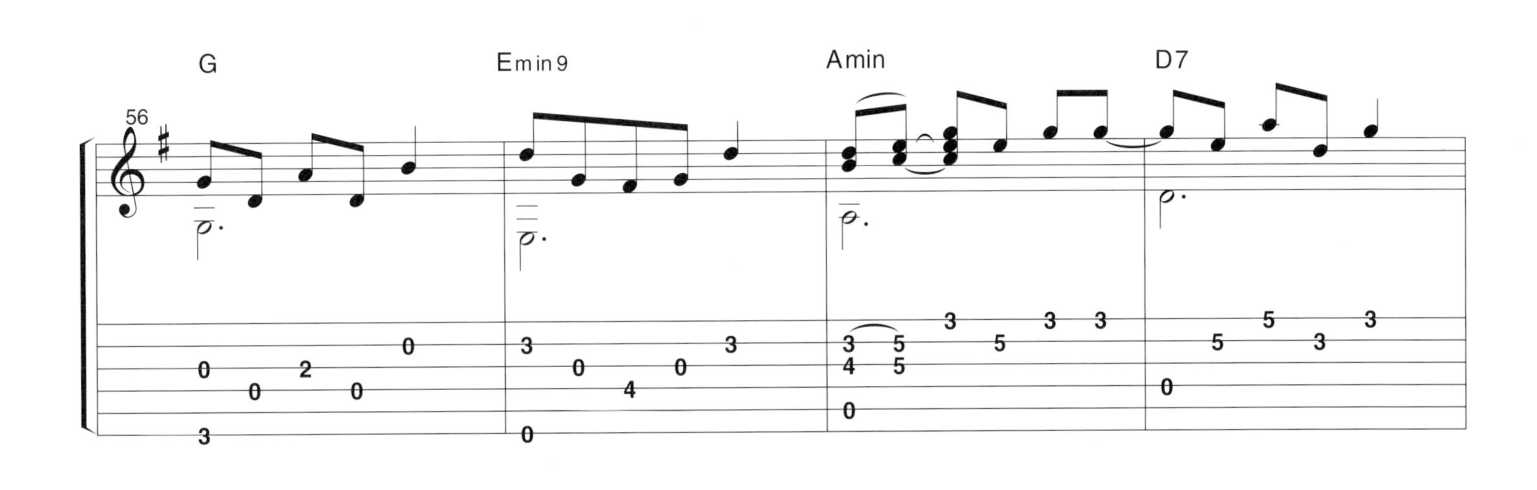
G
Emin9
Amin
D7
56

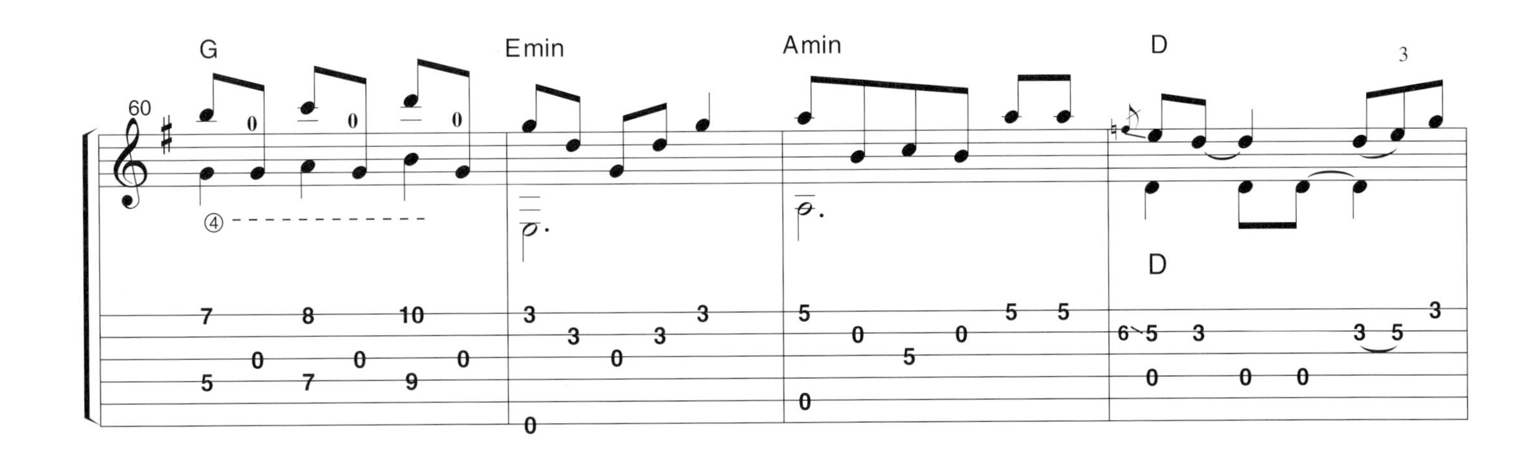
G
Emin
Amin
D
60
④
D

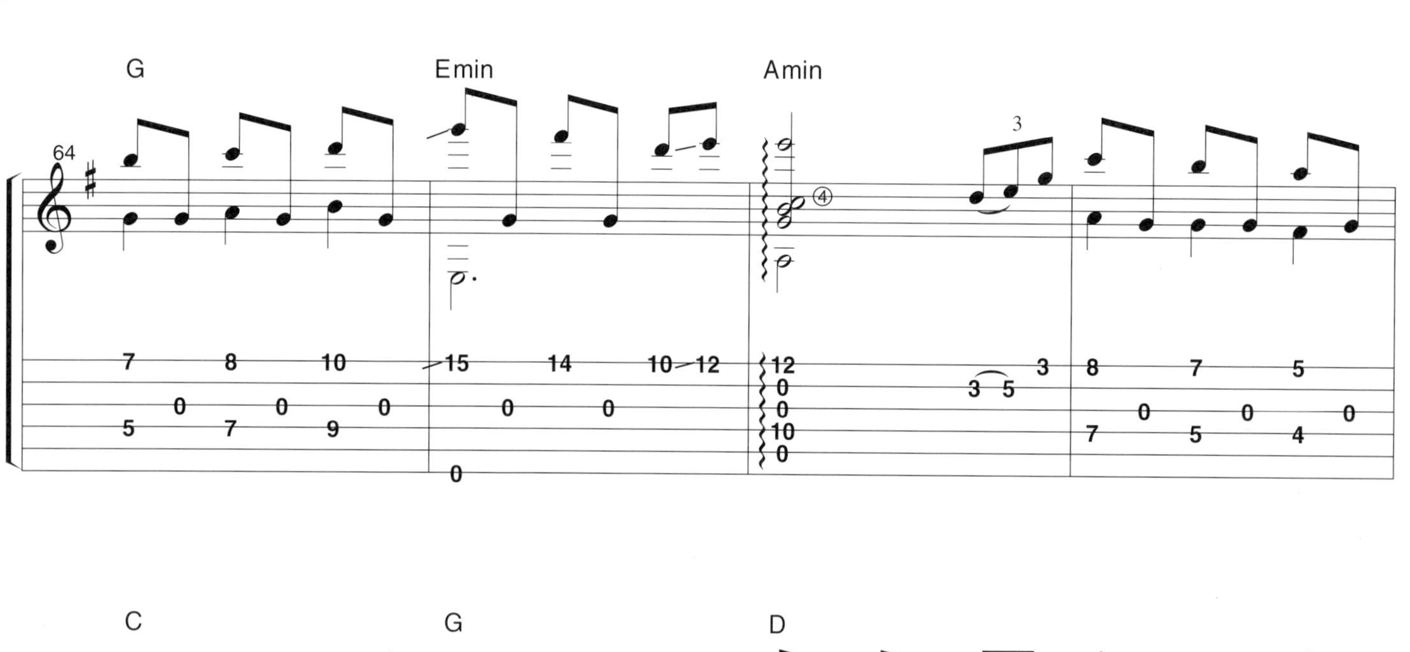
G
Emin
Amin
64

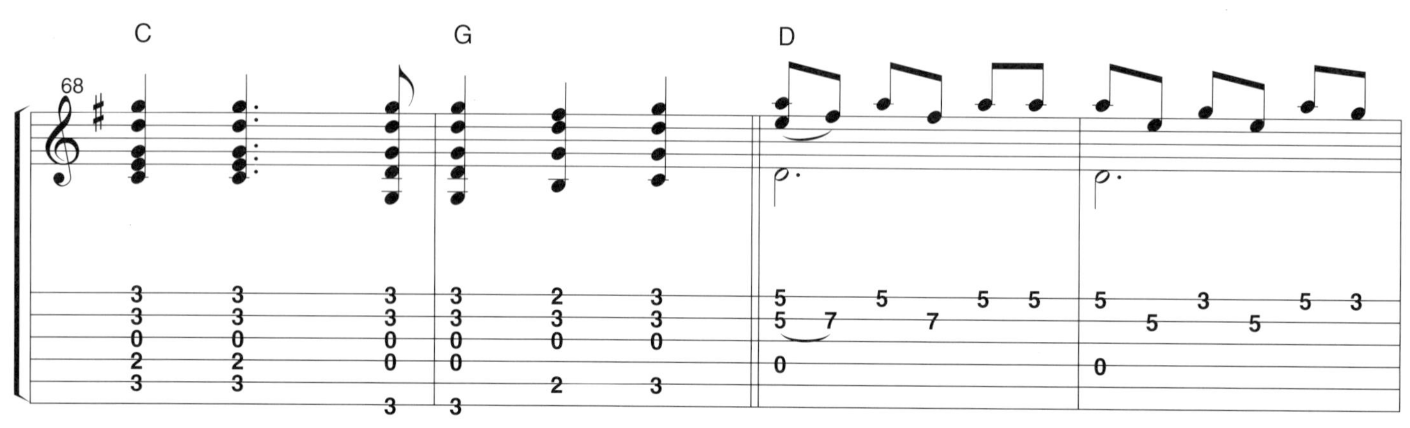
C
G
D
68

G
Emin
D
72

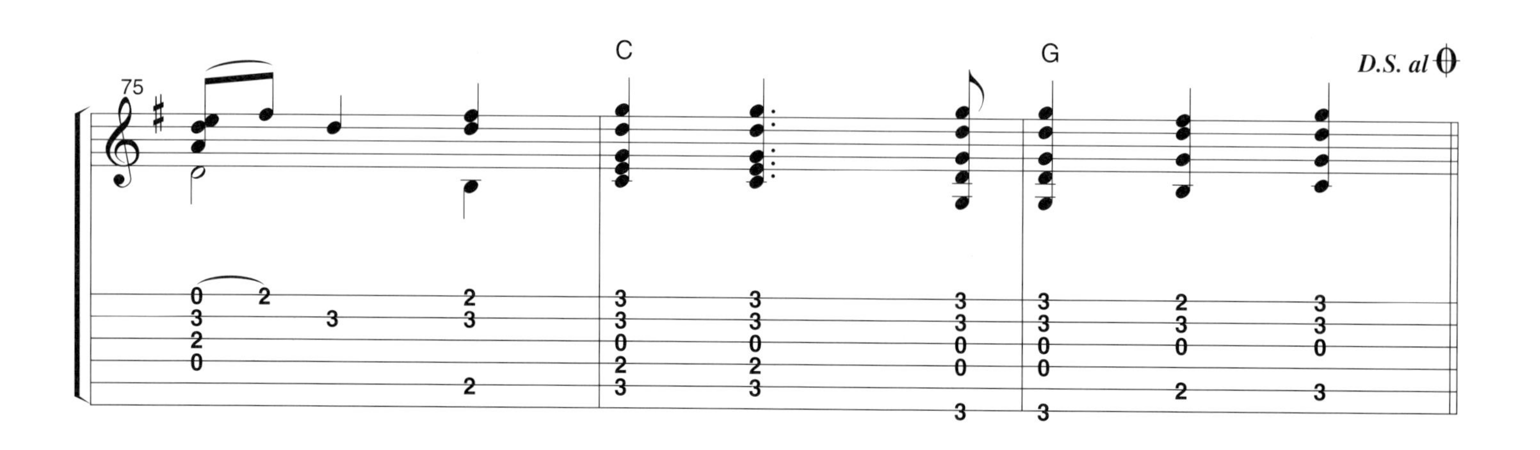
C
G
D.S. al
75

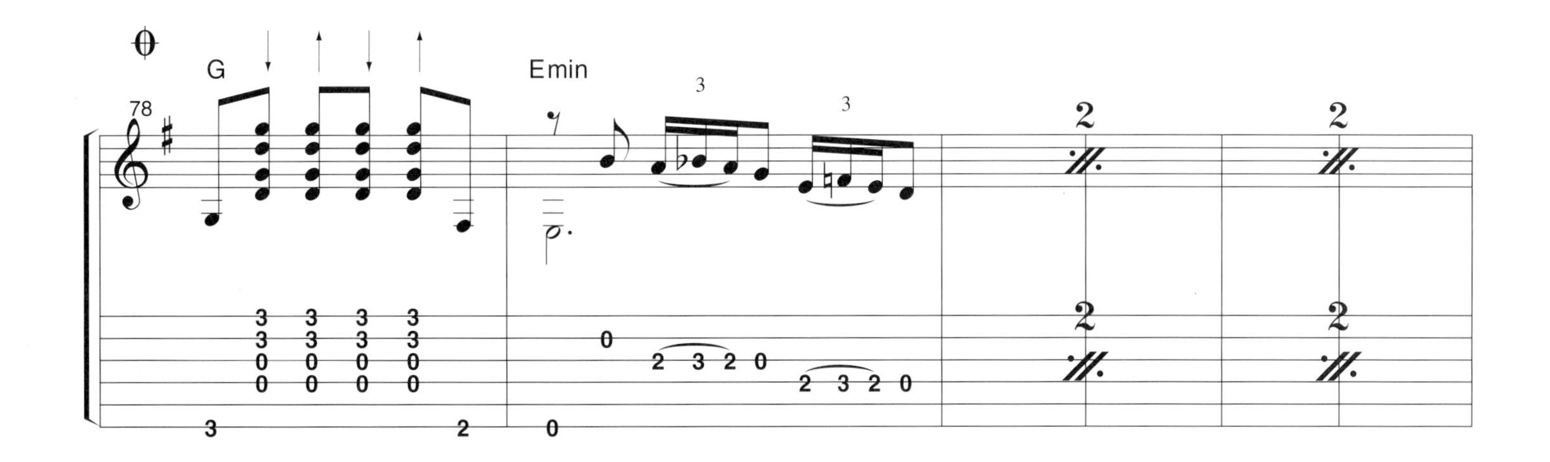

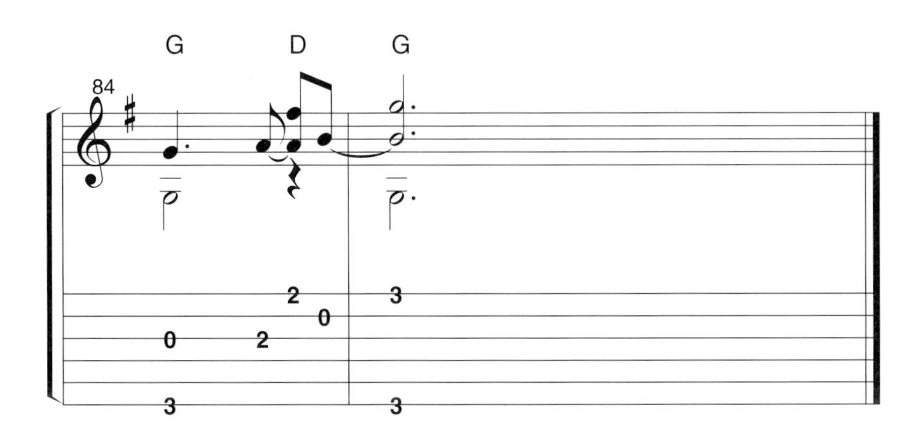

オプション

タブ譜付 クラシック・ギター　バッハ名曲集

Ben Bolt 著《模範演奏CD付》

定価［本体2,800円+税］

掲載曲

めざめよ！（カンタータ作品140より）• ガヴォット • プレリュード（チェロ組曲第３番より）• クーラント（チェロ組曲第３番より）• コレンテ（ヴァイオリン組曲第１番より）• ブレー（ヴァイオリン組曲第１番より）• ジーグ（チェロ組曲第１番より）• サラバンド（リュート組曲第２番より）• フーガ　他、全12曲

タブ譜付 クラシック・ギター　ショパン名曲集

Richard Yates 著《模範演奏CD付》

定価［本体3,000円+税］

掲載曲

プレリュード 作品28, 第７番 • プレリュード 作品28 第20番 • プレリュード 作品28 第４番 • カンタービレ • マズルカ 作品６ 第２番 • プレリュード 作品28 第15番「雨だれ」 • ノクターン 作品９ 第２番 • ノクターン 作品15, 第３番 • ノクターン 作品37 第１番 • ノクターン 作品55 第１番

タブ譜付 クラシック・ギター　30ギター小曲集

John Griggs & Carlos Barbosa-Lima 著《模範演奏CD付》

掲載曲

エア他／H. パーセル • ラルゴ／コレリ • アダージョ他／A. スカルラッティ • フゲッタ／パッフェルベル • ラルゲット／D. スカルラッティ • コン・モート／クープラン • 小さなプレリュード他／J. S. バッハ • アンダンティーノ／ヘンデル • メヌエット／W.A. モーツァルト • カプリッチョ／グリッグス&バルボサ・リマ　他、全30曲

定価［本体2,800円+税］

タブ譜付 クラシック・ギター　フェヴァリット名曲集

Ben Bolt 著《模範演奏CD付》

定価［本体3,000円+税］

掲載曲

あやつり人形の葬送行進曲／グノー • インヴェンション第13番、プレリュード第１番～平均律クラヴィーア曲集より／J. S. バッハ • 愛の夢／リスト • グリーンスリーヴス • 古城～ピアノ組曲「展覧会の絵」より／ムソルグスキー • 月の光～ベルガマスク組曲より／ドビュッシー • ラルゴ／ヴィヴァルディ • サルタレロ／ガリレオ • エリーゼのために／ベートーヴェン • トルコ行進曲／モーツァルト • 行進曲～舞踏組曲「くるみ割り人形」より／チャイコフスキー • カノン／パッフェルベル • 朝、アニトラの踊り～「ペール・ギュント」第１組曲より／グリーグ • カンツォネッタ／メンデルスゾーン • 亡き王女のためのパヴァーヌ、眠りの森の美女のパヴァーヌ／ラヴェル • ジムノペディ／サティ • プレリュード／ヴァイス • クロスロード・ブルース／ベン・ボルト　他、全29曲

タブ譜付 クラシック・ギター　ラテン・アメリカン・ギター・ガイド

Rico Stover 著《模範演奏CD付》

本書は、アルゼンチン、ブラジル、パラグアイ、ペルー、コスタリカ、ベネズエラの音楽と、ギター演奏のためのテクニックを紹介しています。基本動作から発展的な練習まで、ラテン・アメリカの音楽をより正確に解釈するためのラスゲアド・テクニックについて詳細に解説しています。

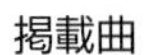

掲載曲

アルゼンチン　Zambeando、Malambismos、Estudio De Carnavalito • ブラジル　Sambarado • パラグアイ　Polca Paraguaya • ペルー　Ejercicio De Huaino、Marinera • コスタリカ • Estudio De Tambito、Pasillo • ベネズエラ　Estudio De Vals Venezolano、Joropo

定価［本体3,000円+税］

タブ譜付 クラシック・ギター　哀愁のラテン・アメリカン・メロディーの旅

Elias Barreiro 著《模範演奏CD付》

中南米14カ国の哀愁ただようメロディーをめぐり、ラテン・アメリカの旅気分を満喫しましょう。全31曲収録。

掲載曲

ボリビア　En lo frondoso • ブラジル　Odeón、Coracão que sente、Tico-Tico no fuba • チリ　La Mercedes • コロンビア　Por un beso de tu boca • コスタリカ　Mariquita • キューバ　La tarde、La Bayamesa、Corazón、La tarde está amorosa、La Matilde、El mambí • ドミニカ共和国　El sueño • エクアドル　Mis flores negras、Yaraví antiguo、Bartola、Pasillo • グアテマラ　San Antonio Polopó、Ixim • メキシコ　La reina de las flores、La luz eléctrica、Yo se lo diré a usted、Vals No.1、Vals No.2、Vals No.3 • ペルー　Suspiros del Chanchamayo • プエルトリコ　Tu y yo、No me toques • ウルグアイ　El montonero • ベネズエラ　Contradanza

定価［本体3,500円+税］

直輸入版

以下の商品は、直輸入版につき、通信販売のみのお取り扱いとなります。
詳細は、ホームページ **http://www.atn-inc.jp** または **FAX 03-3475-6983** にてお問い合わせください。

A New Look at Segovia　His Life His Music　Volume One
by Graham Wade & Gerard Garno

アンドレス･セゴヴィアの人生を詳細に追いながら、その業績を探求し評価する大作。セゴヴィアは、ソロ楽器としては歴史が浅く表現力においても発展途上にあったギターという楽器の表現力、芸術性を高め、レパートリーを広げることに大きく貢献しました。

Vol.1では生誕した1893年から1957年までの足跡をまとめられた資料とともにふり返ります。また*Narvaez*、*Fresobaldi*、*Bach*、*Scarlatti*、*Sor*によるルネッサンス、バロック、古典派の名曲を、セゴヴィアがどう編曲し演奏したかを分析。これらの曲について、セゴヴィアの解釈を含んだ本書の著者*Gerard Garno*編の楽譜に加え、作曲家の手書きの楽譜やオリジナル出版の楽譜まで資料として添えられています。

A New Look at Segovia　His Life His Music　Volume Two [CD付]
by Graham Wade & Gerard Garno

アンドレス･セゴヴィアの人生と業績を総合的にまとめたシリーズの第2弾では、彼の1958～87年の軌跡をたどります。また *Tarrega*、*Albeniz*、*Granados*、*Llobet*、*Ponce*によるスペイン楽派/ロマン派と現代楽派/新古典派の名曲におけるセゴヴィアの解釈について分析します。

The Complete Works of Agustin Barrios Mangore Vol.1
by Richard "Rico" Stover

[掲載曲目]
A mi Madre, Abri la Puerta mi China, Aconquija, Aire de Zamba, Aire Popular Paraguayo, Aire Sureno, Aires Andaluces, Aires Criollos, Aires Mudejares, Allegro Sinfonico, Altair, Arabescos, Armonias de America, Cancion de la Hilandera, Capricho Espanol, Choro da Saudade, Confesion, Contemplacion, Cordoba, Cueca, Danza, Danza Guarani, Danza Paraguaya, Diana Guarani, Dinora, Divagacion, Divagaciones Criollas, Don Perez Freire, El Sueno de la Munequita, Escala y Preludio, Estilo, 他

The Complete Works of Agustin Barrios Mangore Vol.2 [CD付]
by Richard "Rico" Stover

[掲載曲目]
Allegretto, Andantino, Ejercicio No. 12, Ejercicio No. 2, Estudio, Estudio No. 1, Leccion 40, Medallon Antiguo, Milonga, Minueto en Do, Minueto en La, Minueto en La (No. 2), Minueto en Mi, MInueto en Si Mayor, Oracion, Oracion por Todos, Pais de Abanico, Pepita, Pericon, Preludio (Op. 5, No. 1), Preludio en Do Mayor, Preludio en Do Menor, Preludio en La Menor, Preludio en Mi, Preludio en Mi Menor, Preludio en Re Menor, Romanza en Imitacion al Violoncello, Sargento Cabral, Sarita, Serenata Morisca, 他

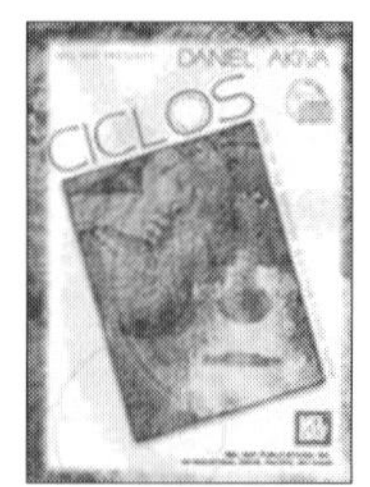

The Complete Chopin Mazurkas
by Stephan Aron

Music of the Sephardic Jews for Classic Guitar Ciclos [CD付]
by Daniel Akiva

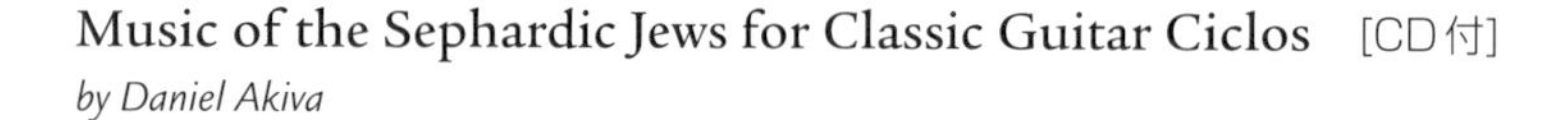

Collection of Guitar Solos by Nikita Koshkin **Classic Koshkin**
by Frank Koonce

Jazz Goes Classic　Jazz Favorites for Classic Guitar
by Thomas F. Heck, John Carlini

直輸入版

以下の商品は、直輸入版につき、通信販売のみのお取り扱いとなります。
詳細は、ホームページ **http://www.atn-inc.jp** または **FAX 03-3475-6983** にてお問い合わせください。

Hispanic-American Guitar [TAB譜/CD付] *by Douglas Back*

A la Orilla del Ebro **Castanbide** [arr. by **Manuel Y. Ferrer**] • A Media Noche **Jose Ariles** [arr. by **Charles de Janon**] • Alexandrina **Manuel Y. Ferrer** • Arbor Villa Mazurka **Manuel Y. Ferrer** • Cavatina **Antonio Lopez** • El Ole **Manuel Y. Ferrer** • El Vito Sevillano **Hernan** [arr. by **Charles de Janon**] • Isabel **John B. Coupa** • La Castanera (Spanish song) **Miguel S. Arevalo** • La Negrita **Jose Sancho** • La Suplica **Miguel S. Arevalo** • Lejos de ti (Far from thee) **Luis T. Romero** • Manzanillo **A.G. Robyn** [arr. by **Manuel Y. Ferrer**] • Peruvian Air [Arr. by **Luis T. Romero**] • Polonaise **Charles de Janon** • Rondino **Antonio Lopez** • Serenade **John B. Coupa** • Spanish Cachucha **Jose De Anguera** • Spanish Mazurka [Arr. by **Manuel Y. Ferrer**] • The Celebrated Spanish Retreat [Arr. by **Jose De Anguera**] • Un Sueno **Luis T. Romero** • Violetta Schottische **Miguel S. Arevalo** • Zamora (Spanish dance) **Charles de Janon**

Guitar Collection of Roger Hudson [TAB譜/CD付] *by Roger Hudson*

Camille • Dreams Collage • The Fox & the Hounds • West 57th Strut • Blues from Jekyll • Trouble Blues • Lullaby for a Lady • Gardens Waltz • Dancing in a Sleepless Night • Secret Tango • Undersea Ballad • The Seven-legged Spider

The Jovicic Collection [CD付] *by Jovan Jovicic ; edited by Uros Dojcinovic*

Traditional Slavic, Spanish, and Oriental Melodies for Classic Guitar

Original compositions for solo guitar:: Suite from Vojvodina (1942-1969) • Macedonian Rhapsody (1952) • Arabesque (1950) • Moorish Dance (1953-1954) • Suite No. 4 (1966) • Russian Suite (1968) • Suite on Folk Themes in G major (1969) • Suite from Serbia for Two Guitars (1992)

Johann Brahms Arranged for Guitar [TAB譜/CD付] *by Javier Calderón*

Waltz No.1~16 • Intermezzo (No.1, Op.117)

Franz Schubert Arranged for Guitar [TAB譜/CD付] *by Javier Calderón*

Ständchen (Serenade) • Ungarische Melodie • Moments Musicaux No.1~6

J. S. Bach Transcriptions for Classic Guitar [CD付] *by Javier Calderón*

Sonata BWV 1001 • Chaconne in D Minor BWV 1004 • Prelude in D Minor • Prelude – Fugue & Allegro BWV 998 • Suite for Lute BWV 996 • Prelude for Lute BWV 999 • Jesu, Joy of Man's Desiring

Solos for Guitar [CD付] *by Frederic Hand*

A Celtic Tale • A Dance for John Dowland • A Waltz for Maurice • About Time • Desert Sketch • Elegy for a King • For Lenny • Heart's Song • Lesley's Song • Missing Her • Simple Gifts

直輸入版

以下の商品は、直輸入版につき、通信販売のみのお取り扱いとなります。
詳細は、ホームページ **http://www.atn-inc.jp** または **FAX 03-3475-6983** にてお問い合わせください。

J. S. Bach in Tablature [TAB譜/CD付] *arranged by Jake Pincus*

Bouree In E Minor • Gavotte From The 3rd Lute Suite • Jesu, Joy Of Man's Desiring • Minuet 1 In G Major • Minuet 2 In G Major • Minuet In G Minor • Musette In D Major • Prelude In D Minor • Two Part Invention In C Major • Two Part Invention In D Minor

Treasures of the Spanish Guitar [TAB譜/CD付] *by Giovanni (John) de Chiaro*

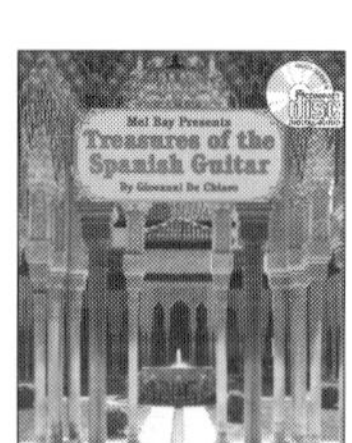

Canarios **Gaspar Sanz** • Capricho **J. De Anguera** • Capricho Arabe **Francisco Tarrega** • El Jaleo De Jeres [Arr. George Henry Derwort] • Espanoletas **Gaspar Sanz** • Fantasia **Luys De Narvaez** • Folias **Gaspar Sanz** • Marieta **Francisco Tarrega** • Rondo Brilliante Op 2 No 2 **Dionisio Aguado** • Rosita **Francisco Tarrega** • Spanish Fandango [Arr. Justin Holland]

Classical Masterpieces in Tablature [TAB譜] *transcribed by Dennis Franco*

Study (from Opus 35 No. 22) **Fernando Sor** • Polymnia (from Libro di Intavolatura, 1584) **Vincenzo Galilei** • Spanish Baroque Suite (Rujero, Paradetas, Matachin, Zarabanda) **Gaspar Sanz** • Espanoletta (from Second Book of Spanish Tablature, 1675) **Gaspar Sanz** • Canarios (from First Book of Spanish Tablature, 1674) **Gaspar Sanz** • French Baroque Suite (Prelude, Allemande, Gavotte, Sarabande, Bouree, Gigue) **Robert de Visee** • Prelude (from BWV 998, 1740) **J. S. Bach** • Fugue (from BWV 998, 1740) **J. S. Bach** • Allegro (from BWV 998, 1740) **J. S. Bach** • Prelude (from Cello Suite No. 1 BWV 1007) **J. S. Bach** • Fantasie No. 7 (from Variety of Lute Lessons, 1610) **John Dowland** • Queen Elizabeth's Galliard (from Variety of Lute Lessons, 1610) **John Dowland**

Baroque Music for Acoustic Guitar [TAB譜] *by Stephen Siktberg*

Johann Pachelbel (1653-1706) Fugue in C, Fugue in G, Fugue in G, Fugue in Dm, Fugue in D • **Henry Purcell** (1659-1695) Air in Em, Hornpipe in Em, Prelude, Prelude, March in D, A Ground in G, Air in Em • **Francois Couperin** (1668-1733) Le Petit-Rien (Rondeau), Le Trophie, La Flore, La Morinete, Les Tambourins, La Badine (Rondeau), Les Bacchanales, La Bourbonnoise (Gavotte) • **Jean-Philippe Rameau** (1683-1764) Menuet en Rondeau, Menuet, Sarabande 1 & 2, Gavotte en Rondeau, Les Tendres Plaintes (Rondeau), Menuet 1 & 2 • **Domenico Scarlatti** (1685-1757) Sonata in G (K 431), Sonata in Dm (K 434), Sonata in D (K 414), Sonata in A (K 428) • **George Philip Telemann** (1681-1776) Fantasia in Em, Fantasia in D, Fantasia in D, Fantasia in Dm, Fantasia in Am, Fantasia in C, Fantasia in Em • **George Friedrich Handel** (1685-1759) Sonatina in C, Allemande, Sarabande (with variations), Allegro (from Great Suite #7 for Harpsichord), Sarabande (from Great Suite #7 for Harpsichord), Passacaille (from Great Suite #7 for Harpsichord), Allegro (from Partita in G major for Harpsichord), Courante (from Partita in G major for Harpsichord), Sonata in C • **Johann Sebastian Bach** (1685-1750) Prelude (from Suite #1 for Violoncello), Menuet 1 & 2 (from Suite #1 for Violoncello), Gigue (from Suite #1 for Violoncello), Gavotte 1 & 2 (from Suite #6 for Violoncello), Gavotte en Rondeau (from Partita #3 for Violin), Menuet 1 & 2 (from Partita #3 for Violin), Bouree (from Partita #3 for Violin), Sarabande & Double (from Partita #1 for Violin), Tempo di Bouree (from Partita #1 for Violin)

Guitar Solos by William Foden [CD付]

by William Foden ; piano accompaniment by Ron Purcell ; performed by Gregpry Newton

Piano Concerto No. 1 **Piotr Ilyich Tchaikovsky** • Thine Alone **Victor Herbert** • Gypsy Love Song **Victor Herbert**

Albeniz for Acoustic Guitar [TAB譜] *by Laurindo Almeida*

Sevilla • Danza Espanola No 3 ("Serenata Andaluza") • Leyenda • Malaguena • Tango • Cadiz (from Suite Espanola) • Zambra Granadina

直輸入版

以下の商品は、直輸入版につき、通信販売のみのお取り扱いとなります。
詳細は、ホームページ **http://www.atn-inc.jp** または **FAX 03-3475-6983** にてお問い合わせください。

Jeff Linsky Fingerstyle Jazz Guitar Solos　[DVD付]　*by Jeff Linsky*

Black Sand • Later • The Love Club • Up Late • Angel's Serenade • Hermosa • Murrieta's Farewell • Leo • Casa Miguel
Pacifica

Ricardo Iznaola - Concert Etudes　[TAB譜/CD付]　*by Ricardo Iznaola*

Homagesと題された10の練習曲と、音詩(tone poem) Death of Icarus をまとめた曲集。Homagesは上級者向けにテクニックの習熟を目的としたものであると同時に、各曲がアグアド、スクリャービン、バリオス·マンゴレ、タレガ、E. サインス·デ·ラ·マーサ、ヴィラ·ロボス、リスト、ラフマニノフ、リョベット、パガニーニに敬意を表しその特徴を踏襲したスタイル集。Death of Icarus (イカルスの死)はギタリスト、レギーノ·サインス·デ·ラ·マーサの想い出に捧げられたもので、著者による11番目の練習曲でもあります。難易度の高い曲が多く、レパートリーとしてチャレンジしてみたくなるおもしろさがあるでしょう。TAB譜付。

Tangos & Milongas for Solo Guitar　[CD付]　*by Jorge Morel*

アルゼンチン出身のギターの巨匠であり作曲家であるホルヘ·モレルの曲集です。本書には、3人の有名なラテン系の作曲家による作品、および著者による2つのソロ·ギターのためのオリジナル作品が収録されています。それぞれタンゴ、もしくはミロンガというダンス形式の曲をソロ·ギターのために編曲したものです。アルゼンチン·タンゴの名曲としてポピュラーな「エル·チョクロ」や、モレルのオリジナルでギターとストリングスのための「ラプソディック協奏曲」などが含まれ、5線譜とTAB譜の両方が独立した楽譜として記載されています。付属CDにはモレル自身が演奏した全曲が収録されています。

Don Agustin Bardi **Horacio Salgan** • El Choclo **Angel Villoldo** • Gallo Ciego **Agustin Bardil** • Milonga Del Viento **Jorge Morel**
Otro Tango, Buenos Aires **Jorge Morel**

Johannes Brahms - Hangarian Dances for Solo Guitar　*by Jozsef Eotvos*

ヨハネス·ブラームスのハンガリア舞曲(作品39番)は、元々はピアノのデュエットを想定して生まれたものですが、ブラームス自身によるオーケストラ·バージョンを含め、いろいろな器楽アンサンブルに編曲されています。

本書はハンガリーの傑出したギタリスト*Jozsef Eotvos*が、21の舞曲すべてをソロ·ギター用に編曲したものです。記譜は5線譜のみでフィンガリングの模範例が記されています。収録曲の多くはフレットボード上にうまく収まるように編曲されてはいます。上級のクラシック·ギタリストに推薦。

DVD版　Andrew York-Comtemporary Classic Guiter

*Andrew York*はギタリスト、作曲家として複数のジャンルにおける権威であり、それぞれの世界に精通している数少ない存在といえます。セカンド·アルバム Denouement は、1994年 Guitar Player誌の読者投票で「最高のクラシック·ギターアルバム」に選ばれています。また、世界的に名高いロス·アンジェルス·ギター·カルテットのメンバーでもあり、カルテットのための作品も多く執筆しています。

本DVDでは、Sunburst/Jubilation含む彼のオリジナル7曲と、バッハの無伴奏チェロ組曲第3番について、*York*自身が解説と演奏をしています。 世界トップ·レベルのクラシカル·ギターリストを視覚的にも楽しめる、すばらしい内容です。

Bagatelle • In Sorrow's Wake • King Lotvin • Marley's Ghost • Numen • Sunburst/Jubilation • Sunday Morning Overcast
Third Cello Suite In C Major **J.S.Bach**

DVD版　Paulo Bellinati plays Antonio Carlos Jobim

*Paulo Bellinati*は、ブラジルの最も優れたコンテンポラリー·ギタリストの一人です。このDVDで彼は、ラテン·ジャズの最もよく知られた作曲家である*Antonio Carlos Jobim*の作品12曲を、クラシック·ギターのスタイルで編曲し演奏しています。最後の曲ではクリスティーナ·アズマの伴奏を加えデュオで演奏しています。

Gabriela •Estrada Branca • Bate-Boca Luiza •Chora Coracao •Antigua •Por Toda a Minha Vida Garoto (Choro) •Valsa do Porto das Caixas •A Felicidade •Surfboard •Amparo

ATN, inc.

アコースティック／クラシック・ギター
アメリカン・フォーク・ソング

Cowboy Songs for Acoustic Guitar

発 行 日 2005年12月20日（初 版）

著 者 Steve Eckels
翻 訳 石井 貴之
発行・発売 株式会社 エー・ティー・エヌ

住 所 〒161-0033
東京都新宿区下落合 3-12-21 目白エミネンス 102
TEL 03-6908-3692 / FAX 03-6908-3694
ホーム・ページ http://www.atn-inc.jp

4471

ISBN4-7549-4471-2